CLIVE BARKER

Né en 1952 à Liverpool, peintre, écrivain, cinéaste, dramaturge, Clive Barker est l'enfant terrible du fantastique britannique. Revélé par les nouvelles choc réunies dans *Les Livres de sang*, 1984, il passe ensuite avec maestria de la terreur à la fantasy, du conte pour enfants à la saga, ne cessant de se renouveler. Tout en réalisant des films-culte, comme *Hellraiser* ou *Cabal*, il écrit *Le Royaume des devins, Imajica* ou *Galilée*, nous entraînant dans des univers profondément oniriques, chargés d'érotisme et peuplés de personnages flamboyants.
L'un des plus grands créateurs de mythes de la littérature contemporaine, il vit aujourd'hui à Los Angeles.

GALILÉE

*

DU MÊME AUTEUR
CHEZ POCKET

SECRET SHOW
IMAJICA 1
IMAJICA 2
LE ROYAUME DES DEVINS
EVERVILLE

COLLECTION TERREUR
dirigée par Patrice Duvic

CLIVE BARKER

GALILÉE

*

Traduit de l'anglais par Jean Esh

RIVAGES

Titre original :
GALILÉE

Si vous souhaitez recevoir régulièrement
notre zine « **Rendez-vous ailleurs** », écrivez-nous à :

« Rendez-vous ailleurs »
Service promo Pocket
12, avenue d'Italie
75627 PARIS Cedex 13

ISBN 2-266-11226-0

Pour Emilian David Armstrong

BARBAROSSA

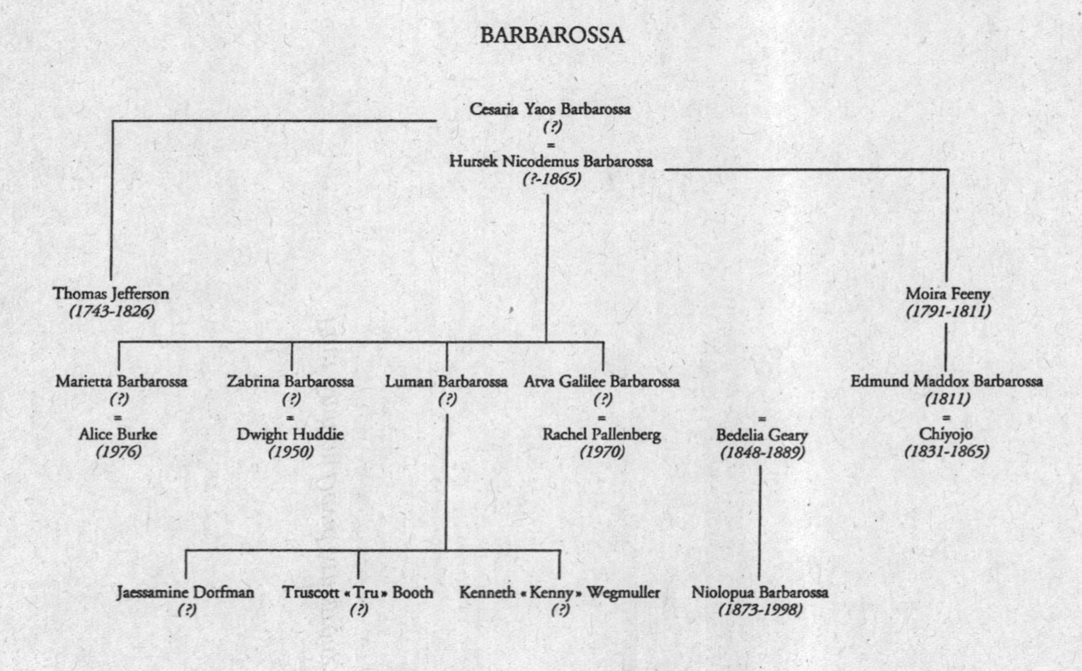

Cesaria Yaos Barbarossa
(?)
=
Hursek Nicodemus Barbarossa
(?-1865)
Thomas Jefferson
(1743-1826)
Moira Feeny
(1791-1811)
Marietta Barbarossa
(?)
=
Alice Burke
(1976)
Zabrina Barbarossa
(?)
=
Dwight Huddie
(1950)
Luman Barbarossa
(?)
Atva Galilee Barbarossa
(?)
=
Rachel Pallenberg
(1970)
=
Bedelia Geary
(1848-1889)
Edmund Maddox Barbarossa
(1811)
=
Chíyojo
(1831-1865)
Jaessamine Dorfman
(?)
Truscott « Tru » Booth
(?)
Kenneth « Kenny » Wegmuller
(?)
Niolopua Barbarossa
(1873-1998)

GEARY

« Nub » Nickelberry (Geary)
(1839-1909)
= Bedelia Geary
(1848-1889)

Lloyd Sherman Geary
(1889-1906)

Laurence Grainger Geary
(1873-1946)
= Verna Geary
(1877-1958)

William Calloway Geary
(1879-1880)

Elizabeth Bedelia Geary
(1912-1981)

John Sheldrake Geary
(1910-1995)

Eleanor Geary
(1903-1986)

Cadmus Northrop Geary
(1900-1998)
= 1. Katherine « Kitty » Faye Geary
(1902-1979)
2. Loretta Talley
(1923)

Agnes Victoria Geary
(mort-née)

Myrna Geary
(mort-née)

Hudson Geary
(mort-né)

Richard Emerson Geary
(1934)

George Geary
(1937-1981)
= Deborah Halford
(1938)

Nora Faye Geary
(1935)
= Todd Michael Doyle
(1931-1987)

Tyler Geary
(1968-1987)

Garrison Geary
(1957)
= Margaret « Margie » Lexington
(1956-1998)

Mitchell Monroe Geary
(1967-1998)
= Rachel Pallenberg
(1970)

Karen Geary
(1972)

REMERCIEMENTS

Fort heureusement, je n'ai pas effectué ce voyage tout seul. J'aimerais adresser quelques paroles de remerciement aux personnes qui m'ont accompagné.

À Vann Sauls, tout d'abord, de McGee's Crossroads, en Caroline du Nord, pour son amitié, son esprit, et les idées qu'il m'a transmises alors que nous explorions ensemble les deux États de Caroline. Sans nos conversations, tandis que nous errions dans les rues de Charleston à minuit, ou dans les bois de Bentonville, là où les armées sudiste et nordiste s'affrontèrent de manière si dramatique, ce livre serait bien moins riche.

À Robb Humphreys et Jœ Daley qui m'ont assisté dans mes recherches les plus obscures, réussissant toujours à dénicher dans les rayonnages des bibliothèques les ouvrages qui contenaient quelque information précieuse et essentielle.

À ma chère Anna Miller, qui dirige avec Robb et Joe notre société de production de films, ici à L.A. Pendant que j'étais en mer avec Galilée, elle a tenu en respect les attraits et la folie de cette ville, avec une chaise et un fouet.

À Don Mackay, qui m'a fait l'immense honneur de

dactylographier ce manuscrit, en acceptant de se détourner de sa véritable vocation, celle d'acteur.

Et enfin, je remercie David John Dodds, qui fait en sorte que le monde dans lequel je vis et travaille soit réglé comme une horloge, ce qui n'est pas une tâche facile. Il est mon ami et ange gardien depuis treize ans. Rien de tout cela ne serait possible sans son amour et sa foi en moi.

C.B.

PREMIÈRE PARTIE

LE TEMPS EST COMPTÉ

Chapitre premier

1

Sur l'insistance de ma belle-mère, Cesaria Barbarossa, la maison dans laquelle je me trouve présentement fut construite face au sud-est. L'architecte – qui n'était autre que le troisième président des États-Unis d'Amérique, j'ai nommé Thomas Jefferson – s'éleva à maintes reprises et avec éloquence contre ce désir. J'ai sur mon bureau les lettres qui l'attestent. Mais Cesaria demeura intraitable sur ce sujet. Sa maison devait regarder vers sa terre natale, vers l'Afrique, et Jefferson, qui était son employé, devait se conformer à ses instructions.

Toutefois, il apparaît clairement, en lisant entre les lignes des missives de Cesaria (je les ai en ma possession, elles aussi, ou du moins, des copies), que Jefferson était bien plus qu'un simple architecte qui accepte une commande ; et à ses yeux, Cesaria n'était pas juste une femme obstinée, animée du désir pervers de bâtir une maison dans des marais, en Caroline du Nord, orientée au sud-est. Leurs lettres sont celles de deux personnes qui partagent un secret.

Je connais moi-même certains secrets, et, fort heureusement pour la précision de ce qui va suivre, je n'ai nullement l'intention de les garder pour moi.

Le moment est venu de raconter tout ce que je sais. À défaut, tout ce que je peux deviner ou supposer. À défaut, tout ce que je peux inventer. Si je fais mon travail comme il convient, peu vous importera, alors, de savoir si ce que je dis est vrai ou non. Dans ces pages va apparaître, je l'espère, une histoire continue décrivant des actes et des destins qui s'étendent à travers le monde. Certains de ces événements vous paraîtront étranges, c'est le moins que l'on puisse dire, accomplis par des êtres perturbés et peu fréquentables. Mais d'une manière générale, dites-vous que plus l'acte que je dépeins vous semble improbable, plus il y a de chances que je possède la preuve de son authenticité. Les choses que j'inventerai seront, je suppose, bien banales à côté de la vérité. Et comme je vous l'ai dit, je suis décidé à ce que vous ne voyez pas la différence. J'ai l'intention d'entremêler si habilement les éléments de mon récit que vous cesserez bientôt de vous demander si tel événement s'est produit dans le monde où vous évoluez, ou ici, dans la tête d'un handicapé qui ne quittera plus jamais la demeure de sa belle-mère.

Cette demeure, cette glorieuse demeure !

Quand Jefferson peinait sur ses plans, il était encore loin de Pennsylvania Avenue, mais ce n'était déjà plus un inconnu, tant s'en faut. Nous étions alors en 1790. Il avait déjà rédigé la Déclaration d'indépendance et occupé le poste d'ambassadeur en France. De magnifiques mots avaient coulé de sa plume. Et malgré cela, voilà qu'il rogne sur ses devoirs à Washington et néglige de s'occuper de sa propre maison pour écrire de longues lettres à l'épouse de mon père, dans lesquelles les problèmes de la construction de cette demeure et les atermoiements de son cœur se mêlent de manière exquise.

Si cela ne vous paraît pas suffisamment extraordinaire, réfléchissez à ceci : Cesaria était noire ; Jefferson, en dépit de toutes ses affirmations démocratiques, possédait quelque deux cents esclaves. Quelle autorité fallait-il qu'elle exerçât sur lui pour le convaincre de travailler d'arrache-pied pour elle comme il le fit ? Voilà qui en dit long sur ses pouvoirs enchanteurs, des pouvoirs que, dans ce cas précis, elle exerçait « sans grigri » comme elle aimait à le préciser. Autrement dit, dans ses rapports avec Jefferson, Cesaria se montrait simplement, délicatement, et même innocemment, humaine. Quels que soient les dons qu'elle possède pour envoûter de manière surnaturelle un être humain – et elle en possède d'innombrables –, elle appréciait beaucoup trop la clairvoyance de Jefferson pour l'aveugler de cette façon. S'il lui était aussi dévoué, c'était parce qu'elle était digne de cette dévotion.

La maison qu'il construisit pour elle fut baptisée *L'Enfant*. En fait, je crois que le nom exact était *L'Enfant des Carolinas*. Je ne peux qu'émettre des hypothèses concernant l'origine de cette dénomination.

Que ce soit un nom français, voilà qui n'est pas une surprise : ils s'étaient connus dans les salons dorés de Paris. Mais pourquoi ce nom ? J'ai deux théories. La première, la plus évidente, c'est que cette maison est, en un sens, le fruit de leur histoire d'amour, leur enfant si vous préférez, d'où ce nom de baptême. Deuxième théorie : cette maison était la progéniture d'un parent architecte, le géniteur étant la propre maison de Jefferson à Monticello, dans laquelle il injecta son génie presque toute sa vie. Elle est plus grande que Monticello, trois fois plus environ (Monticello occupe trois mille six cents mètres carrés ; j'estime que *L'Enfant* en couvre presque onze mille), et elle possède un certain nombre de dépendances, alors que la maison de Jefferson est une structure unique qui englobe les quartiers des esclaves et des domestiques, les cuisines et les toilettes, tout cela sous le même toit. Mais à d'autres égards, les deux maisons sont similaires. Toutes les deux sont des interprétations jeffersoniennes de modèles palladiens ; toutes les deux possèdent des doubles portiques, toutes les deux possèdent des dômes octogonaux, de vastes pièces avec des plafonds hauts et de nombreuses fenêtres, toutes les deux sont des maisons plus fonctionnelles qu'élégantes, et enfin, toutes les deux, dirais-je, sont des constructions qui témoignent d'une immense confiance et d'un immense amour.

Certes, leurs emplacements respectifs sont radicalement différents. Monticello, comme son nom l'indique, est située sur une montagne. *L'Enfant,* elle, se dresse sur un terrain plat de vingt hectares au bout duquel, au sud-est, s'étendent des marais hostiles, et dont l'extrémité nord est bordée par des bois, de sapins essentiellement. La maison en elle-même trône sur un modeste promontoire, pas assez haut pour éviter que les caves soient inondées durant les fortes pluies, et que les pièces soient affreusement glaciales en hiver et d'une humidité effroyable en été. Mais je ne me plains pas. *L'Enfant* est une demeure extraordinaire. Parfois, je me dis qu'elle est dotée d'une âme. En tout cas, elle semble connaître les humeurs de ses occupants, et s'y adapter. À plusieurs reprises, alors que j'étais assis dans mon bureau, une sombre pensée s'est insinuée dans mon esprit, et je jure que j'ai senti alors la pièce s'assombrir elle aussi, par osmose. Il ne se produit aucun changement physique – les rideaux ne se ferment pas, les taches sur les murs ne s'étendent pas – mais je sens malgré tout une transformation subtile dans la pièce, comme *si* elle souhaitait copier mon état d'esprit. Il en va de même les jours où je suis d'humeur enjouée, ou bien hanté par le doute, ou simplement d'humeur paresseuse. Peut-être est-ce le génie de Jefferson qui crée cette illusion d'empathie. Ou peut-être faut-il y voir l'œuvre de Cesaria : son propre génie, allié à celui de Jefferson. Quelle que soit la raison, *L'Enfant* nous connaît. Mieux que nous nous connaissons nous-mêmes, me dis-je parfois.

2

Je partage cette maison avec trois femmes, deux hommes, et un certain nombre d'individus indéterminés.

Les femmes sont, bien entendu, Cesaria et ses filles,

mes deux demi-sœurs, Marietta et Zabrina. Les hommes ? L'un des deux est mon demi-frère, Luman (il ne vit pas dans la maison à proprement parler, mais à l'extérieur, dans une cabane construite sur la propriété) ; l'autre est Dwight Huddie, qui fait office de majordome, de cuisinier et d'homme à tout faire. Je vous parlerai de lui plus en détail ultérieurement. Et enfin, comme je vous le disais, il y a les individus indéterminés, dont le nombre est lui aussi indéterminé, bien évidemment.

Comment vous décrire ces présences le mieux possible ? On ne peut pas les comparer à des esprits, cela évoquerait quelque chose de trop fantasque. Ce sont simplement des travailleurs sans nom, obéissant aux ordres de Cesaria qui veille à l'entretien général de la maison. Ils font bien leur travail. Parfois, je me demande si Cesaria ne les a pas fait venir à l'époque où Jefferson travaillait encore dans cette maison pour qu'il puisse leur enseigner de manière concrète les points forts et les défauts de son chef-d'œuvre. Dans ce cas, la scène devait être inoubliable : Jefferson le grand rationaliste, l'homme des chiffres, obligé de croire ce que lui montraient ses propres yeux, alors que son bon sens se révoltait à l'idée que des créatures telles que celles-ci – venues de l'éther sur ordre de la maîtresse de *L'Enfant* – puissent exister. Comme je l'ai dit, j'ignore combien elles sont (six peut-être ; peut-être moins) ; et j'ignore s'il s'agit en vérité de projections de la volonté de Cesaria ou alors de choses possédant autrefois âme et volonté. Je sais seulement qu'elles accomplissent sans relâche leur tâche qui consiste à maintenir cette immense maison et la propriété dans un état convenable, mais – à l'instar des machinistes dans un théâtre – elles agissent uniquement quand nous détournons le regard. Si cela paraît un peu étrange, c'est que ça l'est peut-être : j'ai fini par m'y habituer, voilà tout. Je ne me demande plus qui fait mon lit le matin pendant que je me brosse les dents, ni qui recoud les boutons de ma chemise quand ils menacent de tomber, qui colmate les fissures dans le plâtre ou taille les magnolias. Je me dis que le travail sera fait, et, quels que soient ces ouvriers, ils n'ont pas plus envie d'échanger des civilités avec moi que je n'ai envie d'en échanger avec eux.

Il y a dans cette maison un autre occupant dont je devrais vous parler ; il s'agit du domestique personnel de Cesaria. La manière dont elle en a fait son fidèle compagnon sera l'objet d'un passage ultérieur, je n'entrerai donc pas dans les détails pour l'instant. Laissez-moi dire seulement ceci : c'est selon moi l'être le plus triste de la maison. Et quand vous pensez à la masse de tristesse rassemblée sous ce toit, ce n'est pas peu dire.

Mais je ne veux pas m'enliser dans la mélancolie. Poursuivons.

Ayant dressé la liste des occupants humains, ou presque humains, de *L'Enfant,* je devrais peut-être évoquer les animaux. Une propriété de cette taille accueille évidemment un nombre incalculable d'espèces sauvages. Il y a des renards, des mouffettes et des opossums, il y a aussi des chats farouches (échappés de leur servitude domestique, quelque part à Rollins County), et un certain nombre de chiens qui ont élu domicile dans les fourrés. Les arbres sont envahis d'oiseaux, jour et nuit, et de temps à autre un alligator s'aventure hors des marais pour se prélasser dans l'herbe, au soleil.

Tout cela est relativement normal. Mais il y a deux autres espèces dont la présence est plus surprenante. La première fut importée par Marietta, qui se mit en tête il y a quelques années d'élever trois bébés hyènes. Comment se les est-elle procurés, je ne m'en souviens plus (à supposer qu'elle me l'ait dit) ; je sais seulement qu'elle se lassa assez vite de jouer les mères de substitution et leur rendit leur liberté. Les hyènes se sont reproduites, de manière incestueuse évidemment, et aujourd'hui, il y en a toute une meute sur la propriété. La seconde espèce bizarre constitue la fierté et la joie de ma belle-mère, ce sont des porcs-épics. Elle en a fait ses animaux de compagnie depuis son installation dans cette demeure et eux aussi se sont multipliés. Ils vivent à l'intérieur de la maison, où ils errent en toute liberté, sans aucune limite, bien qu'ils préfèrent, dans l'ensemble, rester en haut, près de leur maîtresse.

Nous avions aussi des chevaux, évidemment, du temps de mon père – les écuries étaient aménagées de manière somptueuse –, mais aucun n'a survécu, pas même une heure, à son trépas. Même s'ils avaient eu le choix (ce qui ne fut pas le cas), ils étaient trop fidèles pour survivre à mon père, trop nobles. Je doute que l'on puisse en dire autant d'aucune des autres espèces. Elles cohabitent avec nous à contrecœur, mais je suppose qu'il n'y aurait pas beaucoup de tristesse dans leurs rangs si nous venions tous à disparaître. Et je ne pense pas qu'elles respecteraient très longtemps le sanctuaire de cette maison. En l'espace d'une semaine ou deux, elles se seraient installées : les hyènes dans la bibliothèque, les alligators dans le grenier, les renards se déchaîneraient sous le grand dôme. Parfois, je me demande si tous ces animaux n'ont pas déjà des vues sur la maison ; ils pensent au jour où ils pourront la couvrir de merde, du toit aux fondations.

Chapitre deux

Mes appartements se situent à l'arrière de la maison ; quatre pièces en tout, dont aucune n'a été conçue pour son usage actuel. Ce qui est maintenant ma chambre – la pièce que je considère comme la plus agréable de la maison – était initialement une salle à manger utilisée par feu mon père, Hursek Nicodemus Barbarossa, qui pas une fois, depuis que je vivais ici, ne s'était assis à la même table que Cesaria. C'est ça le mariage.

Dans la pièce voisine du bureau, où je me trouve présentement, Nicodemus avait entreposé sa collection de souvenirs, dont une grande partie a été enterrée avec lui, à sa demande. C'est là qu'il conservait le crâne de son tout premier cheval, ainsi qu'une vaste et bizarre collection d'objets sexuels créés au fil des siècles pour accroître le plaisir des connaisseurs. (Mon père avait une histoire pour chacun d'eux, toujours hilarante.) Mais il conservait bien d'autres choses dans cette pièce. Il y avait également un gant à crispin ayant appartenu à Saladin, l'amant musulman de Richard Cœur de Lion. Il y avait un rouleau de parchemin, peint pour lui en Chine, et qui décrivait, il me l'expliqua un jour, l'histoire du monde (même si mes yeux incultes n'y voyaient qu'un paysage traversé par une rivière au cours sinueux), il y avait également des dizaines de représentations des organes génitaux masculins – le lingam, la flûte de jade, la tige d'Aaron (ou, pour reprendre l'expression préférée de mon père, *Il Santo Membro*, la sainte queue) –, dont certaines, je pense, avaient été gravées ou sculptées par ses propres prêtres, et représentaient donc ce sexe d'où j'avais jailli. Certains de ces objets sont toujours sur les étagères. Vous trouvez peut-être cela étrange, voire un peu répugnant. Je ne suis pas certain d'avoir envie de vous contredire. Mais mon père était un homme de sexe, et ces sculptures, malgré leur crudité, le représentent mieux qu'un livre sur sa vie ou un millier de photos.

De plus, ce ne sont pas les seuls objets disposés sur ces étagères. Au fil des décennies, j'ai rassemblé là une importante bibliothèque. Si je parle uniquement l'anglais, le français et un italien balbutiant, je lis l'hébreu, le latin et le grec, si bien que mes livres sont souvent anciens et leurs sujets obscurs. Quand vous disposez d'autant de loisirs que moi, votre curiosité suit parfois des chemins inattendus. Dans des cercles d'érudits, je serais sans doute considéré comme le spécialiste mondial d'un grand nombre de sujets auxquels aucune personne confrontée à la vraie vie – les enfants, les impôts, l'amour – n'accorderait le moindre intérêt.

Mon père, s'il était encore de ce monde, désapprouverait tous ces livres. Il n'aimait pas me voir lire. Cela lui rappelait, disait-il, la manière dont il avait perdu ma mère. Une remarque, soit dit en passant, que je n'ai toujours pas comprise. Le seul ouvrage qu'il m'encourageait à étudier était le livre de deux pages qui s'ouvre entre les cuisses d'une femme. Quand j'étais enfant, il me privait d'encre, de crayon et de papier, mais bien entendu, je les désirais d'autant plus qu'on me les interdisait. Il avait décidé que ma véritable éducation se ferait dans le domaine de l'art équestre, sa grande passion après le sexe.

Jeune homme, je voyageai à travers le monde pour le compte de mon père, achetant et vendant des chevaux, organisant leur transport jusqu'aux écuries de *L'Enfant*, apprenant à comprendre leur nature, aussi bien que lui.

J'étais doué pour cela, et j'aimais ces voyages. D'ailleurs, c'est au cours de l'un d'eux que je rencontrai feu mon épouse, Chiyojo, et que je la ramenai ici, dans cette maison, avec l'intention de fonder une famille. Malheureusement, je fus privé de ces douces ambitions par une succession de tragédies qui s'acheva par la mort de mon épouse et celle de Nicodemus.

Mais je me laisse emporter. Je parlais de cette pièce, et de ce qu'elle abritait du temps où mon père l'occupait : les phallus, le parchemin, le crâne de cheval. Quoi d'autre ? Laissez-moi réfléchir. Il y avait une cloche qui, d'après Nicodemus, avait été agitée par un lépreux guéri lors de la crucifixion (il a emporté la cloche dans sa tombe) et un objet, pas plus grand que l'humidificateur dans lequel je conserve mes havanes, qui joue une étrange musique plaintive quand on le touche ; le son qui en sort est si semblable à la voix humaine qu'il est possible de croire, comme l'affirmait mon père, que cet objet scellé renferme un mécanisme vivant.

Je vous en prie, faites ce que vous voulez de ces affirmations. Personnellement, bien que mon père soit mort depuis presque cent quarante ans, je refuse de le traiter de menteur par écrit. Les hommes tels que lui n'aiment pas qu'on mette en doute leurs histoires, et bien qu'il soit décédé, je ne suis pas absolument certain d'être à l'abri.

Quoi qu'il en soit, c'est une pièce agréable. Obligé de demeurer assis là presque toute la journée, j'ai appris à connaître les nuances de chaque forme et chaque volume, et si Jefferson se tenait devant moi à cet instant, je lui dirais : « Monsieur, je ne peux concevoir prison plus heureuse que celle-ci, plus apte à faire s'envoler mon esprit négligé. »

Si je suis si heureux dans cette pièce, avec un livre à la main, pourquoi, me demanderez-vous, ai-je décidé de prendre la plume pour écrire ce qui sera inévitablement une histoire tragique ? Pourquoi me torturer de cette façon, alors que je pourrais faire rouler mon fauteuil sur le balcon et m'installer avec un ouvrage de saint Thomas d'Aquin sur les genoux pour contempler la vie dans les mimosas ?

Il y a à cela deux raisons. La première est ma demi-sœur Marietta.

Voici ce qui s'est passé. Il y a quinze jours environ, elle est entrée dans ma chambre (sans frapper, comme toujours), elle s'est servi un verre de gin, sans demander, comme toujours, et s'est assise, sans que je l'y invite, dans ce qui était le fauteuil de mon père.

— Eddie...

Elle sait que je déteste qu'on m'appelle Eddie. Mon nom est Edmund Maddox Barbarossa. Edmund me convient ; Maddox me convient également ; on m'appelait même The Ox, le Bœuf, quand j'étais plus jeune, sans que je m'en offusque. Mais « Eddie » ? Un Eddie, ça marche sur ses deux jambes. Un Eddie, ça fait l'amour. Je ne m'appelle pas Eddie.

— Pourquoi m'appelles-tu toujours comme ça ? lui demandai-je.

Elle se renversa dans le fauteuil qui grinçait et m'adressa un sourire espiègle. « Parce que ça t'agace », me répondit-elle. Une réponse typiquement mariettesque. Elle est capable d'incarner l'âme même de la perversion, et pourtant, on ne pourrait pas s'en douter en la voyant. Je ne veux pas faire son panégyrique ici (ses petites amies ne le font que trop), mais c'est une jolie femme, assurément. Quand elle sourit, c'est le sourire de mon père ; l'énorme appétit qui l'habite renvoie l'image de mon père. Au repos, c'est la fille de Cesaria ; son regard aux paupières lourdes rempli d'une certitude sereine, s'il se pose sur vous plus d'une seconde, est comme une présence physique. Elle n'est pas grande, ma Marietta – à peine plus d'un mètre cinquante sans ses chaussures –, et dans ce fauteuil immense, avec ce sourire doux et idiot sur son visage, elle ressemblait presque à une enfant. On imaginait aisément mon père derrière elle, ses bras immenses noués autour d'elle, pour la bercer. Peut-être imaginait-elle la même chose, assise dans ce fauteuil. Peut-être fut-ce ce souvenir qui lui fit dire :

— Tu es triste en ce moment ? Je veux dire, « particulièrement » triste ?

— Comment ça, « particulièrement » triste ?

— Je sais que tu rumines dans cette pièce...

— Je ne rumine pas.

— Tu t'enfermes sur toi-même.

— Par choix. Je ne suis pas malheureux.

— Sincèrement ?

— J'ai tout ce qu'il me faut ici. Mes livres. Ma musique. Et si je suis vraiment au désespoir, j'ai une télé. Je sais même la mettre en marche.

— Tu n'es donc pas triste ? Jamais ?

Devant une telle insistance, j'accordai quelques instants de réflexion à cette question.

— En fait, je crois avoir eu quelques accès de mélancolie ces derniers temps, avouai-je. J'ai réussi à m'en débarrasser, mais...

— Je déteste ce gin.

— Il est anglais.

— Il est amer. Pourquoi faut-il que tu aies toujours du gin anglais ? Le soleil s'est couché sur l'Empire depuis longtemps.

— J'aime l'amertume.

Elle fit la grimace.

— La prochaine fois que j'irai à Charleston, je te rapporterai un bon brandy.

— Le brandy, c'est surfait, fis-je remarquer.

— C'est bon quand on fait fondre un peu de cocaïne dedans. Tu as déjà essayé ? Ça lui donne un peu de punch.

— De la cocaïne dans du brandy ?

— Ça descend tout seul, et le lendemain matin, tu n'as pas des grumeaux gris dans les narines.

— Je n'ai pas besoin de cocaïne, Marietta. Mon gin me convient parfaitement.

— L'alcool, ça fait dormir.

— Et alors ?

— Tu ne pourras pas te permettre de dormir beaucoup, une fois que tu te seras mis au travail.

— Aurais-je loupé un épisode ? lui demandai-je.

Elle se leva, et, malgré son mépris pour mon gin anglais, elle remplit son verre et revint se poster derrière mon fauteuil.

— Je peux pousser ton fauteuil sur le balcon ?

— J'aimerais mieux que tu en viennes au fait.

— Je croyais que vous autres, les Anglais, vous aimiez les tergiversations ? dit-elle en m'arrachant à mon bureau pour me pousser vers la porte-fenêtre.

Elle était déjà ouverte ; j'étais en train de profiter des parfums du soir quand Marietta était entrée. Elle me fit sortir sur le balcon.

— L'Angleterre te manque ? me demanda-t-elle.

— Voilà une conversation très bizarre...

— C'est une simple question. Ça te manque forcément, parfois.

(Ma mère, dois-je expliquer, était anglaise ; une des nombreuses maîtresses de mon père.)

— Il y a bien longtemps que j'ai quitté l'Angleterre. Je ne m'en souviens que dans mes rêves.

— Tu notes tes rêves ?

— Oh... Je comprends maintenant. On en revient au livre.

— C'est le moment, Maddox, dit-elle avec une gravité dont elle n'était pas coutumière. Il ne reste plus beaucoup de temps.

— Qui a dit ça ?

— Oh, ouvre un peu les yeux, bon sang ! Quelque chose est en train de changer, Eddie. C'est discret, mais omniprésent. C'est dans les briques. Dans les fleurs. Dans la terre. Je suis allée me promener près des écuries, là où on a enterré papa, et je te jure que j'ai senti la terre trembler.

— Tu n'as rien à faire là-bas.

— Ne change pas de sujet. Tu es très doué pour ça, surtout quand tu essayes d'échapper à tes responsabilités.

— Depuis quand est-ce que...

— Tu es le seul de la famille à pouvoir tout transcrire, Eddie. Tu as tous les journaux intimes. Tu as les lettres de tu-sais-qui.

— Trois lettres au cours des quarante dernières années. On ne peut pas appeler ça une correspondance acharnée. Et je t'en prie, Marietta, appelle-le par son nom.

— En quel honneur ? Je hais ce salopard.

— C'est la seule chose qu'il n'est certainement pas, Marietta. Allez, finis ton gin et va-t'en.

— Tu refuses, Eddie ?

— Tu n'es pas habituée à ce qu'on te dise « non », hein ?

— *Eddie...*, dit-elle en minaudant.

— Marietta. Ma chérie. Je ne vais pas semer le désordre dans ma vie uniquement parce que tu me demandes d'écrire l'histoire de la famille.

Elle me jeta un regard noir et vida son verre de gin d'un trait, puis le reposa sur la balustrade du balcon. Je devinai, à la précision de ce geste et à son hésitation avant de parler, qu'elle avait préparé sa sortie. Elle possède un grand sens théâtral, ma Marietta.

— Tu ne veux pas semer le désordre dans ta vie ? Ne sois donc pas aussi absolument pathétique. Tu n'as *pas* de vie, Eddie. Voilà pourquoi tu dois écrire ce livre. Si tu ne le fais pas, tu mourras sans avoir jamais rien fait.

Chapitre trois

1

Elle savait bien que c'était faux, évidemment. J'ai vécu, nom d'un chien ! Avant ma blessure, j'étais presque aussi friand d'expériences que Nicodemus. Non, je retire ce que je viens de dire. Contrairement à lui, je ne me suis jamais intéressé aux occasions sexuelles que m'offraient mes voyages. Je préférais errer d'une cathédrale à l'autre et boire dans les bars jusqu'à l'hébétude. L'alcool est une de mes faiblesses, sans aucun doute, et plus d'une fois, cela m'a valu des ennuis. Ça m'a aussi fait grossir. Évidemment, il n'est pas facile de garder la ligne quand on est cloué dans un fauteuil roulant. Vous avez les fesses qui engraissent, votre taille s'épaissit ; et mon visage, Seigneur, lui qui était autrefois si joliment fait que je pouvais débarquer dans n'importe quelle assemblée et choisir parmi toutes les femmes présentes, ce visage est aujourd'hui empâté et bouffi. Il n'y a que dans mes yeux que l'on peut encore entrevoir le magnétisme que j'exerçais jadis. Ils sont d'une couleur particulière : constellés de taches bleues et grises mélangées. Tout le reste a fichu le camp.

Cela arrive à tout le monde tôt ou tard, je suppose. Même Marietta, qui est pourtant une Barbarossa pur-sang, m'a confié qu'elle avait remarqué au fil des ans quelques marques discrètes de vieillissement ; simplement, le phénomène est beaucoup, beaucoup plus long que chez un être humain. Un cheveu blanc tous les dix ans, il n'y a pas de quoi en faire un drame, lui ai-je fait remarquer, surtout que la nature lui a donné tellement d'autres choses : elle possède la peau irréprochable de Cesaria (bien que ni elle ni Zabrina ne soient aussi noires que leur mère) et l'aisance physique de Nicodemus. En outre, elle partage mon amour de l'ivresse, mais l'alcool n'a pas encore occasionné de ravages sur ses fesses et ses hanches. Voilà que je recommence à faire des digressions. Comment en suis-je venu à parler des fesses de Marietta ? Ah oui, je parlais de mes voyages en tant qu'émissaire de mon père. C'était merveilleux. J'ai pataugé dans la merde d'un grand nombre d'écuries pendant toutes ces années, bien évidemment, mais j'ai également visité certaines des splendeurs de cette planète : les étendues sauvages de Mongolie, les déserts d'Afrique du Nord, les plaines d'Andalousie. Alors, je vous en prie, comprenez bien que même si je suis réduit aujourd'hui au rôle de voyeur, ça n'a pas toujours été le cas. Je n'écris pas dans la position du théoricien qui pontifie sur l'état d'un monde qu'il ne connaît que par le biais des journaux et de son écran de télé.

À mesure que j'avancerai dans l'histoire, je la pimenterai sans doute en évoquant les choses que j'ai vues et les gens que j'ai rencontrés au cours de mes voyages. Pour l'instant, permettez-moi de parler uniquement de l'Angleterre, le pays où j'ai été conçu. Ma génitrice était une femme nommée Moira Feeney, et, bien qu'elle soit morte peu de temps après ma naissance, d'une maladie que je n'ai jamais très bien comprise, j'ai passé les sept premières années de ma vie dans son pays natal, élevé par sa sœur, Gisela. Ce ne fut pas une existence choyée, tant s'en faut ; Gisela enragea quand elle découvrit que le père de l'enfant de sa sœur n'avait pas l'intention de nous introduire dans son cercle d'initiés, et, plutôt que d'accepter les sommes considérables qu'il lui offrait pour m'élever, elle refusa fièrement et bêtement tout subside. Elle refusa également de le voir. C'est seulement lorsque Gisela mourut à son tour (frappée par un éclair, de manière quelque peu suspecte) que mon père surgit dans ma vie, pour m'emmener avec lui dans ses voyages. Au cours des cinq années qui suivirent, nous vécûmes dans plusieurs maisons extraordinaires, invités par des personnages importants qui sollicitaient l'avis de mon père concernant les chevaux (et Dieu sait quoi encore ; je pense qu'il façonnait certainement le destin des nations en coulisses). Mais malgré l'éclat de ces années-là – deux étés à Grenade, un printemps à Venise, et tant d'autres choses dont je ne peux me souvenir –, c'est vers mes années passées à Blackheath, avec Gisela, que je me tourne avec le plus d'affection. Ce furent de douces saisons, au côté de ma tante si tendre et humaine, avec le lait, la pluie et le prunier au fond du cottage, des plus hautes branches duquel j'apercevais le dôme de Saint-Paul.

J'ai conservé un souvenir immaculé des heures passées dans ces branches noueuses, bercé par les comptines et les chansons, dans une sorte de transe joyeuse. Je me souviens encore d'une de ces comptines :

On dirait que je suis,
On dirait que j'étais,
On dirait que je serai
Né, car...
On dirait que je suis,
On dirait que j'étais,
On dirait que je serai
Né, car...

Et ainsi de suite, indéfiniment.

Marietta a raison : l'Angleterre me manque, et je fais tout mon possible pour en conserver le souvenir. Le gin anglais, la syntaxe anglaise, la mélancolie anglaise. Mais l'Angleterre dont je me languis, l'Angleterre dont je rêve quand je m'assoupis dans mon fauteuil, cette Angleterre n'existe plus. Ce n'était qu'une image vue d'un prunier par un enfant heureux. L'un et l'autre appartiennent au passé depuis longtemps. Toutefois, c'est la *seconde* raison pour laquelle j'écris ce livre. En ouvrant les vannes de la mémoire, j'espère être emporté par le flot, pendant un petit moment au moins, vers les délices de mon enfance.

2

Il faut que je vous raconte, brièvement, ce qui est arrivé le jour où j'ai annoncé à Marietta que j'avais commencé à écrire ce livre, vous comprendrez mieux ainsi ce qu'est la vie dans cette maison. J'étais assis sur mon balcon avec les oiseaux (il y en a onze spécimens – des cardinaux, des bruants, des merles – qui viennent manger dans ma main et restent ensuite pour me jouer de la musique), et pendant que je leur donnais à manger, j'entendis Marietta, en bas, qui se disputait violemment avec mon autre demi-sœur, Zabrina. Autant que je pouvais en juger, Marietta se montrait impérieuse comme à son habitude, alors que Zabrina – qui restait généralement seule dans ce coin et parlait peu, même quand elle rencontrait quelqu'un de la famille – défendait avec acharnement son point de vue, pour une fois. L'échange se résumait à ceci : Marietta avait, semblait-il, introduit une de ses maîtresses dans la maison la nuit précédente et cette visiteuse avait voulu jouer les détectives. Apparemment, elle s'était relevée pendant que Marietta dormait et avait déambulé dans la maison, jusqu'à ce qu'elle découvre une chose qu'elle n'aurait pas dû voir.

Elle était visiblement en état de choc maintenant et Marietta perdait patience, aussi essayait-elle de convaincre Zabrina de confectionner quelque friandise corsée qui effacerait toute la mémoire de cette femme. Marietta pourrait alors la ramener chez elle et on ne parlerait plus de cette sale histoire.

— Je t'ai déjà dit la dernière fois que je désapprouvais ces...

Zabrina possède en temps ordinaire une voix aiguë et frêle ; présentement, elle était carrément stridente.

— Oh, Seigneur ! soupira Marietta. Ne sois donc pas si despotique.

— Tu sais bien que les gens ordinaires ne doivent pas entrer dans la maison, reprit Zabrina. C'est aller au-devant des ennuis que de faire venir quelqu'un ici.

— Elle, c'est différent, dit Marietta.

— Dans ce cas, pourquoi veux-tu que j'efface sa mémoire ?

— Parce que j'ai peur qu'elle ne devienne folle, sinon.

— Qu'a-t-elle vu ?

Il y eut un silence.

— Je ne sais pas, avoua finalement Marietta. Elle délire trop pour me le dire.

— Où l'as-tu retrouvée ?

— Dans l'escalier.

— Elle a vu maman ?

— Non, Zabrina. Elle n'a pas vu maman. Si elle avait vu maman...

— Elle serait morte.

— ... elle serait morte.

Nouveau silence. Finalement, Zabrina dit :

— Si j'accepte...

— Eh bien ?

— À charge de revanche.

— Ce n'est pas très fraternel, protesta Marietta. Mais d'accord. À charge de revanche. Que veux-tu en échange ?

— Je ne sais pas encore. Mais je trouverai bien, ne t'inquiète pas. Et ça ne te plaira pas. Fais-moi confiance.

— C'est très mesquin, souligna Marietta.

— Écoute... Tu veux que je le fasse, oui ou non ?

Encore un silence.

— Elle est dans ma chambre, dit Marietta. Il a fallu que je l'attache sur le lit.

Zabrina ricana.

— Ce n'est pas drôle, dit Marietta.

— Elles sont *toutes* drôles, répondit Zabrina. Elles ont la tête vide et le cœur fragile. Tu ne trouveras jamais quelqu'un qui pourra vraiment vivre avec toi. Tu le sais, non ? C'est impossible. Nous sommes seuls, et nous le serons jusqu'à la fin.

Une heure plus tard environ, Marietta fit irruption dans ma chambre. Elle était blême, ses yeux gris étaient remplis de tristesse.

— Tu as entendu la discussion, dit-elle. (Je ne pris pas la peine de répondre.) Parfois, cette petite salope me donne envie de la frapper. Violemment. Mais elle ne sentirait rien, cette grosse vache.

— Tu ne supportes pas d'avoir une dette envers quelqu'un, dis-je.

— Avec toi, ça ne me gênerait pas.

— Je ne compte pas.

— Non, c'est vrai, tu ne comptes pas, répondit-elle. (Elle remarqua mon expression.) Oh, que n'ai-je pas dit là ! Je voulais juste être d'accord avec toi, nom d'un chien ! Pourquoi tout le monde est-il si susceptible dans cette maison ?

Elle s'approcha de mon bureau et examina le contenu de la bouteille de gin. Il en restait à peine un fond.

— Tu en as d'autre ?

— Il y en a une demi-caisse dans la chambre.

— Ça ne t'ennuie pas si...

— Sers-toi.

— On devrait parler plus souvent, Eddie, lança-t-elle par-dessus son épaule pendant qu'elle cherchait le gin. Pour apprendre à mieux se connaître. Je n'ai aucun atome crochu avec Dwight, et Zabrina est d'humeur exécrable depuis deux mois. Elle est devenue tellement *obèse* ! Tu l'as vue, Eddie ? Elle est scandaleusement grosse.

Bien que Zabrina et Marietta affirment l'une et l'autre être absolument uniques – et à bien des égard, c'est exact –, elles partagent quand même quelques qualités essentielles. Au fond d'elles-mêmes, elles sont toutes les deux volontaires, obstinées et névrotiques. Mais alors que Marietta, de onze ans la cadette de Zabrina, a toujours tiré fierté de son corps athlétique et qu'elle est aussi mince que peut l'être une femme tout en conservant un corps voluptueux, Zabrina, elle, a cédé il y a bien longtemps à sa passion pour les pralines et les gâteaux aux noix de pécan. De temps à autre, je vois de ma fenêtre sa silhouette arrondie traverser la pelouse. La dernière fois que je l'ai vue, elle pesait certainement dans les cent soixante kilos. (Comme vous commencez sans doute à le deviner, nous sommes un groupe d'individus profondément handicapés. Mais croyez-moi, quand vous connaîtrez mieux nos vies, vous serez surpris de nous voir aussi opérationnels.)

Marietta était réapparue avec une bouteille de gin pleine et, après avoir dévissé le bouchon, elle s'en servit une large dose.

— Pourquoi tu gardes tous ces vêtements dans ta penderie ? demanda-t-elle, avant de boire une lampée. La plupart, tu ne les remettras jamais.

— Ça signifie que tu as repéré quelque chose, je suppose.

— La veste de smoking.

— Prends-la.

Elle se pencha pour m'embrasser sur la joue.

— Je t'ai mal jugé pendant toutes ces années, dit-elle, et elle retourna dans la chambre pour prendre la veste au cas où je changerais d'avis.

— J'ai décidé d'écrire le livre, déclarai-je quand elle en ressortit.

Elle jeta la veste sur le fauteuil de Nicodemus et se mit à sautiller d'excitation.

— C'est formidable ! Oh, Eddie, on va s'amuser comme des fous !

— « On » ?

— Oui, « on ». C'est toi qui écriras la plupart du temps, mais je t'aiderai. Il y a un tas de choses que tu ne sais pas. Des horreurs sur Cesaria, qu'elle m'a racontées quand j'étais petite.

— Tu devrais peut-être parler moins fort.

— Elle ne m'entend pas. Elle ne sort plus de ses appartements désormais.

— On ignore ce qu'elle entend ou pas.

On racontait qu'elle avait demandé à Jefferson de dessiner les plans de la maison de manière que tous les sons montent vers ses appartements (dans lesquels je n'étais jamais entré, soit dit en passant, pas plus que Marietta). Cette histoire est apocryphe, mais je m'interroge. Même si je n'ai pas aperçu cette femme depuis de nombreux mois, je n'ai aucune peine à l'imaginer assise là-haut dans son boudoir, écoutant ses enfants, et les enfants de son mari, comploter, pleurer et perdre la raison peu à peu. Sans doute se régale-t-elle.

— Et même si elle m'entend ? répliqua Marietta. Elle devrait être heureuse qu'on se donne autant de mal. Après tout, ce sera l'histoire des Barbarossa. Ce livre la rendra immortelle.

— Si elle ne l'est pas déjà.

— Oh, non... elle vieillit. Zabrina la voit souvent et elle dit que la vieille peau dépérit.

— J'ai du mal à le concevoir.

— C'est en l'entendant dire ça que j'ai eu l'idée de notre livre.

— Ce n'est pas « notre » livre, insistai-je. Si je l'écris, je l'écrirai comme je l'entends. Autrement dit, ce ne sera pas simplement l'histoire des Barbarossa.

Elle vida son verre.

— Je vois, dit-elle avec un petit tremblement glacé dans la voix. Ce sera quoi, alors ?

— Oh, ça parlera de la famille. Mais ça parlera aussi des Geary.

Cette fois, elle ne dit rien et regarda par la fenêtre, à l'endroit où je m'assois avec les oiseaux. Il lui fallut une bonne minute pour se résoudre à reprendre la conversation.

— Si tu parles des Geary, je ne veux pas être mêlée à ce putain de livre.

— Comment puis-je écrire...

— Je ne veux rien avoir affaire avec toi.

— Laisse-moi terminer, tu veux ? Comment puis-je raconter l'histoire de cette famille, et particulièrement l'histoire récente, sans parler des Geary ?

— Ces gens sont la lie, Eddie. La lie de l'*humanité*. Des êtres pervers. Tous sans exception.

— C'est faux, Marietta. Et quand bien même, je te le répète : ce foutu bouquin ne serait qu'un récit expurgé s'il ne parlait pas d'eux.

— Très bien. Tu n'as qu'à parler d'eux *en passant*.

— Ils font partie de nos vies.

— Pas de la mienne ! répliqua-t-elle avec fougue.

Son regard revint vers moi et je constatai qu'elle était moins furieuse que d'humeur chagrine. J'apparaissais comme un traître avec mon désir de raconter l'histoire de cette manière. Elle mesura avec le plus grand soin ses paroles suivantes, comme un avocat qui se lance dans un plaidoyer crucial.

— Tu es conscient, je suppose, que ce sera peut-être l'unique façon pour les gens extérieurs de connaître notre famille ?

— Raison de plus pour...

— Laisse-moi terminer, toi aussi. Quand je suis venue te voir pour te suggérer d'écrire ce putain de livre, c'était parce que j'avais le sentiment... que le temps nous est compté. Et mon instinct se trompe rarement.

— Je le sais.

Marietta possède des dons de prophétie, cela ne fait aucun doute. Elle les tient de sa mère.

— C'est peut-être pour *cette* raison qu'elle a l'air si exténué depuis quelque temps, dit Marietta.

— Elle ressent la même chose que toi ?

Marietta hocha la tête.

— Pauvre vieille, dit-elle dans un murmure. Voilà une autre chose à prendre en considération. Cesaria. Elle déteste les Geary encore plus que moi. Ils lui ont volé son Galilée chéri.

Cette ineptie me fit ricaner.

— Voilà un mythe sentimental que j'ai bien l'intention d'enterrer, pour commencer.

— Tu ne crois pas qu'on le lui a volé ?

— Absolument pas. Je sais mieux que toute personne vivante ce qui s'est passé la nuit où il est parti. Et j'ai l'intention de raconter ce que je sais.

— Mais peut-être que tout le monde s'en fout, fit remarquer Marietta.

— J'aurai au moins rectifié les choses. N'est-ce pas ce que tu voulais ?

— Je ne sais pas ce que je voulais, nom de Dieu ! s'exclama Marietta. (Le dégoût que lui inspirait mon projet refaisait surface.) Je commence à regretter de t'avoir suggéré d'écrire ce putain de bouquin !

— C'est trop tard. J'ai commencé.

— Tu as déjà commencé ?

Ce n'était pas tout à fait exact. Je n'avais pas encore pris la plume. Mais je savais par où j'allais commencer : par la maison, par Cesaria et Thomas Jefferson. C'était comme si j'avais déjà commencé.

— Dans ce cas, je ne veux pas te retarder, dit Marietta en se dirigeant vers la porte. Mais je ne promets pas de t'aider.

— Tant pis. Je ne te demande rien.

— Non, pas pour l'instant. Mais ça viendra. Tu seras obligé. Je possède un tas d'informations qui te manquent. On verra bien alors ce que vaut ton intégrité.

Sur ce, elle me laissa à mon gin. J'avais bien compris le sens de sa dernière remarque : elle avait l'intention de me proposer une sorte d'arrangement. La suppression d'un passage de mon livre qu'elle n'appréciait pas en échange d'un renseignement dont j'avais besoin. Mais j'étais bien décidé à ne pas la laisser supprimer un seul mot. Je lui avais dit la vérité. Il était impossible de raconter l'histoire des Barbarossa sans raconter celle des Geary, et donc l'histoire de Rachel Pallenberg, le seul nom que je ne m'attends pas à entendre dans la bouche de Marietta. J'avais volontairement omis de mentionner cette femme, car j'étais certain qu'à la seconde même où je prononcerais ce nom, Marietta me couvrirait d'obscénités. Inutile de préciser, toutefois, que j'avais l'intention de consacrer une part importante de cette histoire aux vices et aux vertus de Rachel Pallenberg.

Cela étant dit, ce récit se trouverait appauvri si je n'obtenais pas l'aide de Marietta ; c'est pourquoi je me jure d'évoquer mon travail avec la plus grande prudence. Elle reviendra me voir, ne serait-ce que parce qu'elle est égotiste, et l'idée de ne pas pouvoir exprimer son opinion dans ce livre lui sera plus insupportable que les passages consacrés aux Geary. En outre, elle sait très bien qu'il y a de nombreux sujets pour lesquels je vais devoir me fier à mon instinct, des sujets qui ne peuvent être véritablement *vérifiés*. Des choses de l'esprit, des histoires de chambres, des histoires de tombes. Ce sont les éléments réellement importants. Le reste n'est que géographie et dates.

3

Le même jour, un peu plus tard, je vis Marietta sortir de la maison pour accompagner cette jeune femme dont je l'avais entendue parler avec Zabrina. Comme presque toutes les maîtresses de Marietta, elle était blonde, petite, et âgée de vingt ans tout au plus. À en juger par sa tenue, je devinais qu'il s'agissait d'une touriste, peut-être une auto-stoppeuse, plutôt qu'une habitante de la région.

De toute évidence, Zabrina avait fait ce que lui demandait Marietta et soulagé la pauvre femme de sa panique (en même temps qu'elle faisait disparaître le souvenir qui avait provoqué cet affolement). Je les observai de mon balcon, à l'aide de mes jumelles. Le regard vide de la jeune femme me mettait mal à l'aise. Était-ce vraiment la seule façon dont les humains pouvaient réagir face à l'apparition du miraculeux : une panique confinant à la folie, ou bien, s'ils avaient de la chance, une excision bienfaitrice de la mémoire qui les laissait dans l'état de cette femme, sereine mais appauvrie ? Quel choix désolant. (Ce qui me ramène au livre. Était-ce trop ambitieux que d'espérer, dans ces pages, préparer la voie à de telles révélations, pour que le jour où elles se produiraient, l'âme humaine ne se brise pas comme un miroir trop fragile pour refléter les merveilles qui se trouvent face à lui ?) J'éprouvais une sorte de tristesse pour cette visiteuse que l'on avait privée, pour son bien, de l'expérience qui aurait pu donner un prix à sa vie. Que serait-elle désormais ? Zabrina lui avait-elle laissé, tout au fond de son esprit, un ferment de ce souvenir qui, tel le grain irritant dans la chair de l'huître, pourrait devenir, avec le temps, une chose rare et merveilleuse ? Il faudra que je lui pose la question.

En attendant, Marietta s'était arrêtée avec sa compagne, sous le couvert des arbres, pour lui faire des adieux plus qu'affectueux. Ayant juré de dire la vérité, aussi dérangeante soit-elle, je ne peux taire ce que je vis à cet instant : Marietta dénuda la poitrine de la jeune femme, devant mes yeux ; elle titilla les pointes des seins et embrassa la jeune femme sur la bouche, devant mes yeux, après quoi, toujours devant mes yeux, elle lui parla à l'oreille, puis la jeune femme s'agenouilla, défit la ceinture et le pantalon de Marietta pour enfouir sa langue en elle, avec un tel savoir-faire que j'entendis du haut de mon balcon Marietta pousser des petits cris. Dieu sait que j'accueille avec reconnaissance tous les plaisirs qui me sont offerts, et je n'essaierai pas de faire croire que je fus honteux de les regarder faire l'amour. C'était un spectacle merveilleux, et quand elles eurent terminé, quand Marietta raccompagna la jeune femme jusqu'au chemin qui s'éloigne de *L'Enfant,* en serpentant, pour rejoindre le monde réel, je ressentis, même si cela peut paraître absurde, un pincement de solitude.

Chapitre quatre

Bien que Marietta se soit moquée de ma conviction selon laquelle cette maison est une sorte d'immense système d'écoute qui collecte toutes les informations, dans toutes les pièces, pour les porter aux oreilles d'une personne bien précise, j'eus le soir même la confirmation de ma théorie.

Je n'ai aucun sommeil ; je n'en ai jamais eu, je n'en aurai jamais. Qu'importe mon état de fatigue, dès que je pose la tête sur l'oreiller, des pensées de toute sorte, sans le moindre intérêt pour la plupart, tournoient à l'intérieur de mon crâne. Il en fut de même la nuit dernière : des bribes de ma conversation avec Marietta, réarrangées de telle manière qu'elles n'avaient plus aucun sens et ponctuées par ses petits jappements libidineux, constituaient la bande sonore. Mais les images venaient d'un tout autre univers. Ni le visage ni la silhouette de Marietta n'apparurent dans mon esprit, mais plutôt des visages et des silhouettes d'hommes et de femmes que je ne reconnaissais même pas. Non, rectification. Je les reconnaissais ; simplement, je ne pouvais pas leur donner un nom. Certains semblaient ridiculement heureux de leur sort ; quelques-uns, totalement nus, dans les rues d'une ville que je supposais être Charleston, couraient sur les trottoirs et déféquaient du haut des marronniers. Mais il y avait dans mon rêve d'autres personnes beaucoup moins heureuses : frères et sœurs de la concubine de Marietta au regard vide, ils poussaient tout à coup des cris d'animaux torturés, comme si on les avait privés de la capacité d'oublier et que leurs souvenirs étaient insupportables. Je sais que certains psychiatres soutiennent la théorie selon laquelle toutes les créatures qui apparaissent dans un rêve, endormi ou éveillé, sont un aspect du rêveur. Si tel est le cas, je suppose que les bêtes nues dans les rues de Charleston sont la partie de moi qui vient de mon père, et les autres, les âmes terrifiées qui sanglotent de manière incohérente, sont cette part humaine que je dois à ma mère. Mais je soupçonne ce schéma d'être trop simpliste. Dans sa recherche d'un schéma, le théoricien ignore tout ce qui est disparate et contradictoire, et il se retrouve pour finir avec un joli mensonge. Je ne suis pas deux personnes en une ; je suis multiple. Tel être en moi possède la compassion de ma mère et le goût de mon père pour la viande de mouton crue. Tel autre possède l'amour de ma mère pour les histoires de meurtres et la passion de mon père pour les tournesols. Qui sait combien ils sont ? Trop nombreux pour être contenus dans aucun dogme, j'en suis certain.

Le problème, c'est que ces rêves me plongèrent dans un état effroyable. J'étais au bord des larmes, ce qui ne m'arrive pas souvent.

Et puis soudain, dans l'obscurité, j'ai entendu des pas traînants et des cliquetis sur le plancher. En tournant la tête dans la direction du bruit, j'ai vu dans un losange de lune une silhouette armée de piquants avancer vers mon lit en se dandinant. C'était un porc-épic. Je ne bougeai pas. Je laissai la créature venir jusqu'à moi (mon bras pendait hors du lit, ma main frôlait le sol) et fourrer son museau humide dans ma paume.

— Tu es venu ici tout seul ? demandai-je à voix basse à la créature.

Cela leur arrivait parfois, particulièrement les plus jeunes, les plus aventureux ; ils descendaient l'escalier dans l'espoir de trouver un en-cas. Mais à peine eus-je fini de poser la question que j'eus ma réponse, lorsque mon corps tout entier réagit à l'entrée de la maîtresse des porcs-épics : Cesaria. Ma misérable anatomie, meurtrie au-delà de tout espoir de rétablissement, s'était animée. C'était étrange et troublant. Je me trouvais très rarement en présence de cette femme, l'épouse de mon père, mais je savais, par expérience, que les effets de cette visite dureraient plusieurs jours. Même si elle quittait la pièce immédiatement, je sentirais des spasmes dans mes membres inférieurs pendant au moins une semaine, bien que les muscles de mes jambes soient atrophiés. Et ma queue, qui n'était qu'un tuyau à pisse depuis trop longtemps, se dresserait comme un sexe d'adolescent et exigerait d'être traite deux fois par heure. Seigneur, pensai-je, était-il étonnant que cette femme ait été adulée ? Sans doute pourrait-elle réveiller les morts si l'envie lui en prenait.

— Va-t'en, Tansy, dit-elle au porc-épic.

Tansy ignora cet ordre, ce qui me réjouit, je l'avoue. *Elle-même* affrontait parfois la désobéissance.

— Ça ne me gêne pas, dis-je.

— Fais attention. Les piquants...

— Je sais.

J'avais encore des cicatrices à l'endroit où un de ses porcs-épics m'avait attaqué. Je crois que Cesaria avait été bouleversée de me voir saigner. Je me souviens très bien de son expression ce jour-là : ses yeux semblables à une nuit liquide sur son visage d'obsidienne ; sa compassion terrifiante, car sans doute avais-je peur qu'elle ne me touche, qu'elle ne me guérisse. Peur qu'elle ne me transforme et ne fasse de moi son adepte pour toujours. Alors, nous étions restés là, immobiles tous les deux ; chacun était troublé par une chose essentielle chez l'autre (son pouvoir, mon sang), pendant que le porc-épic, assis par terre entre nous, grattait ses puces.

— Ce livre... dit-elle.

— Marietta vous en a parlé ?

— Je n'ai pas besoin qu'on m'en parle, Maddox.

— Non, évidemment.

Je fus stupéfait par ce qu'elle me dit ensuite. Mais bien entendu, Cesaria ne serait pas ce qu'elle était, elle ne pourrait pas traîner dans son sillage pareilles légendes, si elle n'était pas une source permanente de stupéfaction.

— Tu dois l'écrire sans crainte, me dit-elle. Écris-le avec ta tête et avec ton cœur, sans jamais te soucier des conséquences.

Jamais je ne l'avais entendue parler d'une voix aussi douce. Pas une petite voix, comprenez-moi bien, mais une voix empreinte d'une sorte de tendresse que pas un instant je n'aurais imaginé pouvoir lui inspirer. À vrai dire, je ne la croyais pas capable d'éprouver de la tendresse pour qui que ce soit.

— Cette histoire au sujet des Geary... ? demandai-je.

— Il faut en parler. Il faut tout mettre. Tous les détails. N'en néglige aucun. Ne nous épargne pas, nous non plus. Nous avons tous fait des compromis au cours des ans. Nous avons pactisé avec l'ennemi au lieu de l'éliminer.

— Vous haïssez les Geary ?

— Je devrais répondre non. Ce ne sont que des humains. Ils ne savent pas. Mais oui, je les hais. Sans eux, j'aurais encore un mari et un fils.

— Ce n'est pas comme si Galilée était mort.

— Pour moi, il l'est, dit-elle. Il est mort à l'instant même où il s'est rangé de leur côté, contre ton père.

Elle fit claquer doucement ses doigts et son porc-épic exécuta un demi-tour pour revenir vers elle en se dandinant. Depuis le début de cette conversation, je ne l'avais qu'entr'aperçue, mais lorsque le porc-épic s'approcha et qu'elle se pencha pour le prendre dans ses bras, le clair de lune qui inondait le plancher me la fit voir entièrement, un court instant. Contrairement aux affirmations de Marietta, Cesaria ne semblait ni frêle ni malade, tant s'en faut. À mes yeux, elle ressemblait à une jeune femme ; une femme prodigieusement gâtée par la nature : sa beauté était à la fois raffinée et brute, les traits de son visage étaient si puissants qu'elle ressemblait à sa propre statue, sculptée dans cette lumière d'argent qui l'enveloppait. J'ai dit qu'elle était belle ? Je me suis trompé. La beauté est un concept trop banal ; il évoque des visages dans des magazines. Une jolie éloquence, une symétrie apaisante ; rien de tout cela ne peut décrire le visage de cette femme. Peut-être devrais-je reconnaître qu'il est impossible de lui rendre justice avec des mots. Il me suffit de dire que vous auriez le cœur brisé en la voyant, et en même temps, elle saurait réparer ce qui est brisé en vous, et vous seriez doublement ressuscité.

Le porc-épic dans les bras, Cesaria se dirigeait vers la porte. Mais arrivée sur le seuil, elle s'arrêta. (Tout cela, je l'entendis seulement, elle était redevenue invisible.)

— Le début, c'est toujours le plus difficile, dit-elle.

— En fait, j'ai déjà commencé... dis-je, un peu hésitant.

Bien qu'elle n'ait jamais rien fait ou dit pour m'intimider, je craignais toujours – peut-être injustement – qu'elle ne m'attaque en traître, d'une manière ou d'une autre.

— Comment ? s'enquit-elle.

— Comment j'ai commencé ?

— Oui.

— Par la maison, évidemment.

— Ah... (J'entendis le sourire dans sa voix.) Par M. Jefferson ?

— Par M. Jefferson.

— C'est une bonne idée. De commencer comme ça, par le milieu. Avec mon merveilleux Thomas. Ce fut l'amour de ma vie, sais-tu ?

— Jefferson ?

— Tu penses que ça aurait dû être ton père ?

— Euh...

— Avec ton père, ce n'était pas de l'amour. C'est devenu de l'amour, mais ça n'a pas commencé de cette façon. Quand des êtres comme lui et moi s'accouplent, ils ne le font que pour des raisons sentimentales. Nous nous accouplons pour faire des enfants. *Pour préserver notre génie*, aurait dit ton père.

— Peut-être aurais-je dû commencer par là.

Elle rit.

— Par notre *accouplement* ?

— Non, ce n'est pas ce que je voulais dire.

Je remerciai l'obscurité de cacher la rougeur de mon visage... même si ses yeux lui permettaient probablement de voir ma gêne malgré tout.

— Je... Je voulais dire... commencer par le premier-né. Par Galilée.

Je l'entendis soupirer. Puis je n'entendis plus rien ; pendant un temps si long que je crus qu'elle avait décidé de s'en aller. Mais non. Elle était toujours dans la pièce.

— Ce n'est pas nous qui l'avons baptisé Galilée, dit-elle. Il a choisi lui-même ce nom quand il avait six ans.

— Je l'ignorais.

— Il y a un tas de choses que tu ignores, Maddox. Un tas de choses que tu ne peux même pas imaginer. Voilà pourquoi je suis venu t'inviter... quand tu seras prêt... à découvrir quelques moments du passé...

— Vous avez d'autres livres ?

— Non, pas des livres. Rien de si *tangible*...

— Désolé, je ne comprends pas très bien.

Elle soupira de nouveau, et je craignis qu'elle ne retire sa proposition, quelle qu'elle fût, car je l'agaçais. Mais ce n'était pas un soupir d'irritation, plus un soupir de tristesse.

— Galilée était tout pour nous, dit-elle. Et maintenant, il n'est plus rien. Je veux que tu comprennes comment c'est arrivé.

— Je ferai de mon mieux, je le jure.

— Je le sais, dit-elle de sa voix douce. Mais il faudra peut-être plus de courage que tu n'en as. Tu es tellement *humain*, Maddox. J'ai toujours eu du mal à le supporter.

— Je n'y suis pour rien.

— Ton père t'aimait pour cette raison, sais-tu... (Sa voix mourut.) Quel gâchis, reprit-elle. Quel terrible et tragique gâchis. Posséder tant de choses et les laisser filer entre nos doigts....

— Je veux comprendre comment c'est arrivé, dis-je, c'est mon désir le plus cher. Je veux comprendre.

— Oui, dit-elle distraitement.

Elle avait déjà l'esprit ailleurs.

— Que dois-je faire ? demandai-je.

— J'expliquerai tout à Luman, répondit maman. Il veillera sur toi. Et bien sûr, si c'est trop dur à supporter pour ta sensibilité humaine...

— Zabrina pourra tout effacer.

— Exactement. Zabrina pourra tout effacer.

Chapitre cinq

1

J'eus une autre vision de la maison, après cela. Tout était attente. Je guettais un signe, un indice, la vision fugitive de cette mystérieuse source de connaissances que Cesaria m'avait invité à partager. Quelle forme prendrait-elle s'il ne s'agissait pas de livres ? Y avait-il quelque part, dans cette maison, une collection d'objets de famille que je pourrais examiner ? Ou bien restais-je à un niveau trop littéral ? Avais-je été convié dans un lieu de l'esprit et non pas un lieu matériel ? Dans ce cas, aurais-je les mots pour exprimer ce que je ressentais ?

Pour la première fois depuis peut-être trois mois, je décidai de quitter mes appartements et de sortir. Mais pour cela, j'avais besoin de l'aide de quelqu'un. Jefferson n'avait pas conçu cette maison en anticipant la présence d'un locataire handicapé (et je doute que Cesaria ait jamais envisagé d'accueillir un être si fragile), si bien qu'il y a dans le couloir quatre marches pour accéder au grand hall, des marches trop raides pour que je puisse les négocier dans mon fauteuil roulant, même avec de l'aide. Dwight est donc obligé de me porter dans ses bras, comme un bébé, et ensuite, j'attends, posé sur le canapé du hall, qu'il descende le fauteuil et me réinstalle dedans.

Dwight est tout simplement l'être le plus agréable que je connaisse, bien qu'il ait toutes les raisons de haïr le

Dieu qui l'a fait, et sans doute tous les humains de Caroline du Nord. Il est né avec une sorte de tare mentale qui lui interdit de s'exprimer convenablement, et de ce fait, on l'a toujours pris pour un demeuré. Son enfance et son adolescence furent un véritable enfer : privé de toute éducation, il dépérissait, victime de sévices infligés par ses deux parents.

Puis un jour, durant sa quatorzième année, il s'enfonça dans les marais, peut-être dans le but de se suicider ; il affirme ne plus se souvenir de sa motivation exacte. Pas plus qu'il ne se souvient combien de temps il erra – plusieurs jours et plusieurs nuits en tout cas – jusqu'à ce que Zabrina le découvre, aux abords de *L'Enfant*. Il était dans un état d'épuisement absolu. Elle le ramena à la maison et, pour des raisons qu'elle seule connaît, elle le remit sur pied dans ses appartements, sans en parler à personne. Je n'ai jamais questionné Dwight pour connaître la nature exacte de ses relations avec Zabrina, mais je suis persuadé que lorsqu'il était plus jeune, elle s'était servi de lui sexuellement, et je ne doute pas qu'il était très satisfait de cet arrangement. Zabrina n'était pas encore aussi volumineuse qu'elle l'est devenue, mais elle était déjà imposante. Pour Dwight, ce n'était pas un problème. Plusieurs fois, il avait évoqué devant moi, en passant, son amour des femmes opulentes. Toutefois, j'ignore si ce goût était antérieur à sa rencontre avec Zabrina ou si c'est Zabrina qui l'a fait naître. Je peux seulement rapporter qu'elle a tenu son existence secrète pendant presque trois années, durant lesquelles elle s'est fait, apparemment, un devoir de l'éduquer, et de belle manière. Quand enfin elle nous le présenta, à Marietta et à moi, toute trace de son défaut d'élocution avait quasiment disparu et on devinait en lui l'ébauche de l'homme qu'il allait devenir. Aujourd'hui, trente-deux ans plus tard, il fait partie de cette maison au même titre que le plancher sous mes pieds. Même si ses rapports avec Zabrina se sont dégradés, pour des raisons que je n'ai jamais réussi à lui soutirer, il parle toujours d'elle avec une sorte de vénération. Elle est et sera toujours la femme qui lui a enseigné Hérodote et lui a sauvé la vie (deux services qui sont, selon moi, intimement liés).

Évidemment, il vieillit beaucoup plus vite que nous autres. Il a maintenant quarante-neuf ans, il coupe en brosse ses cheveux clairsemés et grisonnants (ce qui lui donne un petit air professoral) et son corps, autrefois si svelte, a tendance à s'empâter à la taille. Me porter dans ses bras est devenu une corvée pour lui et plusieurs fois je lui ai dit qu'il devrait bientôt se mettre en quête d'une autre âme perdue, quelqu'un qu'il pourrait former à s'occuper des lourdes tâches de la maison.

Mais peut-être cette préoccupation est-elle purement théorique désormais. Si Marietta a raison, si nos jours sont effectivement comptés, Dwight n'aura pas besoin de former son successeur. Lui comme nous disparaîtrons à tout jamais.

Nous déjeunâmes ensemble ce jour-là, non pas dans la salle à manger, beaucoup trop grande pour deux personnes (je me demande parfois quel genre de personnes maman avait eu l'intention d'inviter), mais dans la cuisine. Pain de poulet en gelée et biscuits à la ciboulette et au sésame, avec en dessert la spécialité de Dwight, une polonaise Hampton : un gâteau composé de couches d'amande et de chocolat, qu'il sert avec une crème fouettée sucrée. (Il tient ses talents culinaires de Zabrina, j'en suis sûr. Son répertoire de confiseries est remarquable : il inclut toutes les sortes de fruits confits, le nougat, les pralines et cette merveille qui pourrit les dents et qu'il appelle des « divinity fudges ».)

— J'ai vu Zabrina hier, dit-il en me servant une seconde part de polonaise.

— Tu lui as parlé ?

— Non. Elle avait son air « Ne m'approchez pas ! ». Vous savez comment elle est.

— Tu as l'intention de me regarder m'empiffrer tout seul ?

— J'ai le ventre tellement plein que j'ai peur de m'endormir cet après-midi.

— Il n'y a pas de mal à faire une petite « siesta ». Dans la bonne vieille tradition du Sud. Quand il fait chaud, on fait un petit somme en attendant que ça se rafraîchisse.

Levant les yeux de mon assiette, je remarquai l'expression morose de Dwight.

— Qu'est-ce qui ne va pas ?

— Je n'aime plus autant dormir que dans le temps, dit-il à voix basse.

— Et pourquoi ça ?

— À cause des cauchemars... Non, ce sont pas vraiment des cauchemars. Des rêves tristes, plutôt.

— Tu rêves de quoi ?

Dwight haussa les épaules.

— Je sais pas trop. De choses et d'autres. Des gens que j'ai connus quand j'étais petit. (Il inspira profondément.) Je me suis dit que je devrais peut-être m'en aller... retourner là d'où je viens.

— Pour toujours ?

— Mon Dieu, non ! Ma place est ici, jusqu'au bout. Non, je voulais dire, retourner là-bas juste une fois pour voir si mes parents sont toujours en vie, et si oui, leur faire mes adieux.

— Ils doivent être très âgés.

— C'est pas eux qui s'en vont, monsieur Maddox, on le sait bien. C'est nous.

Avec son doigt, il ramassa le restant de crème dans son assiette et lécha son doigt.

— C'est ça que je vois dans mes rêves. Je nous vois disparaître. Tout disparaît.

— Tu as discuté avec Marietta ?

— Ça m'arrive, des fois.

— Non, je parlais de ce sujet.

Il secoua la tête.

— C'est la première fois que j'en parle à quelqu'un.

Il s'ensuivit un silence pesant. Finalement, il demanda :

— Qu'est-ce que vous en pensez ?

— De tes rêves ?

— De l'idée d'aller voir mes parents, et tout ça.
— Je crois que tu devrais y aller.

2

J'essayai de suivre mon propre conseil et de faire la sieste cet après-midi-là, mais ma tête, malgré cette discussion mélancolique avec Dwight – ou peut-être pour cette raison –, bourdonnait comme une ruche en effervescence. Je me surpris à songer à certains parallèles existant entre des familles qui, par ailleurs, n'ont rien de semblable. Les parents de Dwight Huddie, par exemple, vivant dans une caravane quelque part dans un camp de Sampson County : pensaient-ils parfois à leur enfant, réfugié dans un endroit qu'ils ne verraient jamais, dont ils ne devineraient même jamais l'existence ? Avaient-ils cherché à le retrouver quand il avait disparu, il y a si longtemps, ou l'avaient-ils considéré comme mort, comme Galilée l'était aux yeux de Cesaria ? Il y avait aussi les Geary. Malgré son esprit de clan légendaire, cette famille s'était elle aussi, en son temps, débarrassée de certains de ses enfants, comme on coupe des membres gangrenés. Considérés comme morts, là encore. J'étais certain de découvrir, à mesure que j'avançais, de semblables connexions dans cette histoire : les différentes façons dont les chagrins et les cruautés se répondaient d'une lignée à une autre.

La question qui se posait, et à laquelle, jusqu'à présent, je n'avais pas réussi à répondre, concernait la meilleure manière d'exprimer ces connexions. Mon esprit débordait de possibilités, mais je n'avais aucune véritable idée de la manière dont s'organisait et s'agençait tout ce que je savais ; je n'avais aucune vision d'ensemble.

Pour chasser mes angoisses, je me livrai à une lente exploration de la maison. Voilà bien longtemps que je ne m'étais pas promené de pièce en pièce comme je le faisais maintenant, et partout où se posait mon regard redevenu curieux, il était récompensé. Le goût et la passion du détail extraordinaires de Jefferson étaient visibles partout autour de moi, mais mariés à un agencement débridé qui représentait, j'en suis certain, l'apport de ma mère. Un mélange hors du commun : la rigueur jeffersonienne et la bravoure des Barbarossa, un combat permanent d'où naissent des formes et des volumes qui ne ressemblent à rien de tout ce que j'ai pu voir. Le grand bureau, par exemple, aujourd'hui laissé à l'abandon, qui de prime abord ressemblait au modèle absolu d'un lieu austère consacré à la recherche intellectuelle, jusqu'à ce que l'œil dérive vers le plafond, là où les colonnes grecques se paraient de volutes et déversaient une abondance de fruits paradisiaques. La salle à manger, dont le sol s'ornait d'une mosaïque de marbre aux motifs si élaborés qu'il ressemblait à un bassin rempli d'eau turquoise. Une immense galerie d'alcôves voûtées, dont chacune renfermait un bas-relief éclairé de manière si astucieuse que les scènes représentées semblaient irradier de leur propre luminescence, comme si celle-ci se déversait d'une rangée de fenêtres. Rien, me semblait-il, n'avait été laissé au hasard ; la moindre subtilité des formes avait été conçue dans le but de servir la vision d'ensemble, tout comme la vision d'ensemble forçait le regard à revenir se poser sur ces détails discrets. À mes yeux, tout n'était qu'une unique et prestigieuse *invitation* : au plaisir de l'œil, en effet, mais aussi à la certitude paisible de sa propre place dans tout cet ensemble, sans être dominé, simplement convié à se trouver là, à cet instant, à sentir le souffle de l'air qui traversait les pièces et caressait votre visage, ou la manière dont la lumière jaillissait d'un mur pour venir à votre rencontre. Plus d'une fois, je sentis mes yeux se mouiller devant la pure beauté de telle ou telle pièce, avant que cette même beauté, qui ne voulait que mon bonheur, ne sèche mes larmes.

Cela étant dit, cette maison n'était pas totalement préservée, tant s'en faut. Les ans et l'humidité ont imprimé leur marque : aucune pièce ou presque n'a échappé au délabrement, et certaines – particulièrement celles situées le plus près des marais – sont dans un tel état de pourrissement que je dus demander à Dwight de m'y porter, de crainte que les planchers pourris ne cèdent sous le poids de mon fauteuil. Pourtant, même ces pièces, je dois le dire, possèdent une indéniable grandeur. Les traces de moisissure qui s'étendent sur les murs évoquent la carte de quelque monde sauvage ; les petites forêts de champignons qui poussent dans les planchers détrempés provoquent une fascination qui leur est propre. Dwight ne partageait pas cet avis.

— Ce sont des endroits maudits, déclara-t-il, convaincu que cette détérioration était la conséquence d'un malaise spirituel qui flottait entre ces murs. Il s'est passé des mauvaises choses ici.

Ces propos n'avaient aucun sens pour moi, et je le lui dis. Si une pièce était rongée par la moisissure et une autre pas, cela était dû uniquement aux caprices du niveau hydrostatique, ce n'était pas l'indice d'un mauvais karma.

— Dans cette maison, répondit Dwight, tout est lié.

Je ne pus lui en soutirer davantage sur ce sujet, mais c'était suffisamment clair, je suppose. De même que j'en étais venu à percevoir la manière dont cette maison faisait l'aller et retour entre l'esprit et la vue, Dwight semblait me dire que l'état physique et l'état moral de cette demeure étaient intimement liés.

Il avait raison, évidemment, même si, à l'époque, je ne pouvais m'en apercevoir. Cette maison n'était pas uniquement le reflet du génie de Jefferson et de la vision de Cesaria ; c'était aussi la dépositaire de tout ce qu'elle avait contenu un jour ou l'autre. Le passé était toujours présent en ce lieu, de bien des manières qui échappaient encore à mes sens trop limités.

Chapitre six

Je croisai une ou deux fois Marietta durant ces journées où je refis connaissance avec la maison (j'entrevis même Zabrina à plusieurs reprises, mais, n'ayant aucune envie de converser avec moi, elle s'éloigna en pressant le pas). Mais Luman, l'homme qui, comme l'avait promis Cesaria, pourrait participer à mon éducation, demeura invisible. Ma belle-mère avait-elle décidé tout compte fait de ne pas me donner accès à ses secrets ? Ou avait-elle simplement oublié de dire à Luman qu'il devait me servir de guide ? Au bout de deux ou trois jours, je décidai finalement de partir à sa recherche, et de lui expliquer combien j'avais envie de poursuivre mon travail, mais que cela m'était malheureusement impossible tant que je ne connaissais pas ces histoires que, d'après Cesaria, je ne pouvais même pas deviner.

Comme je l'ai déjà dit, Luman n'habite pas dans la grande maison, Dieu sait pourtant qu'il y a suffisamment de pièces libres pour accueillir plusieurs familles. Il a choisi de vivre dans ce qui était autrefois le Fumoir, une construction modeste, qui lui convient mieux, dit-il. Avant cette visite, je ne m'en étais jamais approché à moins de cinquante mètres (et je n'y étais donc jamais entré) ; Luman avait toujours protégé farouchement son isolement.

Mais mon agacement grandissant me rendait téméraire. C'est pourquoi je demandai à Dwight de me conduire au Fumoir, en poussant mon fauteuil sur ce chemin autrefois si agréable, aujourd'hui envahi par la végétation. L'air devenait de plus en plus humide ; par endroits, il était infesté de moustiques. J'allumai un cigare pour les maintenir à l'écart. Je doutais que cela soit efficace, mais un bon cigare a le pouvoir de me faire planer légèrement et j'étais moins angoissé à l'idée de servir de repas à ces bestioles.

Alors que nous approchions de la porte, je constatai qu'elle était entrouverte et vis quelqu'un se déplacer à l'intérieur. Luman savait que j'étais là, ce qui signifiait qu'il savait sans doute *pourquoi* je venais le voir.

— Luman ? C'est Maddox ! Est-ce que Dwight peut me faire entrer ? J'aimerais te parler !

La réponse jaillit de l'intérieur glauque :

— On n'a rien à se dire.

— Permets-moi de ne pas être de cet avis.

Le visage de Luman apparut dans l'entrebâillement de la porte. Il semblait complètement azimuté, comme un homme qui vient de commettre non pas un seul mais plusieurs excès. Son large visage couleur fauve luisait de transpiration, ses pupilles étaient des têtes d'épingle, ses yeux étaient jaunes. Sa barbe semblait ne pas avoir été taillée, ni même lavée, depuis des semaines.

— Bon Dieu, grogna-t-il, tu veux pas me foutre la paix ?

— Tu as parlé à Cesaria ? demandai-je.

Il passa la main dans sa crinière et tira ses cheveux en arrière, si violemment qu'on aurait dit un acte de masochisme. Ses pupilles comme des têtes d'épingle se dilatèrent brusquement pour devenir aussi grosses que des pièces de vingt-cinq cents. C'était un tour que je ne lui connaissais pas. Surpris, je faillis laisser échapper un cri. Heureusement, je me retins ; je ne voulais pas lui donner l'impression qu'il avait le dessus. Il y avait trop de chien enragé en lui. S'il sentait ma peur, je savais qu'il me chasserait de chez lui, dans le meilleur des cas.

Et au pire ? Qui sait ce dont était capable une créature telle que lui s'il faisait appel à son esprit pervers ? De tout certainement.

— Oui, elle m'a parlé, répondit-il enfin. Mais je pense que tu n'as pas besoin de voir les trucs qu'elle veut te faire voir. Ça te regarde pas.

— Elle pense que si.

— Hmm.

— Écoute... Pourrait-on discuter à l'abri des moustiques ?

— Tu aimes pas être piqué ? demanda-t-il avec un affreux petit sourire. Moi, j'adore me foutre à poil et me faire bouffer. Ça m'excite.

Peut-être espérait-il me dégoûter et m'inciter à partir, mais je n'allais pas me laisser décourager aussi facilement. Je me contentai de le regarder fixement.

— T'en as d'autres, des cigares comme ça ?

Je n'étais pas venu les mains vides. Non seulement j'avais apporté des cigares, mais j'avais aussi du gin et, en guise de plaisir plus intellectuel, une petite plaquette consacrée aux asiles d'aliénés, provenant de ma collection personnelle. Bien des années plus tôt, Luman avait passé plusieurs mois enfermé dans un hôpital psychiatrique à Utica, dans le nord de l'État de New York. Un siècle plus tard (d'après Marietta), il était toujours obsédé par l'idée qu'un homme sain d'esprit pouvait être jugé fou, et un fou placé entre les mains du Congrès. Je sortis d'abord le cigare, conformément à son désir.

— Tiens.

— C'est un havane ?

— Évidemment.

— Lance-le-moi.

— Dwight peut te l'apporter.

— Non. Lance-le.

Je lançai le cigare en cloche, dans sa direction. Il retomba à une vingtaine de centimètres du seuil. Luman se pencha pour le ramasser ; il le fit rouler entre ses doigts et le sentit.

— Très bien, commenta-t-il. Tu les gardes dans une cave ?

— Oui. Avec cette humidité...

— Obligé, obligé, dit-il d'un ton beaucoup plus chaleureux. Allez, amène-toi.

— Dwight peut me porter jusque chez toi ?

— Ouais, du moment qu'il reste pas, répondit Lumàn, avant de se tourner vers Dwight. Le prends pas mal. Mais c'est un truc entre mon frangin et moi.

— Je comprends, dit Dwight.

Me soulevant dans ses bras, il me porta jusqu'à la porte, que Luman tenait grande ouverte. Une vague de puanteur m'assaillit, comme l'odeur d'une porcherie en plein été.

— J'aime quand ça pue, déclara Luman en guise d'explication. Ça me rappelle le vieux pays.

Je ne répondis pas. J'étais... je ne sais pas comment dire, stupéfait, peut-être effrayé, par l'état de sa maison.

— Assieds-toi sur le lit d'enfant, là-bas, me dit Luman en montrant une sorte de petit lit semblable à un cercueil, près de la cheminée.

Mais il y avait pire : outre le lit en lui-même, qui ressemblait davantage à un instrument de torture qu'à un lieu de repos, il y avait la fournaise de l'âtre d'où s'échappait une épaisse fumée. Pas étonnant que Luman transpire aussi abondamment.

— Ça te convient ? s'enquit-il, visiblement soucieux de mon bien-être.

— Oui, très bien, dis-je. J'ai besoin de maigrir un peu.

— En effet. Il faut que tu gardes la forme. Comme tout le monde.

Il avait gratté une allumette et, avec le soin d'un véritable connaisseur, il donnait vie à son cigare.

— Hmm, vraiment excellent. J'apprécie les bons pots-de-vin, frangin. Savoir offrir un bon pot-de-vin, c'est le signe d'une bonne éducation.

— En parlant de ça... dis-je. Dwight. Le gin.

Dwight déposa la bouteille de gin sur la table, recouverte d'une couche de détritus, comme chaque centimètre carré du bouge dans lequel vivait Luman.

— Et ceci...

— Hé, les cadeaux pleuvent ! (Je lui tendis le livre.) Qu'est-ce que c'est ? demanda-t-il en regardant la couverture. Oh, très intéressant, frangin, dit-il en feuilletant l'ouvrage amplement illustré. Je me demande s'il y a des photos de mon petit lit.

— Il vient d'un asile ? demandai-je en regardant le lit sur lequel Dwight m'avait déposé.

— Évidemment. Je suis resté enchaîné dans ce machin pendant deux cent cinquante-cinq nuits.

— Dedans ?

— Oui, dedans.

Il s'approcha de l'endroit où j'étais assis et tira sur la couverture sale qui était sous mes fesses, pour que je voie bien cette cruelle boîte étroite dans laquelle on l'avait placé. Les chaînes étaient encore là.

— Pourquoi l'as-tu gardé ?

— Comme souvenir, dit-il en me regardant droit dans les yeux pour la première fois depuis que j'étais entré. Je refuse d'oublier, car à l'instant où j'oublierai, ce sera comme si je leur pardonnais ce qu'ils m'ont fait, et ça je refuse.

— Mais...

— Oui, je sais ce que tu vas dire : ils sont tous morts. C'est exact. Mais c'est pas pour ça que je peux pas me venger quand même, quand le Seigneur nous convoquera tous pour être jugés. Je reniflerai leur trace comme le chien enragé que j'étais selon eux. J'aurai leurs âmes et aucun saint du paradis ne pourra m'en empêcher.

Son ton et sa véhémence n'avaient cessé de monter au cours de sa diatribe ; quand il eut terminé, je restai silencieux quelques instants, pour lui permettre de se calmer. Puis je dis :

— Il me semble que tu as une bonne raison de garder ce lit.

Il répondit par un grognement. Puis il se dirigea vers la table et s'assit sur la chaise placée devant.

— Tu ne te demandes jamais pourquoi on... ?

Il n'acheva pas sa phrase.

— Pourquoi quoi ?

— Pourquoi l'un de nous se retrouve dans un asile, un autre est handicapé et le troisième doit parcourir le monde pour se taper toutes les jolies femmes qu'il rencontre.

Il voulait parler de Galilée, évidemment ; ou du moins du Galilée du mythe familial : le voyageur qui poursuivait ses rêves inaccessibles d'un océan à l'autre.

— Tu ne te demandes jamais pourquoi ? répéta Luman.

— Si, de temps en temps.

— La vie est injuste. C'est pour ça que les gens deviennent fous. C'est pour ça qu'ils achètent des armes et tuent leurs enfants. Ou qu'ils finissent enchaînés. Le monde est injuste !

Il recommençait à hurler.

— Si je peux me permettre...

— Vas-y, dis ce que tu veux ! Ça m'intéresse, frangin.

— ... nous avons plus de chance que la plupart des gens.

— Qu'est-ce qui te fait dire ça ?

— Nous ne sommes pas une famille comme les autres. Nous avons... *tu as* des talents pour lesquels la plupart des gens seraient prêts à tuer...

— C'est sûr, je peux baiser une femme et lui faire oublier ensuite que j'ai même posé un doigt sur elle. C'est sûr, je peux écouter ce que se disent les serpents. C'est sûr, j'ai une maman qui fut une des plus grandes dames de tous les temps et un papa qui connaissait bien Jésus. Et après ? Ça ne les a pas empêchés de m'enchaîner. Et je croyais que je le méritais, car au fond de moi, j'étais un salopard et un bon à rien. (Sa voix se transforma en murmure.) Et ça n'a pas vraiment changé.

J'en demeurai muet. Pas uniquement à cause de l'avalanche d'images (Luman écoutant les serpents ? mon père confident du Christ ?), mais aussi du pur désespoir contenu dans la voix de Luman.

— Aucun de nous n'est ce qu'il aurait dû être, frangin. Aucun de nous n'a jamais fait une chose importante, et maintenant, tout est fini, on n'aura jamais plus cette possibilité.

— Justement, laisse-moi raconter *pourquoi.*

— Ah... je savais qu'on y reviendrait tôt ou tard. Ça sert à que dalle d'écrire ce livre, frangin. On va tous passer pour des minables. Sauf Galilée, évidemment. Il aura l'air séduisant et sophistiqué, et moi, je passerai pour un demeuré.

— Je ne suis pas venu te supplier, dis-je. Si tu refuses de m'aider, je retournerai voir maman...

— Si tu la trouves.

— Je la trouverai. Et je lui demanderai de dire à Marietta de me montrer les choses à ta place.

— Elle ne fait pas confiance à Marietta, dit Luman en se levant pour venir s'accroupir devant le feu. Moi, elle me fait confiance parce que je suis resté ici. Je suis fidèle. (Il grimaça.) Fidèle comme un chien. Je suis resté dans ma niche pour garder son petit empire.

— Pourquoi vis-tu ici ? demandai-je. Ce n'est pas la place qui manque dans la maison.

— Je déteste cette maison. Elle est beaucoup trop civilisée. J'ai l'impression de pas pouvoir respirer.

— C'est pour ça que tu ne veux pas m'aider ? Tu ne veux pas entrer dans la maison ?

— Oh, et puis merde, dit-il, comme s'il se résignait à accepter cette torture, si je dois le faire, je le ferai. Je t'emmènerai là-haut, si tu y tiens tant que ça.

— Là-haut ?

— Dans le dôme, évidemment. Mais une fois là-bas, tu te débrouilleras tout seul, mon vieux. Je resterai pas avec toi. Pas dans cet endroit.

Chapitre sept

Je commençais à comprendre qu'une des malédictions de la famille Barbarossa était l'apitoiement sur soi-même. Il y avait Luman dans son Fumoir qui mijotait sa revanche contre des morts ; moi, dans ma bibliothèque, persuadé que la vie m'avait rendu un horrible service ; Zabrina enfermée dans sa propre solitude, boursouflée de sucreries. Et même Galilée – là-bas sous un ciel infini – qui m'écrivait des lettres mélancoliques évoquant l'inanité de sa vie. Tout cela était pathétique. Nous qui étions les fruits bénis d'un arbre si extraordinaire. Comment en étions-nous venus à nous lamenter sur nos existences, au lieu de trouver des motivations dans le fait de vivre ? Nous ne méritions pas ce qu'on nous avait donné : notre prestige, nos dons, nos visions. Nous les avions gaspillés, tandis que nous pleurions sur notre sort.

Était-il trop tard pour changer tout ça ? me demandais-je. Quatre enfants ingrats avaient-ils encore une chance de découvrir pourquoi ils avaient été créés ?

Seule Marietta, apparemment, avait échappé à cette malédiction, en se réinventant. Je la voyais souvent revenir de ces visites dans le monde extérieur, habillée comme une camionneuse parfois, avec un jean trop large et une chemise sale, ou bien déguisée en chanteuse de variétés, avec une robe moulante, parfois même totalement nue, traversant la pelouse en courant, alors que le soleil se levait, la peau humide de rosée, comme l'herbe.

Oh, Seigneur, que suis-je en train d'avouer ? Tant pis, c'est dit, pour le meilleur ou pour le pire. À la liste de mes péchés (pas aussi longue que je le souhaiterais), je dois maintenant ajouter les désirs *incestueux*.

Luman avait prévu de passer me chercher à vingt-deux heures. Il était en retard, évidemment. Quand il arriva enfin, il avait le mégot du havane coincé entre les dents, et à la main, la bouteille de gin presque vide. Je soupçonnais qu'il n'avait pas l'habitude de boire de l'alcool fort, car il était dans un état déplorable.

— Alors, tu es prêt ? me demanda-t-il d'une voix pâteuse.

— Fin prêt.

— Tu as prévu quelque chose à manger et à boire ?

— Pourquoi aurais-je besoin de provisions ?

— Tu vas rester là-haut un long moment. Voilà pourquoi.

— À t'entendre, tu as l'intention de m'enfermer.

Luman me jeta un regard sournois, comme s'il s'interrogeait pour savoir s'il devait se montrer cruel ou pas.

— Ne chie pas dans ton froc, dit-il. La porte restera ouverte. Simplement, t'auras plus envie de partir. Une fois que tu commences, tu deviens accro.

Sur ce, il s'éloigna à grands pas dans le couloir, m'obligeant à faire rouler rapidement mon fauteuil.

— Ne marche pas si vite !

— Tu as peur de te perdre dans le noir ? rétorqua-t-il. Frangin, je te trouve sacrément nerveux comme mec.

Je n'avais pas peur du noir, mais j'avais de bonnes raisons de craindre de me perdre. Nous tournâmes plusieurs fois et, au bout d'un moment, je fus certain d'avancer dans un couloir où je n'étais jamais venu, alors que je croyais connaître toute la maison, à l'exception des appartements de Cesaria. Encore un croisement, encore un couloir, puis une petite pièce, encore une autre, puis une autre. Je savais désormais que j'étais en terrain inconnu. Si Luman décidait de faire des siennes et de m'abandonner là, je doutais de pouvoir retrouver seul un environnement familier.

— Tu sens l'air ici ? me demanda-t-il.

— Ça pue le renfermé.

— Non, la mort. Personne ne vient jamais ici. Pas même *elle*.

— Pourquoi ?

— Parce que ça te nique la tête, dit-il en jetant un regard dans ma direction, par-dessus son épaule.

Je discernais à peine son expression dans la pénombre, mais j'aurais parié qu'il avait son sourire sournois qui dévoilait ses dents jaunies.

— Certes, reprit-il, tu es plus équilibré que je l'ai jamais été, alors peut-être que tu seras moins perturbé si tu sais contrôler ton esprit. Mais évidemment... peut-être que tu vas craquer et je serai obligé de te mettre dans mon petit lit d'enfant, pour éviter que tu te fasses du mal.

J'arrêtai mon fauteuil.

— Tu sais quoi ? dis-je. J'ai changé d'avis.

— Impossible, dit Luman.

— Je te dis que je ne veux pas aller là-bas.

— En voilà un revirement ! D'abord, c'est moi qui veux pas t'y conduire, et maintenant que je t'amène ici, tu veux plus y aller. Décide-toi, bon Dieu !

— Je ne veux pas risquer ma santé mentale.

Luman vida la bouteille de gin.

— Oui, je comprends, dit-il. Un type dans ton état, il lui reste que son esprit, pas vrai ? Si tu perds la boule, t'as plus rien. (Il s'avança vers moi d'un pas ou deux.) D'un autre côté, si t'y vas pas, t'écriras pas ton bouquin, c'est un peu à pile ou face.

Il fit passer la bouteille vide d'une main à l'autre, puis dans l'autre sens, pour illustrer le dilemme.

— Le livre. La raison. Le livre. La raison... À toi de décider.

À cet instant, je le détestais, simplement parce qu'il disait la vérité. S'il m'abandonnait sous le dôme et si je perdais la raison, je ne serais pas capable d'ordonner les mots dans un ordre cohérent. D'un autre côté, si je ne prenais pas le risque de la folie et si j'écrivais uniquement à partir de ce que je savais déjà, ne passerais-je pas le restant de mes jours à songer combien mon œuvre aurait été plus riche, plus vraie, si j'avais eu le courage de voir ce que cette pièce avait à me montrer ?

— À toi de choisir, dit-il.

— Que ferais-tu à ma place ?

— Tu me poses la question ?

Luman semblait réellement surpris que je m'intéresse à son opinion.

— C'est pas très agréable d'être fou, dit-il. Pas agréable du tout. Mais comme je vois les choses, il nous reste plus beaucoup de temps. Cette maison tiendra pas debout éternellement, et le jour où elle s'effondrera, tout ce que tu pourrais voir là-haut... (Il désigna le couloir qui s'ouvrait devant moi, en direction de l'escalier qui menait au dôme...) tout sera perdu. Tu pourras plus avoir de visions quand cette maison s'écroulera. Comme nous tous.

Je regardais fixement le couloir.

— Tu as répondu à ma question, je suppose.

— Alors, tu y vas ou pas ?

— J'y vais.

Luman sourit.

— Attends, dit-il.

Il fit alors une chose remarquable. Il souleva mon fauteuil, avec moi dedans, et nous fit gravir à tous les deux l'escalier. Je retins mon souffle, craignant qu'il ne me lâche ou ne tombe à la renverse. Mais nous atteignîmes le haut des marches sans incident. Il y avait là un étroit palier et une unique porte.

— Je te laisse là, déclara Luman.

— Tu ne veux pas aller plus loin ?

— Tu sais ouvrir une porte.

— Que va-t-il se passer quand je serai à l'intérieur ?

— Tu t'apercevras que tu sais ce qu'il faut faire. (Il posa sa main sur mon épaule.) Si tu as besoin de quelque chose, appelle-moi.

— Tu seras là ?

— Tout dépend de mon humeur.

Sur ce, il dévala l'escalier. Je voulus le retenir, mais j'étais à court de tactiques pour gagner du temps. Si je voulais aller jusqu'au bout, c'était le moment.

Je fis rouler mon fauteuil jusqu'à la porte, en jetant un coup d'œil par-dessus mon épaule pour voir si Luman était toujours dans les parages. Il avait disparu. J'étais seul. J'inspirai profondément et refermai la main sur la poignée. Une partie de moi-même espérait encore que la porte serait verrouillée et que l'entrée me serait interdite. Mais la poignée tourna et la porte s'ouvrit, presque trop vite, pensai-je, comme si un hôte impatient se tenait de l'autre côté, pressé de me faire entrer.

J'avais une petite idée de ce qui m'attendait de l'autre côté, sur un plan architectural du moins. La salle du dôme – ou bien « sky room » ainsi que Jefferson avait baptisé sa jumelle à Monticello – était, d'après Marietta (qui s'y était introduite en douce un jour pour faire l'amour avec une petite amie), une pièce étrange, mais très belle. À Monticello, elle servait apparemment de salle de jeux pour les enfants, car elle était difficile d'accès (un défaut de conception que l'on retrouvait à *L'Enfant*), mais ici, toujours d'après Marietta, il flottait dans cette pièce un parfum de malaise ; aucun enfant n'aurait été heureux de jouer dans cette pièce. Malgré les huit fenêtres, conformément au modèle monticellien, et la verrière, cet endroit lui paraissait « un peu agité », disait-elle. Comprenne qui pourra.

J'étais sur le point de comprendre. Je poussai la porte du pied, m'attendant presque à voir des oiseaux ou des chauves-souris me sauter au visage. Mais la pièce était déserte. Il n'y avait pas un seul meuble pour gâcher sa simplicité absolue. Uniquement la lumière des étoiles qui entrait par les neuf ouvertures.

— Luman, espèce de salopard... murmurai-je.

Il m'avait préparé à découvrir une chose effrayante : un délire, une attaque d'images si violentes qu'elle me ferait perdre la raison. Mais il n'y avait rien d'autre ici que l'obscurité et encore l'obscurité.

Je me risquai à avancer de quelques mètres, cherchant autour de moi une raison d'avoir peur. Mais je ne voyais rien. Je continuai, habité par un mélange de déception et de soulagement. Il n'y avait rien à redouter dans cette pièce. Ma santé mentale était parfaitement à l'abri.

À moins, évidemment, que l'on veuille me donner un faux sentiment de sécurité. Je jetai un coup d'œil derrière moi, en direction de la porte. Elle était toujours ouverte, toujours bien réelle. Et au-delà, j'apercevais le palier sur lequel je m'étais arrêté avec Luman, en me demandant s'il était raisonnable de franchir ce seuil. Quelle cible facile j'avais été ; Luman devait bien rire intérieurement en voyant mon inquiétude ! Le maudissant de nouveau, je détachai mon regard de la porte pour replonger dans l'obscurité. Mais cette fois, à mon grand étonnement, je m'aperçus que la salle du dôme n'était pas *entièrement* vide, comme je l'avais cru. À quelques mètres de moi, là où les faisceaux lumineux des neuf fenêtres se rencontraient, je distinguai une forme qui s'agitait dans la pénombre, si discrète que je n'étais même pas certain qu'elle fût réelle. Je la regardai fixement, n'osant pas cligner des yeux de peur qu'elle ne s'évanouisse. Elle demeura devant moi et s'intensifia un peu. J'avançai dans mon fauteuil, lentement, lentement, tel le chasseur qui s'approche de sa proie, craignant de la faire s'envoler. Mais elle ne s'enfuit pas. Tout en demeurant aussi mystérieuse. Mon approche était devenue moins timide ; je me trouvais maintenant au centre de la pièce, juste sous la verrière. Les formes dansaient dans les airs tout autour de moi, si diaphanes que je n'étais toujours pas certain de les voir pour de bon. Je levai les yeux à mon zénith : j'apercevais les étoiles à travers la verrière, mais rien qui puisse créer ces ombres dansantes. Reportant mon attention sur les murs, j'allai d'une fenêtre à une autre, à la recherche d'une explication. Sans en trouver aucune. Un petit flot de lumière se déversait par chaque ouverture, mais je ne distinguais aucun mouvement : une branche agitée par le vent, un oiseau qui bat des ailes sur une corniche. Le phénomène qui créait ces ombres mouvantes se trouvait ici même dans cette pièce, avec moi. Tandis que j'achevais mon examen des fenêtres, en marmonnant pour exprimer mon trouble, j'eus la sensation désagréable qu'on observait ma perplexité. De nouveau, je me tournai vers la porte, en pensant que Luman était peut-être revenu en douce pour m'espionner. Mais non, le palier était désert.

Inutile de rester planté ici sans rien faire, pensai-je, à part être pris de vertige et devenir paranoïaque. Autant formuler la raison de ma présence dans cette pièce et voir si cela provoquait une réaction.

Je pris une inspiration inquiète et dit à voix haute :

— Je suis venu... Je suis venu pour voir le passé.

Ma voix semblait toute fluette, comme une voix d'enfant.

— C'est Cesaria qui m'envoie, ajoutai-je en pensant que cela aiderait peut-être les forces qui habitaient cette pièce (quelles qu'elles soient) à comprendre que ma présence en ce lieu était légitime et si elles avaient quelque chose à me montrer, qu'elles le fassent, nom d'un chien.

Une des choses que j'avais dites – était-ce l'allusion au passé ou le fait de prononcer le nom de Cesaria, je l'ignore – provoqua une réponse. Les ombres semblèrent s'assombrir autour de moi et leurs mouvements devinrent plus complexes. Une partie de la « forme » se trémoussa comme une créature vivante et se dressa devant moi, pour monter vers la verrière. Une autre partie s'envola vers le mur sur ma gauche en traînant derrière elle des fragments d'air obscur qui claquaient comme la queue d'un cerf-volant. Une troisième partie tomba sur le parquet vernis et se répandit sur le sol.

Je crois que je laissai échapper quelques paroles de stupéfaction. « Oh, mon Dieu » ou quelque chose comme ça. Il y avait de quoi. Le spectacle se déployait à chaque seconde, les mouvements convulsifs des ombres, et leurs dimensions, semblaient se développer selon une progression logarithmique. Le mouvement entraînait le mouvement, les formes inspiraient les formes. En l'espace de quarante-cinq secondes peut-être tous les murs de la salle du dôme avaient été masqués par ces abstractions mouvantes ; grises sur gris, mais remplies d'allusions subtiles aux visions à venir. Mes yeux couraient en tous sens, bien évidemment, stupéfaits par tout ce qu'ils voyaient, mais tandis que mon regard dérivait d'un nuage de formes à un autre, il était mû par le sentiment qu'il y avait là quelque chose de *presque* visible. J'étais sur le point de comprendre comment fonctionnaient ces abstractions.

Et pourtant, même sous cet aspect protéiforme, elles parvenaient à m'émouvoir. En regardant ces déferlements et ces cabrioles, je commençais à comprendre pourquoi Luman répugnait autant à pénétrer dans cette pièce. Malgré son attitude, c'était un homme extrêmement vulnérable, et il y avait tout simplement trop de *sentiments* ici pour une âme aussi sensible. En voyant se dérouler ce spectacle, j'avais l'impression d'entendre un morceau de musique, ou plutôt, plusieurs morceaux en même temps.

Ces immenses formes qui se déplaçaient au-dessus de ma tête, telles des colonnes de fumée passant devant le soleil, possédaient toute la gravité d'un requiem, tandis que les formes qui se mouvaient près de moi, tournoyaient et se balançaient au rythme d'une polka ivre. Et entre les deux, les cordes d'éther sinueuses qui s'élevaient vers la voûte et m'encerclaient semblaient délivrer une jolie musique entraînante évoquant la ligne enjouée d'une rhapsodie.

Dire que j'étais émerveillé ne suffirait pas à exprimer ma fascination. Tout cela était si parfaitement mystérieux : une séduction de l'œil et du cœur qui me laissait au bord des larmes. Mais je n'étais pas captivé au point de ne pas me demander quelles étaient ces forces demeurées cachées jusqu'alors. J'avais fait naître cette vision par mon envie de l'accepter. Le moment était venu de recommencer, c'est-à-dire d'ouvrir mon esprit, un peu plus, pour voir ce que les ombres avaient à me montrer.

— Je suis prêt, murmurai-je, où que vous soyez...

Les formes poursuivirent leur débauche devant moi, sans toutefois réagir de manière visible à mon invitation. On sentait encore une évolution dans leurs mouvements, mais celle-ci s'était ralentie. Je ne voyais plus ces changements époustouflants qui avaient provoqué mon émerveillement et ma stupéfaction quelques minutes plus tôt.

Alors, je m'exprimai de nouveau :

— Je n'ai pas peur.

Avais-je dit une chose aussi stupide dans ma vie que de me vanter de mon intrépidité dans un endroit tel que celui-ci ?

À peine ces mots eurent-ils jailli de ma bouche que les ombres qui m'entouraient furent prises de convulsions, comme si une secousse sismique avait secoué le dôme. Deux ou trois secondes plus tard, tel un coup de tonnerre qui succède de peu à un éclair, l'onde de choc ébranla l'unique forme solide de cette pièce, c'est-à-dire moi. Mon fauteuil fut propulsé en arrière et bascula à la renverse. Je tentai vainement d'en reprendre le contrôle, mais le fauteuil filait sur le parquet, les roues hurlaient, et pour finir, il heurta le mur près de la porte, avec une telle violence que je fus éjecté.

Je sentis un craquement au moment où je retombais à plat ventre et j'eus le souffle coupé. Si j'en avais eu la possibilité, j'aurais peut-être lancé un appel à la clémence, j'aurais peut-être tenté de retirer mes paroles de fanfaron. Mais je doute que cela m'aurait servi à grand-chose.

Suffoquant à moitié, j'essayai de me redresser tant bien que mal pour voir où avait atterri mon fauteuil. Mais une violente douleur me vrillait le côté gauche. De toute évidence, je m'étais cassé une côte. Je renonçai à tenter de bouger, de peur d'aggraver les dégâts.

Je ne pouvais que rester allongé par terre, là où on m'avait jeté sans ménagement, et attendre que la pièce accomplisse son œuvre. J'avais invité les forces qui habitaient cet endroit à me montrer leurs splendeurs, et j'étais certain qu'elles n'allaient pas se priver de ce plaisir.

Chapitre huit

Rien ne se produisit. Je restai allongé par terre, le souffle court, respirant par à-coups ; mon estomac menaçait de se révolter, mon corps était collant de sueur, et la pièce attendait. Tout autour de moi, les formes instables – qui masquaient maintenant la moindre parcelle de fenêtre et de mur et tapissaient même le sol – étaient quasiment immobiles, leurs efforts évolutionnistes avaient pris fin, pour le moment du moins.

Le fait que j'aie été blessé avait-il provoqué un choc, responsable de la retenue soudaine de cette ou de ces présences ? me demandai-je. Peut-être avaient-elles le sentiment d'avoir franchi les bornes de l'enthousiasme, et leur souhait le plus cher désormais était-il de me voir repartir en rampant pour aller panser mes blessures ? Ou bien attendaient-elles que j'appelle Luman ? J'envisageai de le faire, mais me ravisai. Cette pièce n'était pas faite pour y prononcer un simple mot, sauf en cas d'absolue nécessité. Mieux valait que je reste allongé et silencieux, décidai-je, le temps que mon corps paniqué retrouve son calme. Une fois que j'aurais repris le contrôle de moi-même, j'essaierais de me traîner jusqu'à la porte. Tôt ou tard, Luman viendrait me chercher, j'en étais certain. Dussé-je attendre toute la nuit.

Pour l'instant, je fermai les yeux afin de chasser les

images qui m'entouraient. Si ma douleur au côté n'était plus qu'un élancement sourd, ma tête et mes yeux m'élançaient eux aussi ; de fait, j'imaginais sans peine mon corps transformé en une sorte de cœur obèse, jeté sur le sol, produisant ses ultimes battements.

Je n'ai pas peur ! avais-je fanfaronné, juste avant d'être frappé par l'éclair. Mais maintenant ? Oh, la peur était bien là, forte. J'avais peur de mourir ici, avant d'avoir parcouru péniblement le catalogue de toutes les choses inachevées rangé au fond de mon esprit et qui réclamait mon attention, sans jamais l'obtenir, bien évidemment, et continuait néanmoins à grossir. Sans doute était-il trop tard : je n'aurais pas le temps de me flageller pour toutes les actions déshonorantes qui figuraient sur cette liste, je n'aurais pas l'occasion de réparer le mal que j'avais fait. Un mal insignifiant, assurément, si l'on considère les choses dans leur ensemble, mais suffisant pour provoquer des regrets.

Et soudain, dans ma nuque, le contact d'une main ; ou ce que je crus être une main.

— Luman ? murmurai-je en ouvrant les yeux.

Ce n'était pas Luman ; ce n'était même pas une caresse humaine, ni rien qui ressemblait à une caresse humaine. C'était une présence dans l'obscurité, ou bien les ombres elles-mêmes. Elles avaient fondu sur moi pendant que j'avais les yeux fermés et elles m'enserraient ; cette intimité n'était nullement menaçante, mais étrangement *tendre* au contraire. Comme si ces formes mouvantes, insensées, se souciaient de mon bien-être, à voir la façon dont elles frôlaient ma nuque, mon front, mes lèvres. Je demeurais absolument immobile, en retenant ma respiration, redoutant de voir leur humeur changer tout à coup et leurs gestes de réconfort se transformer en actes de cruauté. Mais non, elles attendaient simplement, tout contre moi.

Soulagé, je recommençai à respirer. Mais au moment même où j'inspirais, je compris que je venais d'accomplir, sans le vouloir, une chose capitale.

Je sentis l'air chargé qui m'enveloppait se précipiter

vers ma bouche ouverte et s'engouffrer dans ma gorge. Je n'avais d'autre choix que de le laisser entrer. Quand je compris ce qui se passait, il était déjà trop tard pour résister. J'étais un récipient qu'on remplit. Je sentais l'air habité sur ma langue, contre mes amygdales, dans ma trachée...

Mais une fois que je sentis ces formes en moi, je n'eus plus le désir de les recracher. Dès leur intrusion, ma douleur au côté sembla immédiatement s'atténuer, tout comme les palpitations dans ma tête et mes yeux. La crainte d'une mort solitaire dans ce lieu s'évanouit et je fus transporté – en un souffle – du désespoir à une sorte de bien-être.

Quel dédale de manipulations renfermait cette salle ! La banalité, tout d'abord, le choc ensuite, puis ce bonheur opiacé. Je serais idiot, pensai-je, de croire qu'elle n'avait pas d'autres tours à son répertoire. Mais tant qu'elle se réjouissait d'apporter du soulagement à mes souffrances, j'étais ravi de prendre tout ce qu'elle m'offrait. Avec avidité, d'ailleurs. J'avalais l'air à grandes bouffées, et chaque inspiration m'emmenait un peu plus loin de ma douleur. Ce n'était pas seulement la douleur au côté et les palpitations dans mon crâne qui s'éloignaient ; une douleur beaucoup plus ancienne – une douleur sourde, méprisable, qui hantait le territoire mort de mes membres inférieurs – s'atténuait pour la première fois depuis presque deux durées de vie humaine. Non pas qu'elle ait disparu, me dis-je ; simplement, je ne la ressentais plus comme une douleur. Ai-je besoin de dire que je la chassai avec joie de mon esprit, en sanglotant de gratitude ? J'étais enfin libéré d'une torture si intimement liée à mon existence que j'avais oublié combien la douleur était intense.

Et tandis qu'elle passait devant mes yeux – bien plus perçants qu'ils ne l'avaient jamais été, même durant ma jeunesse –, je découvris un nouveau spectacle propre à les surprendre. L'air que j'expulsais de mes poumons possédait une densité lumineuse, il sortait de mon corps chargé de particules d'une brillance délicate, comme si un feu brûlait en moi et que je crachais des étincelles. Était-ce la matérialisation de ma douleur ? La manière dont cette pièce – ou mon propre délire – symbolisait cette expulsion ? Cette théorie flotta en moi pendant dix secondes, avant de disparaître. Les particules allaient me montrer leur véritable nature, et celle-ci n'avait rien à voir avec la douleur.

Elles continuaient à se déverser de ma bouche, à chaque expiration, mais je ne regardais pas celles que je venais d'expulser. C'étaient les particules qui avaient jailli de ma bouche en premier qui captivaient mon regard. Elles semaient leur luminescence dans les ombres, puis disparaissaient dans le lit nuageux qui m'entourait. J'observais ce spectacle avec, je l'espérais, un détachement quasi scientifique. Il y avait une certaine logique dans tout ce qui m'arrivait ici, du moins le supposais-je. Les ombres ne représentaient qu'une partie de l'équation : un terrain de possibilités, rien de plus ; la boue fertile de cette pièce, attendant quelque étincelle galvanisante pour faire naître... pour faire naître quoi ?

Telle était la question. Que voulait donc me montrer le mariage du feu et de l'obscurité ?

Je n'attendis pas plus de vingt secondes pour découvrir la réponse. À peine les premières particules se furent-elles dissoutes que les ombres abandonnèrent leur mystère et s'épanouirent.

Les limites de la salle du dôme avaient été supprimées. Quand les visions apparurent enfin – *et de quelle manière !* –, elles se déployèrent avec démesure.

D'abord, des ombres surgit un paysage. Le plus primitif des paysages : la pierre, le feu et un flot de magma en mouvement. Ça ressemblait à la naissance du monde : rouge et noir. Une seconde me suffit à comprendre cette scène. L'instant d'après, je fus assailli d'images ; la scène qui se déroulait devant moi se modifiait à chacun de mes battements de cœur. Une chose émergea du feu, dorée et verte, pour s'élever dans un ciel enfumé. Durant cette ascension, les fleurs qu'elle portait devinrent des fruits, qui retombèrent sur le sol de lave. Je n'eus pas le temps de les regarder se consumer. Un mouvement sur ma droite, au milieu de la fumée, attira mon regard. Une sorte d'animal aux flancs pâles et entaillés traversa mon champ de vision au galop. Je ressentis résonner la violence de ses sabots dans mon ventre. Avant qu'il n'ait disparu, un autre surgit, puis encore un autre, et finalement, un troupeau tout entier de ces bêtes qui n'étaient pas des chevaux, mais y ressemblaient. Avais-je inventé ces créatures ? Les avais-je expulsées en même temps que ma douleur, avec le feu, avec la pierre et avec l'arbre qui jaillissait de la pierre ? Tout cela était-il une invention de ma part ou peut-être un souvenir lointain, que les charmes de la pièce avaient rendu visible ?

Alors que je formulais ces pensées, le troupeau pâle changea soudain de direction pour fondre sur moi. Instinctivement, je me protégeai la tête avec mes bras pour éviter d'avoir le cerveau réduit en bouillie. Mais malgré la fureur des sabots, le passage du troupeau me fit l'effet d'un simple souffle d'air ; les bêtes me passèrent dessus et s'enfuirent.

Je relevai la tête. Durant les quelques secondes où j'avais détourné le regard, le sol avait accouché de merveilles. Il y avait maintenant des choses à voir de tous les côtés. Tout près de moi, je vis passer, se faufilant à travers cet air dans lequel il était sculpté, un serpent aux couleurs éclatantes comme une fleur. Mais avant même qu'il n'ait achevé son évolution, une autre créature s'en empara et je levai la tête pour me retrouver face à une silhouette vaguement humaine, mais ailée, lisse et brillante. Le serpent disparut en une fraction de seconde, avalé par cette chose, qui posa ensuite ses yeux enflammés sur moi, comme si elle se demandait si j'étais également comestible. Apparemment, je constituais une nourriture médiocre. Agitant ses ailes immenses, la créature s'éleva comme un rideau de théâtre pour dévoiler, juste derrière, un autre drame, plus étrange encore.

L'arbre que j'avais vu naître avait semé ses graines dans toutes les directions. En quelques secondes, une forêt avait surgi de terre, la voûte tumultueuse du feuillage était aussi noire que des nuages d'orage. Entre les arbres s'agitaient toutes sortes de créatures qui s'élevaient pour nicher, puis retombaient sur le sol pour pourrir. Près de moi, une antilope se tenait dans le décor tacheté de lumière, terrorisée au point de se chier dessus. Je cherchai la cause de cette terreur. Là, à quelques mètres seulement de l'animal, quelque chose bougea au milieu des arbres. J'eus juste le temps d'entrevoir l'éclat de son œil, ou d'une dent, avant que la créature ne surgisse pour se précipiter sur sa proie d'un bond immense. C'était un tigre, grand comme quatre ou cinq hommes. L'antilope tenta de s'enfuir, mais le chasseur était trop rapide. Les griffes du tigre se plantèrent dans le flanc soyeux de l'animal et il acheva son saut en écrasant sa proie sous lui. La mort ne fut ni rapide ni belle. L'antilope se débattit furieusement, bien que son corps soit déjà ouvert de part en part, tandis que le tigre lacérait à coups de dents sa gorge fine. Je ne détournai pas le regard. Je regardai jusqu'à ce que l'antilope ne soit plus qu'un amas de viande fumante, et que le tigre se couche par terre pour se repaître. Alors seulement, mes yeux partirent en quête de nouvelles distractions.

Quelque chose brillait entre les arbres, d'une lumière de plus en plus intense. Tel un feu affamé, il grimpait à travers le feuillage à mesure qu'il approchait ; sa progression dans les airs était plus rapide que son avancée au ras du sol, plus régulière. Le chaos se répandit dans les fourrés, toutes les espèces – chasseurs et proies – s'enfuirent devant le brasier. Mais au-dessus de moi, il n'y avait aucune échappatoire. Le feu progressait trop vite ; il consumait les oiseaux en vol, les oisillons dans leurs nids, les singes et les écureuils sur les branches. D'innombrables corps pleuvaient autour de moi, carbonisés et fumants. Accompagnés d'une cendre chauffée à blanc qui saupoudrait le sol.

Je n'avais pas peur pour ma vie. J'étais suffisamment familiarisé avec ce lieu désormais pour avoir foi dans mon immunité. Mais j'étais horrifié par ce spectacle. De quoi étais-je témoin ? D'un cataclysme primal qui avait laminé ce monde ? Qui l'avait détruit du ciel jusqu'au sol ? Dans ce cas, quelle était son origine ? Ce n'était pas une catastrophe naturelle, j'en étais certain. Au-dessus de ma tête, le brasier formait maintenant une sorte de toit, créant en cet instant de destruction une voûte chantournée sur laquelle les mourants étaient immortalisés par le feu. Ému par cette vision, je sentis les larmes mouiller mes yeux. Je les séchai rapidement pour ne pas louper les nouvelles merveilles ou horreurs qui se préparaient, et c'est à ce moment-là que j'entendis parvenir jusqu'à moi, dans mon cœur, la première expression humaine – autre que mes propres bruits – depuis que j'avais pénétré dans cette pièce.

Ce n'était pas un mot, ou alors ce n'était pas un mot que je connaissais. Mais cela avait un sens ; du moins en étais-je convaincu. Pour moi, cela ressemblait à un grand cri poussé par un nouveau-né au cœur du brasier ; un cri de célébration et de défi. *Me voici !* semblait-il dire. *On va pouvoir commencer !*

Je me dressai en prenant appui sur mes mains pour tenter d'apercevoir la personne qui avait crié (sans pouvoir déterminer s'il s'agissait d'un homme ou d'une femme), mais la pluie de cendres et de détritus formait un voile devant moi ; je ne voyais quasiment rien à travers.

Mes bras ne pouvaient pas me supporter plus de quelques minutes. Mais au moment où je me laissais retomber sur le sol, frustré, le feu qui brûlait au-dessus de moi – ayant peut-être épuisé tout son carburant – mourut. La pluie de cendres s'arrêta. Et là, à moins de vingt mètres de moi, au milieu des flammes qui l'enveloppaient comme une gigantesque fleur embrasée, je découvris Cesaria. Rien dans son attitude ou dans son expression n'indiquait que le feu la menaçait. Bien au contraire. Elle semblait se délecter de ses caresses ; ses mains se promenaient sur son corps, tandis que la conflagration l'emmitouflait, comme pour s'assurer que son baume pénétrait dans chacun de ses pores. Ses cheveux, plus noirs que sa peau, scintillaient et se contorsionnaient ;

de ses seins coulait du lait, ses yeux pleuraient des larmes argentées et son sexe, qu'elle caressait d'un doigt par moments, déversait des flots de sang.

Je voulais détourner le regard, mais j'en étais incapable. Elle était trop exquise, trop mûre. J'avais le sentiment que tout ce que j'avais eu devant les yeux au cours de ces dernières minutes – le sol en fusion, l'arbre et ses fruits, le troupeau de bêtes pâles, l'antilope traquée et le tigre qui l'avait dévorée, et même l'étrange créature ailée qui était brièvement apparue dans ma vision –, que toutes ces choses étaient à la fois *dans* cette femme qui se tenait devant moi et qu'elles en émanaient. Elle était à la fois leur génitrice et leur bourreau ; la mer dans laquelle elles se déversaient et le rocher duquel elles avaient jailli.

J'en avais vu suffisamment, décidai-je. J'avais ingurgité tout ce que je pouvais ingurgiter en conservant mon équilibre mental. Le moment était venu de tourner le dos à ces visions et de regagner la sécurité du monde banal. J'avais besoin de temps pour assimiler tout ce que j'avais vu, et les pensées engendrées par ces visions.

Mais la retraite n'était pas facile. Détacher mon regard de l'épouse de mon père était déjà une tâche ardue, cependant lorsque j'y parvins enfin, pour me retourner vers la porte, je ne la trouvai plus. L'illusion m'entourait de tous côtés ; il ne restait plus aucune trace du monde réel. Pour la première fois depuis l'apparition des visions, je repensai aux paroles de Luman concernant la folie et je fus pris de panique. Avais-je négligemment laissé filer ma santé mentale, sans même m'en apercevoir ? Dérivais-je maintenant au milieu de cette illusion, sans que mes sens puissent se reposer sur un terrain stable ?

Je frissonnai en repensant au petit lit d'enfant dans lequel on avait attaché Luman, et à l'étincelle de rage inextinguible dans ses yeux. Était-ce là tout ce qui s'offrait à moi désormais ? Une vie sans certitudes, sans raison ; cette forêt était-elle une prison que j'avais créée d'un souffle, et cet autre monde où j'existais réellement jusqu'à présent, heureux à ma manière, comme un estropié, n'était-il plus qu'un rêve de liberté dans lequel je ne pourrais jamais revenir ?

Je fermai les yeux pour chasser l'illusion. Comme un enfant terrorisé, je me mis à prier.

« Oh, Seigneur, Toi qui es aux cieux, regarde Ton serviteur à cet instant ; je t'en supplie... J'ai besoin de Toi à mes côtés.

Aide-moi. Je t'en prie. Chasse toutes ces choses de ma tête. Je n'en veux pas, Seigneur. Je n'en veux pas. »

Alors que je murmurais ma prière, je me sentis frappé par une bouffée d'énergies. Après s'être arrêté non loin de moi, l'incendie qui faisait rage entre les arbres s'était remis en mouvement. Je me hâtai de réciter ma prière, certain que si le feu venait vers moi, Cesaria aussi.

« Sauve-moi, Seigneur... »

Elle venait pour me faire taire. J'en eus la conviction tout à coup. Elle faisait partie de ma folie et elle venait pour étouffer les paroles que j'avais prononcées pour me protéger de la démence.

« Seigneur, je T'en supplie, entends-moi... »

Les énergies s'amplifièrent, comme si elles cherchaient à m'arracher les mots de la bouche.

« Vite, Seigneur, vite ! Montre-moi le chemin de la sortie ! Je T'en supplie ! Dieu du ciel, aide-moi ! »

— Chut...

C'était la voix de Cesaria. Elle était juste derrière moi. J'eus l'impression de sentir les poils de ma nuque s'enflammer et griller. J'ouvris les yeux et regardai par-dessus mon épaule. Elle était là, toujours enveloppée de son cocon de feu, sa peau noire brillante. J'avais la bouche sèche tout à coup ; je pouvais à peine parler.

— Je veux...

— Je sais, dit-elle d'une voix douce. Je sais. Je sais. Pauvre enfant. Pauvre enfant égaré. Tu veux retrouver ton esprit.

— Oui...

J'étais sur le point d'éclater en sanglots.

— Il est là, pourtant, dit-elle. Tout autour de toi Les arbres. Le feu. Moi. Tout cela est *à toi*.

— Non ! protestai-je. Je ne suis jamais venu dans cet endroit.

— Il était en toi. C'est ici que ton père est venu me chercher, il y a une éternité. Son rêve t'a inculqué cet endroit à ta naissance.

— ...

— Chaque vision, chaque sensation. Tout ce qu'il était, tout ce qu'il savait et tout ce qu'il avait prévu... tout cela est dans ton sang et dans tes tripes.

— Mais alors, pourquoi en ai-je tellement peur ?

— Tu t'es accroché à un être simple depuis si longtemps que tu crois être la somme de ce que tu peux tenir dans tes mains. Mais il y a d'autres mains qui te tiennent, mon enfant. Elles sont remplies de toi. Elles débordent de toi...

Osais-je croire à ces paroles ?

Cesaria répondit comme si elle m'avait entendu exprimer mon doute à voix haute.

— Je ne peux pas te rassurer, dit-elle. Soit tu acceptes de croire que ces visions contiennent une plus grande sagesse que tout ce que tu as toujours connu, soit tu essayes de t'en débarrasser et tu retombes.

— Je retombe ? Où donc ?

— Entre tes propres mains, évidemment !

S'amusait-elle de ma réaction ? De mes larmes et de mes tremblements ? Je crois que oui. Mais je ne pouvais pas lui en vouloir. Une partie de moi-même me trouvait ridicule : je priais un Dieu que je n'avais jamais vu pour échapper à des splendeurs devant lesquelles un homme de foi aurait fondu en larmes. Mais moi, j'avais peur. J'en revenais toujours à cela : *j'avais peur*.

— Pose ta question, dit Cesaria. Tu as une question. Pose-la.

— Ça paraît tellement enfantin.

— Reçois ta réponse et poursuis ton chemin. Mais tu dois d'abord poser ta question.

— Suis-je... en sécurité ?

— En sécurité ?

— Oui. En sécurité.

— Dans ta chair ? Non, je ne peux pas garantir la sécurité dans ta chair. Mais sous ta forme immortelle ? Rien ni personne ne peut te détruire. Si tu glisses entre tes doigts, d'autres mains seront là pour te retenir. Je te l'ai déjà dit.

— Et... Je pense que je vous crois.

— Dans ce cas, dit Cesaria, tu n'as aucune raison de ne pas accueillir ces souvenirs.

Elle tendit le bras vers moi. Sa main était recouverte d'innombrables serpents : fins comme des cheveux, mais aux couleurs éclatantes, jaunes, rouges et bleues ; ils s'enroulaient autour de ses doigts comme des bijoux vivants.

— Touche-moi, dit-elle.

Je levai les yeux vers son visage, empreint d'une expression de calme apaisant, avant de reporter mon attention sur la main qu'elle voulait que je prenne.

— N'aie pas peur, dit-elle. Ils ne mordent pas.

Je pris sa main dans la mienne. Elle avait raison, les serpents ne mordaient pas. Mais ils grouillaient, sur ses doigts et sur les miens, ils rampaient sur le dos de ma main pour remonter le long de mon bras. Obnubilé par ce spectacle, je ne m'étais même pas aperçu qu'elle me faisait décoller du sol, jusqu'à ce que je me retrouve debout. J'étais *debout*, sans comprendre comment cela était possible. Mes jambes étaient incapables, jusqu'à cet instant, de me porter. Et pourtant, voilà que je me tenais sur mes deux pieds, j'agrippais sa main, mon visage était tout près du sien.

Je crois que je n'avais jamais été aussi près de l'épouse de mon père. Même quand j'étais enfant, quand on m'avait amené d'Angleterre et qu'elle m'avait accepté comme son beau-fils, elle avait toujours conservé une certaine distance vis-à-vis de moi. Mais voilà que je me tenais debout (ou avais-je l'impression de l'être) devant elle, mon visage était tout près du sien ; je sentais les serpents qui continuaient de remonter le long de mon bras, mais je ne pensais même plus à les regarder, car j'avais la vision de son visage juste devant moi. Elle était parfaite. Sa peau, malgré sa noirceur, irradiait d'une luminescence irréelle et troublante, son regard, comme sa bouche, étaient à la fois luxuriants et intimidants. Ses mèches de cheveux soulevées par les bouffées d'air chaud du brasier qui nous enveloppait (et face auquel je paraissais invulnérable) frôlaient ma joue. Leurs caresses, aussi légères soient-elles, étaient néanmoins d'une profonde sensualité. À ce contact, et en voyant la beauté exquise de ses traits, je ne pouvais m'empêcher d'imaginer ce que je ressentirais si elle m'accueillait dans ses bras. Si je l'embrassais, si je me couchais dans son lit et si j'introduisais un enfant en elle. Pas étonnant que mon père ait été obsédé par cette femme jusqu'à la fin de sa vie, même si toutes sortes de conflits et de déceptions avaient aigri leur amour.

— Et maintenant... dit-elle.

— Oui ?

Je jure qu'à cet instant, j'aurais fait n'importe quoi pour elle. J'étais comme un homme amoureux devant sa bien-aimée ; je ne pouvais rien lui refuser.

— Reprends tout...

Je ne comprenais pas ce qu'elle me disait.

— Que dois-je reprendre ?

— Le souffle. La douleur. Moi. Reprends tout. Ça t'appartient, Maddox. *Reprends-le.*

Je compris. Le moment était venu de reprendre possession de tout ce dont j'avais essayé de me débarrasser : les visions qui faisaient partie de mon sang, bien que je me les fusse toujours cachées ; la douleur qui était également mienne, pour le meilleur ou pour le pire. Et bien évidemment, cet air même qui en jaillissant de mes poumons avait provoqué ce voyage.

— *Reprends tout.*

J'aurais voulu réclamer quelques moments de grâce supplémentaires, lui parler, peut-être ; ou au moins l'admirer, avant que mon corps ne réintègre sa souffrance. Mais déjà, elle arrachait délicatement ses doigts à l'étau de ma main.

— *Reprends tout*, répéta-t-elle, et, pour être certaine que j'obéissais à son ordre, elle approcha son visage tout près du mien et prit sa respiration, une respiration si rapide et puissante qu'elle vida ma bouche, ma gorge et mes poumons en un instant.

Ma tête se mit à tourner ; des taches blanches éclatèrent à la périphérie de mon champ de vision, menaçant d'occlure ce que j'avais devant les yeux. Mais mon corps réagit avec une vigueur indépendante, et sans recevoir d'instruction de ma volonté, il fit ce que Cesaria avait exigé : il reprit son souffle.

L'effet fut immédiat, et affligeant pour mon regard émerveillé. Le visage légendaire qui était devant moi se dissipa comme s'il avait été sculpté dans la brume et défait par mes poumons avides. Je levai les yeux, dans l'espoir d'entrevoir le ciel ancien avant que lui aussi ne se dissolve, mais c'était déjà trop tard.

Ce qui me paraissait incontestablement réel quelques instants plus tôt se retrouva réduit à rien en une fraction de seconde. Non, pas à rien. Le décor se fragmenta en une multitude de formes, semblables à celles qui flottaient dans l'air quand j'étais entré dans cette pièce. Certaines portaient encore des traces de couleur. Je voyais des taches bleues et blanches au-dessus de ma tête ; et autour de moi, là où le feu n'avait pas consumé les fourrés, une centaines de verts différents ; et devant moi, des scintillements dorés provenant des flammes et de l'obscurité constellée de pourpre où était apparue l'épouse de mon père. Mais ces vestiges disparurent à leur tour et je me retrouvai plongé dans cette arène de gris sur gris que j'avais confondue avec un labyrinthe aux murs teints.

Tous les événements qui venaient de se dérouler auraient pu ressembler à de la fiction, à l'exception d'une seule réalité : *J'étais toujours debout.* Quelle que soit la force que mon esprit avait libérée, celle-ci avait suffisamment de puissance pour me soulever de terre et me faire tenir sur mes pieds. Et voilà que j'étais debout, hébété, et certain, évidemment, que j'allais retomber d'un instant à l'autre. Mais les secondes s'écoulèrent, puis d'autres encore et encore d'autres, et j'étais toujours debout.

Timidement, je regardai par-dessus mon épaule. Là, à environ cinq mètres de moi, je voyais la porte par laquelle j'étais entré, avant toutes ces visions. Juste à côté, mon fauteuil était renversé. Je le fixai du regard. Pouvais-je croire qu'il était devenu inutile ?

— Regarde-toi... marmonna une voix pâteuse.

Mon regard glissa du fauteuil vers la porte, dans l'encadrement de laquelle était penché Luman. Il avait déniché une autre source d'alcool pendant que j'étais occupé dans cette pièce. Ce n'était pas une bouteille, mais une carafe. Il avait le regard vitreux d'un homme ivre.

— Tu te tiens debout, dit-il. Quand as-tu appris ça ?

— Je n'ai pas... Je veux dire... Je ne comprends pas pourquoi je ne tombe pas.

— Tu peux marcher ?

— Je ne sais pas. Je n'ai pas essayé.

— Eh bien, mon gars, essaye !

Je regardai mes pieds qui n'avaient pas reçu d'instructions depuis cent trente ans.

— Allez-y, murmurai-je.

Ils bougèrent. Péniblement tout d'abord, mais ils bougèrent. Le gauche pour commencer, puis le droit, me faisant faire demi-tour pour que je regarde Luman et la porte.

Je ne m'arrêtai pas là. Je continuai d'avancer, le souffle court et précipité, les bras tendus devant moi afin d'amortir ma chute au cas où mes jambes se déroberaient soudain. Mais non. Un miracle s'était produit quand Cesaria m'avait mis debout. Sa volonté, ou la mienne, ou bien les deux combinées m'avaient guéri. Je pouvais marcher, faire de grands pas. Bientôt, je pourrais courir. Je visiterais tous les endroits que je n'avais pas vus durant toutes ces années passées dans mon fauteuil. Je parcourrais les marais, et les routes au-delà ; j'irais dans les jardins derrière le Fumoir de Luman, sur la tombe de mon père dans les écuries désertes.

Mais pour l'instant, j'étais heureux d'atteindre la porte. Tellement heureux que j'étreignis Luman. Les larmes me vinrent et je n'aurais pu les retenir même si je l'avais voulu.

— Merci, lui dis-je.

Il était ravi d'accepter mon étreinte. De fait, il me la rendit avec une ferveur égale à la mienne et enfouis son visage dans mon cou. Lui aussi sanglotait, sans que je sache pourquoi.

— Je vois pas pourquoi tu me remercies, dit-il.

— Tu m'as rendu courageux, dis-je. Tu m'as persuadé d'entrer.

— Tu ne regrettes pas, alors ?

J'éclatai de rire et pris son visage bouffi entre mes mains.

— Non, mon frère, je ne regrette pas. Pas le moins du monde.

— As-tu failli devenir fou ?

— Oui, presque.

— Tu m'as maudit ?

— Copieusement.

— Mais la souffrance en valait la peine ?

— Absolument.

Il marqua un temps d'arrêt pour réfléchir à sa question suivante.

— Ça veut dire qu'on peut s'asseoir tous les deux et boire à en être malade, comme des frères ?

— Avec plaisir.

Chapitre neuf

1

Que dois-je faire, durant le temps qu'il me reste ? Tout et rien d'autre.

Je ne connais pas encore l'étendue de mes connaissances, mais c'est énorme. Il existe de vastes étendues de ma personnalité dont j'ignorais l'existence jusqu'à aujourd'hui. Je vivais dans une cellule que j'avais moi-même créée, tandis que derrière ses murs se trouvait un paysage d'une richesse sans égale. Mais je ne pouvais envisager de m'y aventurer. Prisonnier de mon aveuglement, je pensais être un petit roi et je ne voulais pas franchir les limites de ce que je connaissais, de crainte de perdre mon autorité. J'estime que beaucoup d'entre nous vivent enfermés dans de tels royaumes pitoyables. Il faut un événement profond pour nous transformer, pour nous ouvrir les yeux sur notre glorieuse *diversité.*

J'avais les yeux ouverts désormais, et je savais que cette clairvoyance s'accompagnait d'une grande responsabilité. Je devais transcrire ce que je voyais, je devais le jeter par écrit sur ces pages mêmes que vous êtes en train de lire.

Mais pouvais-je supporter le poids de cette responsabilité ? Avec joie. Car maintenant, j'avais la réponse à la question : qu'est-ce qui se trouvait au centre de tous les fils de mon récit ? C'était moi. Je n'étais pas le conteur abstrait de ces vies et de ces amours. J'étais – *je suis* – cette histoire ; sa source, sa voix, sa musique. À vos yeux, ce n'est peut-être pas une grande révélation, mais pour moi, ça change tout. Je découvre, avec une précision brutale, la personne que j'étais jadis. Je comprends pour la première fois qui je suis présentement. Et je tremble d'impatience à l'idée de ce que je vais devenir.

Je dois vous raconter non seulement comment vit le monde des êtres humains, mais aussi comment il cohabite avec les animaux, et avec ceux qui sont passés de vie à trépas, mais continuent d'errer sur cette terre. Je dois vous parler de ces créatures créées par Dieu, mais aussi de celles qui se sont créées *elles-mêmes*, par leur volonté ou leur appétit. Autrement dit, il y aura forcément des histoires contre nature, tout comme il y aura du sacré, mais je ne peux pas promettre de vous dire – ni même parfois de savoir – où est la différence.

Au fond de moi, je m'aperçois que je veux surtout vous enchanter, partager avec vous une vision du monde qui établit l'ordre là où régnaient la discordance et le chaos. Rien n'arrive jamais par hasard. Nous ne venons pas au monde sans raison, même si nous ne comprenons jamais quelle est cette raison. Un nouveau-né qui vit juste une heure, qui meurt avant de pouvoir poser les yeux sur ceux qui l'ont créé, même cet être n'a pas vécu sans raison, j'en ai soudain la certitude. Et mon devoir est d'œuvrer jusqu'à ce que vous en soyez convaincus, vous aussi. Parfois, les histoires raconteront des événements épiques, des guerres et des insurrections, la chute des dynasties. Parfois, par contraste, elles vous sembleront sans importance, et vous vous demanderez ce qu'elles viennent faire dans ces pages. Soyez indulgents. Considérez ces fragments comme les copeaux de bois qui jonchent le plancher d'un menuisier, balayés et rassemblés après la réalisation d'un chef-d'œuvre. Celui-ci a été sorti de l'atelier, mais que pourrait-on apprendre de l'examen d'un copeau parmi d'autres sur le processus de création ? Comment le menuisier a hésité à tel endroit, ou au contraire sculpté une forme avec une certitude absolue ? Ces copeaux qui, de prime abord, semblent superflus, ne font-ils pas partie, eux aussi, de l'œuvre, puisque ce sont eux qu'on a ôtés pour la faire apparaître ?

Je ne resterai pas ici à *L'Enfant*, à la recherche de ces copeaux. Nous avons de grandes villes à visiter : New York et Washington, Paris, Londres, et plus à l'est, plus vieille encore, la légendaire cité de Samarkand, dont les palais et les mosquées en ruine accueillent encore les voyageurs de la route de la soie. Vous êtes lassés des villes ? Nous irons dans la nature. Sur les îles de Hawaï et les montagnes du Japon, dans les forêts où reposent encore les morts de la guerre de Sécession, sur des étendues de mer qu'aucun marin ne traverse jamais. Tous ces endroits ont leur poésie : les villes étincelantes et les cités en ruine, les déserts inondés ou poussiéreux ; je veux tous vous les montrer. je veux tout vous montrer.

Tout et rien d'autre : les prophètes, les poètes, les soldats, les chiens, les oiseaux, les poissons, les amoureux, les potentats, les mendiants, les fantômes. Rien ne peut échapper à mon ambition désormais, rien n'est indigne de mon intérêt. J'essaierai de faire apparaître des divinités banales et de vous montrer la beauté de l'obscénité.

Attendez ! Qu'est-ce que je raconte ? La folie s'est emparée de ma plume, comment puis-je promettre tout cela ? C'est un suicide. Je suis voué à l'échec. Pourtant, c'est ce que je veux faire. Même si je dois me ridiculiser, c'est ce que je veux faire.

Je veux vous montrer la béatitude, la mienne, entre autres. Et je vous montrerai aussi le désespoir, assurément. Ça, je vous le promets sans la moindre hésitation. Un désespoir si profond qu'il réjouira votre cœur, car vous découvrirez que d'autres souffrent bien plus que vous.

Et comment tout cela finira-t-il ? Sincèrement ? Je n'en ai pas la moindre idée.

Assis là, à contempler le jardin, je me demande quelle

est la distance temporelle qui sépare le monde des envahisseurs des frontières de notre étrange petit domaine. Quelques semaines ? Plusieurs mois ? Une année ? Je crois qu'aucun de nous, ici, ne connaît la réponse à cette question. Cesaria elle-même, malgré ses dons de prophète, ne pourrait me dire avec quelle rapidité l'ennemi va fondre sur nous. Je sais seulement qu'ils vont venir. Il *faut* qu'ils viennent, pour le bien de tous. Je ne considère plus cette maison comme le refuge béni du ravissement. Peut-être le fut-elle autrefois. Mais elle a sombré dans la décadence ; ses belles ambitions ont pourri. Mieux vaut la détruire, avec un peu de dignité, espérons-le ; mais sinon, tant pis.

Je réclame juste assez de temps pour vous enchanter. Ensuite, j'appartiendrai à l'histoire, je suppose, tout comme cette maison appartient au passé. Je ne serais pas surpris si on finissait tous les deux au fond des marais. Et à vrai dire, cette perspective ne m'effraie pas outre mesure, du moment que j'ai pu faire tout ce que je devais faire avant de partir.

C'est-à-dire tout et rien d'autre.

2

Alors, j'en viens enfin au commencement.

C'est-à-dire ? Devrais-je commencer par Rachel Pallenberg, mariée dernièrement encore à un des hommes les plus séduisants et les plus puissants d'Amérique, Mitchell Monroe Geary ? Dois-je la décrire en proie à son désespoir soudain, au volant de sa voiture dans une petite ville de l'Ohio, complètement perdue, alors que c'est l'endroit où elle est née et a grandi ? Pauvre Rachel. Elle a quitté non seulement son mari, mais aussi plusieurs maisons et appartements, en même temps qu'un mode de vie qui serait jugé enviable par 99 % de la population (le 1 % restant mène déjà cette existence, et ces gens savent qu'elle est souvent triste). Rachel revient chez elle, pour découvrir qu'elle n'est pas à sa place ici non plus, alors elle s'interroge : où est ma place ?

Il est tentant de commencer par là. Rachel est tellement humaine ; on comprend aisément sa confusion et ses contradictions. Mais si je commence par elle, je crains de me laisser distraire par la modernité. Je dois d'abord distiller une note mythique, vous montrer une chose issue d'un passé lointain, à l'époque où le monde était une fable vivante.

Donc, je ne peux pas commencer par Rachel. Elle apparaîtra dans ces pages, bientôt, mais pas tout de suite.

Il faut commencer par Galilée. Évidemment, Galilée. Mon Galilée, qui fut, et est encore, tant de choses : jeune garçon adoré, amant d'innombrables femmes (et d'un bon nombre d'hommes), constructeur naval, marin, cow-boy, docker, joueur de billard et maquereau, lâche, manipulateur et innocent. Mon Galilée.

Je ne commencerai pas par un de ses grands voyages, ni une de ses histoires d'amour tristement célèbres. Je commencerai par ce qui s'est passé le jour de son baptême. Je n'aurais jamais connu cet épisode si je n'étais pas entré dans la pièce située sous le dôme. Mais maintenant, je le connais, aussi précisément que ma propre vie. Plus précisément peut-être, car un seul jour s'est écoulé depuis que je suis ressorti de cette salle et mes souvenirs semblent dater de quelques heures.

DEUXIÈME PARTIE

LA SAINTE FAMILLE

Chapitre premier

Deux êtres aussi vieux que les cieux descendirent vers le rivage en ce jour ancien. Accompagnés par les hurlements harmonieux des loups, ils émergèrent de la forêt qui, à cette époque, s'étendait encore jusqu'au bord de la mer Caspienne, à la fois si touffue et dotée d'une réputation tellement horrible qu'aucun individu doué de raison n'osait s'y aventurer à plus d'un jet de pierre. Ce n'étaient pas les loups que les gens craignaient de rencontrer au milieu des arbres, ni les ours, ni les serpents. C'était une tout autre espèce de créatures, une chose qui n'était pas née de la main de Dieu, une chose impardonnable qui faisait front au Créateur comme une ombre se dresse devant la lumière.

Les habitants de la région possédaient un tas de légendes sur cette tribu épouvantable, mais ils ne les racontaient qu'à voix basse, derrière des portes closes. Des histoires de créatures perchées dans les branches qui dévoraient les enfants qu'elles avaient attirés dans l'obscurité, ou bien accroupies dans des flaques fétides au milieu des arbres, parées des entrailles de leurs amants assassinés. Sur cette côte, aucun conteur digne de ce nom ne méritait sa place au coin du feu s'il n'était pas capable d'inventer de nouvelles abominations destinées à épicer le brouet. Les récits engendraient les récits, ils se nourrissaient les uns des autres sous des formes de plus en plus perverties, tant et si bien que les hommes, les femmes et les enfants qui passaient leur courte existence sur cette bande de terre entre la mer et les arbres vivaient dans un état de peur permanente.

Même en plein midi, un jour comme celui-ci, quand l'air était d'une pureté cristalline et le ciel brillant comme les flancs d'un gigantesque poisson ; même ce jour-là, dans une lumière si éclatante qu'aucun démon n'oserait montrer le bout de son nez, la peur était présente.

Pour vous le prouver, laissez-moi vous emmener à la rencontre des quatre hommes qui travaillaient au bord de l'eau, occupés à réparer leurs filets en vue de la pêche du soir. Tous les quatre étaient dans un grand état de nervosité, et cela avant même que les loups n'entament leur chœur.

Le plus âgé de ces pêcheurs était un dénommé Kekmet, un homme de presque quarante ans, même s'il faisait la moitié de son âge. S'il avait connu la joie un jour, cela ne se voyait pas sur son visage parcheminé et creusé. Son expression la plus chaleureuse était un froncement de sourcils, comme celui qu'il affichait à cet instant.

— Tu racontes que des conneries, dit-il au plus jeune du groupe, un garçon nommé Zelim qui, âgé de seize ans seulement, avait perdu sa cousine à la suite d'une fausse couche.

Zelim avait provoqué cette réaction de mépris de Kekmet en suggérant que, puisque leur existence était si pénible ici sur cette côte, tous les habitants du village devraient peut-être plier bagages et trouver un meilleur endroit pour s'installer.

— On n'a nulle part où aller, lui rétorqua Kekmet.

— Mon père a vu la cité de Samarkand, répliqua Zelim. Il m'a dit que ça ressemblait à un rêve.

— Oui, c'est exactement ça, déclara l'homme qui travaillait à côté de Kekmet. Si ton père a vu Samarkand, c'était dans son sommeil. Ou en cuvant son vin...

Celui qui venait de parler, et qui se nommait Hassan, brandit la cruche contenant un ersatz d'alcool de fabrication locale, une sorte de lait fermenté puant qu'il buvait de l'aube au crépuscule. Il porta la cruche à sa bouche et la renversa. Le liquide répugnant déborda de ses lèvres et dégoulina dans les poils gras de sa barbe. Il passa la cruche au dernier membre du quatuor, le dénommé Baru, un type incroyablement gros, même à côté de ses semblables, et doté d'un mauvais caractère hors du commun. Après avoir bu bruyamment, il reposa la cruche près de lui. Hassan ne chercha même pas à la récupérer. Pas si bête.

— Mon père... reprit Zelim.

— Il est jamais allé à Samarkand, dit le vieux Kekmet, sur le ton fatigué de celui qui ne veut plus entendre parler de ce sujet.

Mais Zelim n'était pas décidé à voir la réputation de son père ainsi malmenée. Il avait beaucoup d'affection pour le Vieux Zelim qui s'était noyé quatre printemps plus tôt, lorsque son bateau avait chaviré de manière inopinée sous l'effet d'une rafale. Pour le fils, cela ne faisait aucun doute : si son père affirmait avoir vu les innombrables merveilles de Samarkand, c'était vrai.

— Un jour, je partirai d'ici et j'irai, déclara Zelim. Je vous laisserai pourrir ici, tous autant que vous êtes.

— Fous donc le camp, pour l'amour du ciel ! s'exclama le gros Baru. Tu me casses les oreilles à force de jacasser. On dirait une femme.

À peine eut-il craché cette insulte que Zelim se jeta sur lui pour marteler le visage rougeaud de Baru à coups de poing. Il voulait bien accepter certaines insultes dans la bouche de ses aînés, mais là, c'était trop.

— Je suis pas une femme ! beugla-t-il, en continuant à cogner jusqu'à ce que le sang jaillisse du nez de Baru.

Les deux autres pêcheurs se contentaient de regarder la scène. Il était rare que les habitants du village interviennent au cours d'une bagarre. Les gens étaient libres d'échanger des insultes et des coups, les autres détournaient la tête ou se réjouissaient de cette distraction. Et même si le sang coulait, même si une femme était violée, quelle importance ? La vie continuait.

En outre, le gros Baru était de taille à se défendre. C'était un type vicieux, et, malgré sa lourde carcasse, il se cabra avec une telle sauvagerie sous Zelim que le garçon se retrouva éjecté et retomba lourdement à côté d'une des barques. Le souffle coupé, Baru roula sur lui-même, se redressa à genoux et se précipita vers Zelim.

— Je vais t'arracher les couilles, sale petit connard ! J'en ai marre de t'entendre parler de tes histoires et de ton bâtard de père. Il est né abruti et il est mort comme un abruti.

Tout en hurlant, il plongea la main entre les cuisses du garçon, comme s'il voulait mettre à exécution sa menace d'émasculation, mais Zelim décocha un coup de pied et son talon nu atteignit le nez déjà bien abîmé du gros Baru. Celui-ci poussa un beuglement de douleur, mais pas question pour lui de s'avouer vaincu. Il saisit le pied de Zelim et le tordit violemment, d'abord vers la droite, puis vers la gauche. Sans doute lui aurait-il brisé la cheville – le laissant handicapé jusqu'à la fin de sa vie – si Zelim n'avait pas eu la présence d'esprit de tendre la main à l'intérieur de la coque de la barque pour se saisir d'une rame. Baru était trop occupé à essayer de briser la cheville de Zelim pour s'en apercevoir. Grimaçant sous l'effort, il tourna la tête pour savourer le spectacle de la souffrance du garçon, juste à temps pour voir la rame se précipiter vers lui. Il n'eut pas le temps de baisser la tête. La rame l'atteignit de plein fouet, brisant net la demi-douzaine de dents qui lui restaient dans la bouche. Baru tomba à la renverse, en lâchant le pied de Zelim, et resta allongé sur le sable, les mains plaquées sur son visage meurtri ; le sang et les injures jaillissaient entre ses doigts épais.

Mais Zelim n'en avait pas fini avec lui. Il se releva et poussa un cri de douleur lorsque le poids de son corps pesa sur sa cheville martyrisée. En boitant, il approcha de Baru toujours couché par terre ; il le chevaucha et s'assit sur son ventre adipeux. Cette fois, le gros Baru n'essaya pas de se libérer ; il était trop hébété. Zelim lui arracha sa chemise, mettant au jour d'énormes bourrelets.

— Tu m'as... traité de femme ?

Baru répondit par des gémissements inintelligibles. Zelim agrippa à pleines mains la poitrine flasque de l'homme.

— Tu as de plus gros nichons que toutes les femmes que je connais ! (Il gifla la chair flasque.) C'est pas vrai ?

Baru gémit de nouveau, mais Zelim n'était pas satisfait de cette réponse.

— Tu as des nichons, oui ou non ? demanda-t-il en obligeant Baru à ôter ses mains de devant son visage.

En dessous, ce n'était pas beau à voir.

— Tu as entendu ?

— Oui... murmura Baru.

— Alors, réponds !

— J'ai... des nichons...

Zelim cracha sur le visage ensanglanté et se releva. Il fut pris de nausées tout à coup, mais il ne voulait surtout pas vomir devant ces hommes. Il les méprisait tous.

En se retournant, il croisa le regard aux paupières lourdes de Hassan.

— Félicitations, commenta celui-ci d'un ton approbateur. Tu veux boire un coup ?

Zelim repoussa la cruche qu'on lui tendait et fixa du regard un point situé au-delà de cette petite rangée de barques sur le rivage. Sa jambe le faisait souffrir, comme si elle était en feu ; malgré tout, il était bien décidé à s'éloigner du groupe de pêcheurs avant de montrer le moindre signe de faiblesse.

— On n'a pas fini de réparer les filets ! grogna Kekmet en le voyant s'éloigner en claudiquant.

Zelim l'ignora. Il se fichait pas mal des barques, des filets et de la pêche de ce soir. Il se fichait pas mal de Baru, du vieux Kekmet ou de cet ivrogne de Hassan. Et il se fichait pas mal de lui-même à cet instant. Il n'était pas fier de ce qu'il avait fait à Baru ; il n'en avait pas honte non plus. C'était fait, et maintenant il voulait l'oublier. Il voulait creuser un trou dans le sable, jusqu'à ce qu'il trouve un endroit frais et humide pour s'y coucher, et tout oublier. Là-bas, derrière lui, à une centaine de mètres, il entendait les vociférations de Hassan, et, bien qu'il ne puisse comprendre ses paroles, il y avait dans le ton de l'ivrogne une angoisse perceptible qui incita Zelim à se retourner pour voir ce qui se passait. Hassan s'était levé et il regardait fixement vers les arbres. Suivant la direction de son regard, Zelim découvrit une multitude d'oiseaux qui avaient quitté leurs branches pour tournoyer au-dessus de la cime des arbres. C'était un spectacle inhabituel, assurément, mais Zelim n'y aurait guère prêté attention si, tout à coup, il n'avait pas entendu les hurlements des loups, juste avant que deux silhouettes n'émergent de la forêt. Zelim était aussi éloigné de ce couple qu'il l'était de ses compagnons et des barques qui se trouvaient derrière lui ; alors, il resta où il était. Il répugnait à courir se réfugier auprès du vieux Kekmet et des autres, mais il ne voulait pas non plus marcher vers ces étrangers qui sortaient de la forêt comme si elle ne renfermait aucun danger dans ses profondeurs, et se dirigeaient, en souriant, vers la mer scintillante.

Chapitre deux

Aux yeux de Zelim, le couple ne paraissait pas dangereux. À vrai dire, c'était un plaisir de les regarder, après avoir contemplé les visages de brutes de ses camarades pêcheurs. Cet homme et cette femme se déplaçaient avec une aisance dénotant une grande force, des membres qui n'avaient jamais été brisés ou estropiés, qui n'avaient jamais subi les ravages du vieillissement. Ils ressemblaient à un roi et une reine, tels que les imaginait Zelim, sortant de la fraîcheur de leur palais, après qu'on leur eut enduit le corps d'huiles rares. Leurs peaux, qui étaient de couleurs différentes (la femme avait la peau la plus noire qu'il ait jamais vue chez un être humain, celle de l'homme était plus claire), scintillaient dans l'éclat du soleil, et leurs cheveux, que tous les deux portaient longs, paraissaient tressés par endroits, dessinant des formes sinueuses dans leurs crinières. Tout cela était extraordinaire, mais ce n'était pas tout. Leurs tuniques constituaient, elles aussi, un objet d'émerveillement, car leurs couleurs étaient plus vives que tout ce que Zelim avait vu dans sa vie. Jamais il n'avait admiré un coucher de soleil plus flamboyant que le rouge de ces tuniques, ni posé le regard sur un oiseau au plumage aussi vert, ni imaginé, endormi ou éveillé, un trésor aussi étincelant que les fils d'or tissés dans ce rouge et ce vert. Les longues tuniques flottaient de manière voluptueuse sur leurs corps, mais cela n'empêchait pas Zelim d'en deviner les formes sous les plis, et il brûlait d'envie de les voir nus. Ce désir ne lui inspirait aucune honte ; de même, il n'avait pas peur de se voir réprimander pour son indiscrétion. Assurément, quand pareille beauté faisait son apparition dans le monde, elle s'attendait à être adorée.

Zelim n'avait pas bougé de l'endroit du rivage où il avait aperçu le couple, mais le chemin qu'ils suivaient au bord de l'eau les rapprochait inexorablement de lui, et, à mesure que la distance entre eux se réduisait, ses yeux trouvaient de nouveaux sujets de fascination. La femme, par exemple, portait de somptueux bijoux – bracelets, autour des bras et des chevilles, colliers –, aussi sombres que sa peau, mais renfermant dans leur obscurité un chatoiement qui les faisait scintiller. L'homme possédait lui aussi des accessoires ornementaux ; en l'occurrence, des motifs complexes peints ou tatoués sur ses cuisses, qu'on apercevait lorsque sa tunique, fendue pour faciliter les mouvements de ses longues jambes, s'entrouvrait.

Mais le détail le plus surprenant de leur apparition se révéla seulement lorsqu'ils furent à quelques mètres de l'eau. Adressant un sourire à son compagnon, la femme enfouit les mains dans les plis de sa tunique et, avec la plus grande tendresse, elle dévoila un minuscule nouveau-né. Arraché au confort des seins de sa mère, le pauvre enfant se mit aussitôt à brailler – Zelim ne pouvait pas le lui reprocher, il aurait réagi de la même façon –, mais il cessa de crier dès que sa mère et son père lui parlèrent. Avait-il jamais existé un nouveau-né plus heureux que celui-ci ? se dit Zelim. Être bercé dans de tels bras, contempler de tels visages, et savoir, au plus profond de soi, qu'on possède de telles racines ? Si un plus grand bonheur était possible, Zelim était incapable de l'imaginer.

La famille avait atteint le bord de l'eau, et le couple s'était mis à discuter. Ce n'était pas une conversation légère. De fait, à la manière dont ils se faisaient face, à la manière dont ils secouaient la tête en fronçant les sourcils, on devinait qu'il y avait un différend entre eux.

L'enfant, qui, quelques instants plus tôt, recueillait toutes les attentions de ses parents, était ignoré. La dispute commençait à enfler, constata Zelim, et, pour la première fois depuis qu'il avait posé les yeux sur le couple, il songea qu'il serait plus sage de battre en retraite. Si l'un des deux parents – ou bien *les deux*, qu'à Dieu ne plaise – perdait son calme, Zelim n'avait aucune envie d'être témoin de la force qu'ils pouvaient libérer. Mais malgré sa peur, il demeurait incapable de détacher son regard de cette scène qui se déroulait devant lui. Quel que soit le risque encouru en demeurant spectateur, ce n'était rien comparé à la tristesse qu'il éprouverait s'il se privait de cette vision. Le monde ne lui montrerait sans doute plus jamais pareille merveille, supposait-il. C'était un privilège incommensurable que de se trouver en présence de ces gens. S'il partait se cacher dans un trou, à cause d'une peur idiote, alors, il méritait ce châtiment mortel qu'il chercherait justement à éviter. Seuls les hommes valeureux recevaient des cadeaux tels que celui-ci ; et s'il lui avait été offert par hasard (très certainement), Zelim surprendrait le destin en saisissant l'occasion. Il devait garder les yeux grands ouverts, les pieds plantés au même endroit, et il aurait une histoire à raconter à ses enfants, et aux enfants de ses enfants, quand une vie tout entière se serait écoulée.

À peine eut-il formulé ces pensées, toutefois, que la dispute entre l'homme et la femme s'arrêta, et Zelim eut de quoi regretter de ne pas s'être enfui. La femme avait reporté son attention sur le bébé, mais son compagnon, qui avait tourné le dos à Zelim durant tout cet échange, jeta soudain un regard par-dessus son épaule et fixa les yeux sur Zelim... en lui faisant signe d'approcher !

Zelim ne bougea pas. Ses jambes s'étaient transformées en pierre, ses intestins s'étaient liquéfiés ; il devait se retenir pour ne pas souiller son pantalon. Soudain, il se fichait éperdument de ne pas avoir d'histoire à raconter à ses enfants. Il aurait voulu que le sable s'enfonce sous ses pieds, pour pouvoir disparaître dans un trou noir et échapper au regard pénétrant de l'homme. Par-dessus le marché, la femme avait dénudé sa poitrine et elle offrait son sein à la bouche du bébé. Sa poitrine était somptueuse, luisante et pleine. Zelim savait qu'il n'était pas prudent de regarder par-dessus l'épaule du mari qui l'observait pour reluquer la femme, mais il ne pouvait s'en empêcher.

De nouveau, l'homme lui fit signe d'approcher en agitant l'index, mais cette fois, il joignit la parole au geste :

— *Viens, pêcheur.*

Il avait parlé sans élever la voix, mais Zelim entendit cet ordre comme si on le lui avait murmuré à l'oreille.

— *N'aie pas peur...*

— Je peux pas...

Zelim voulait expliquer que ses jambes refusaient de lui obéir. Mais avant que les mots ne sortent de sa bouche, il sentit une force s'emparer de lui. Ses muscles figés quelques secondes auparavant l'emportaient vers l'injonction de cet homme, sans que Zelim leur en eût donné l'ordre. L'homme sourit en voyant sa volonté exaucée, et, malgré son appréhension, Zelim ne put s'empêcher de lui rendre son sourire, en songeant, tandis qu'il se dirigeait vers son maître, que si les autres pêcheurs le regardaient, ils vanteraient certainement son courage en voyant sa démarche décontractée.

Ayant installé l'enfant pour la tétée, la femme regardait elle aussi en direction de Zelim maintenant, mais son expression, contrairement à celle de son époux, n'avait rien d'amical. Zelim ne pouvait qu'imaginer le rayonnement de son visage si elle avait été dans de meilleures dispositions, car malgré sa colère évidente, elle resplendissait.

Zelim n'était plus qu'à deux mètres du couple, et il s'arrêta, bien que l'homme ne lui ait donné aucun ordre.

— Comment t'appelles-tu, pêcheur ?

La femme intervint sans laisser à Zelim le temps de répondre.

— Je ne lui donnerai pas un nom de pêcheur.

— C'est mieux que rien, répondit son mari.

— Certainement pas, répliqua la femme. Il lui faut un nom de guerrier. Ou rien.

— Ce ne sera peut-être pas un guerrier.

— En tout cas, ce ne sera sûrement pas un pêcheur !

L'homme haussa les épaules. Cet échange avait fait disparaître son sourire ; visiblement, il perdait patience avec son épouse.

— Comment t'appelles-tu ? demanda la femme.

— Zelim.

— Et voilà ! dit-elle en se retournant vers son mari. Zelim ! Tu veux appeler notre enfant Zelim ?

L'homme posa les yeux sur l'enfant.

— Il s'en fiche, on dirait. (Il revint sur Zelim.) Ce nom a-t-il été bon avec toi ?

— Bon ? dit Zelim.

— Il veut savoir si tu es recherché par les femmes, dit l'épouse.

L'homme protesta mollement :

— C'est à prendre en compte, dit-il. Si son nom lui apporte la chance et de jolies femmes, ce garçon nous en remerciera. (Il se tourna de nouveau vers Zelim.) Et toi, as-tu eu de la chance ?

— Pas particulièrement.

— Et avec les femmes ?

— J'ai épousé ma cousine.

— Il n'y a pas de honte. Mon frère a épousé ma demi-sœur et ils formaient le couple le plus heureux que j'aie connu.

Il jeta un regard à sa femme qui malaxait tendrement le coussin de son sein pour maintenir le débit du lait.

— Mais je vois que ça ne fera pas plaisir à ma femme. Sans vouloir t'offenser, mon ami. Zelim, c'est un joli nom, sincèrement. Il n'y a pas de honte à s'appeler Zelim.

— Je peux donc m'en aller ?

L'homme haussa les épaules.

— Je suis sûr que tu as... des poissons à pêcher... hein ?

— En vérité, je déteste les poissons, répondit Zelim, surpris de faire cet aveu – qu'il n'avait jamais fait à personne – devant deux étrangers. Tous les hommes d'Atva ne parlent que de ça : *le poisson, le poisson, le poisson...*

La femme, penchée au-dessus de son enfant sans nom, leva la tête.

— Atva ? dit-elle.

— C'est le nom de...

— De ton village, j'ai compris. (Elle répéta plusieurs fois ce nom, en faisant rouler ces deux syllabes sur sa langue.) At.Va. At.Vah... C'est sobre et simple. Ça me plaît. On ne peut pas le déformer. On ne peut pas faire de plaisanteries avec.

C'était au tour du mari de marquer son étonnement.

— Tu veux donner à mon fils un nom de village ?

— Personne ne saura d'où ça vient, répondit l'épouse. J'aime bien la sonorité, c'est le plus important. Regarde, l'enfant l'aime bien lui aussi. Il sourit.

— Il sourit parce qu'il tète ton sein, femme, dit l'homme. Je fais comme lui.

Zelim ne put s'empêcher de rire. Ça l'amusait de voir ces deux êtres extraordinaires à tous les égards discuter comme un couple ordinaire.

— Mais si tu veux choisir Atva, femme, ajouta l'homme, je ne me dresserai pas entre toi et tes désirs.

— Tu n'as pas intérêt.

— Tu vois comment elle est avec moi ? dit l'homme en se retournant vers Zelim. Je lui accorde ce qu'elle veut et elle refuse de me remercier.

On devinait un soupçon de sourire sur son visage ; il se réjouissait que cette discussion soit enfin terminée.

— En tout cas, reprit-il, *moi* je te remercie pour ton aide, Zelim.

— Nous te remercions tous, dit la femme. Surtout Atva. Et nous te souhaitons une vie heureuse et fertile.

— De rien, murmura Zelim.

— Maintenant, excuse-nous, dit le mari, nous devons baptiser l'enfant.

Chapitre trois

La vie ne fut plus jamais pareille à Atva après le jour où cette famille descendit jusqu'au rivage.

Évidemment, Zelim fut abondamment interrogé sur la nature de sa rencontre avec l'homme et la femme, d'abord par le vieux Kekmet, puis par tous les habitants du village curieux et intrigués. Il leur raconta la vérité, de manière simple. Mais quand il leur faisait son récit, il sentait bien au fond de lui-même qu'il ne disait pas l'entière vérité quand il rapportait les paroles échangées avec la mère et le père du nouveau-né. En présence de ce couple, il avait ressenti quelque chose de merveilleux ; des sentiments que son vocabulaire limité ne pouvait pas exprimer correctement. D'ailleurs, en vérité, Zelim ne souhaitait pas véritablement les exprimer. Cette expérience provoquait en lui un instinct de possession qui l'empêchait de faire de gros efforts pour raconter à tous ceux qui l'interrogeaient la vraie nature de cette rencontre. La seule personne à qui il aurait aimé en parler, c'était son père. Le Vieux Zelim aurait compris, se disait-il ; il l'aurait aidé à trouver les mots, et quand les mots leur auraient manqué à tous les deux, il aurait simplement hoché la tête en disant : « J'ai connu ça à Samarkand », ce qui avait toujours été sa réponse quand quelqu'un faisait allusion au miraculeux. *J'ai connu ça à Samarkand...*

Peut-être les gens savaient-ils que Zelim ne leur disait pas tout ce qu'il savait, car, après qu'ils lui eurent posé toutes leurs questions, il remarqua un changement radical dans leur comportement à son égard. Des gens qui avaient toujours été gentils avec lui le regardaient bizarrement maintenant quand il leur souriait, ou bien ils détournaient la tête en faisant semblant de ne pas l'avoir vu. D'autres manifestaient de manière encore plus évidente le mépris qu'il leur inspirait, surtout les femmes. Plus d'une fois, il entendit son nom prononcé à voix haute dans une discussion, accompagné d'un crachat, comme si ces deux syllabes laissaient dans la bouche un goût amer.

En définitive, ce fut le vieux Kekmet, curieusement, qui lui rapporta ce qu'on racontait à son sujet.

— Les gens disent que tu empoisonnes le village.

Zelim éclata de rire tellement il trouvait cela absurde. Mais Kekmet était très sérieux.

— C'est Baru qui est à l'origine de tout ça, ajouta-t-il. Il te déteste depuis que tu as amoché son gros visage de pourceau. Alors, il colporte des histoires à ton sujet.

— Quel genre d'histoires ?

— Il dit que les démons et toi avez échangé des signes secrets...

— Les démons ?

— C'est comme ça qu'il les nomme. Car sinon, comment auraient-ils pu sortir de la forêt ? dit-il. Ces gens ne peuvent pas être comme nous et vivre dans la forêt. Voilà ce qu'il raconte.

— Et tout le monde le croit ?

Cette fois, Kekmet ne répondit pas.

— Et *toi*, demanda Zelim, tu le crois ?

Kekmet tourna la tête vers la mer.

— J'ai vu un tas de choses étranges dans ma vie, dit-il d'une voix qui avait perdu son accent râpeux. Surtout par ici. Des choses qui se déplacent sous l'eau et que j'aimerais pas retrouver dans mon filet. Et parfois dans le ciel aussi... des formes dans les nuages... (Il esquissa un haussement d'épaules.) Je sais pas ce que je dois croire. Peu importe, en fait, de savoir ce qui est vrai ou pas. Baru raconte des choses et les gens le croient.

— Que dois-je faire ?

— Tu peux rester et attendre que ça passe. En espérant que les gens oublieront. Ou bien, tu peux partir.

— Pour aller où ?

— N'importe où.

Kekmet reporta son regard sur Zelim.

— Si tu veux mon avis, ajouta-t-il, tu ne vivras pas en paix ici tant que Baru sera vivant.

Cette dernière phrase marqua la fin de la conversation. Kekmet prit congé avec sa brusquerie habituelle et laissa Zelim seul pour examiner les deux options qui s'offraient à lui. Aucune n'était séduisante.

S'il décidait de rester à Atva et si Baru continuait à monter les gens contre lui, sa vie deviendrait insupportable. Mais pour quitter la seule maison qu'il ait jamais connue, pour s'aventurer au-delà de cette bande de sable et de rochers, au-delà de ce groupe de maisons, pour partir dans ce vaste monde sans savoir où aller, il lui faudrait bien plus de courage qu'il pensait en posséder. Il se souvenait des récits de son père évoquant les épreuves qu'il prétendait avoir subies pour atteindre Samarkand : la terreur dans le désert, les bandits et les djinns. Zelim ne se sentait pas prêt à affronter de telles menaces ; il avait trop peur.

Presque un mois s'écoula, pendant lequel il se convainquit que le comportement des gens à son égard s'était assoupli. Une femme alla jusqu'à lui sourire, un jour, lui sembla-t-il. La situation n'était pas aussi grave que Kekmet le laissait entendre. Avec du temps, les villageois finiraient par comprendre que leurs superstitions étaient absurdes. D'ici là, il devait simplement veiller à ne pas leur donner de raisons de se méfier de lui...

C'était compter sans l'intervention du destin.

Les choses se passèrent ainsi. Depuis sa rencontre avec le couple sur le rivage, Zelim était obligé de partir pêcher seul dans sa barque ; personne ne voulait monter à bord avec lui. Cela se traduisait naturellement par une pêche moins abondante. Sans aide, il ne pouvait pas jeter son filet aussi loin. Mais ce jour-là, bien qu'il soit parti pêcher seul, la chance lui sourit. Son filet était plein à craquer quand il le hissa à bord et il rama vers le rivage avec un sentiment d'intense satisfaction. Plusieurs autres pêcheurs avaient commencé à décharger leur pêche, si bien qu'un bon nombre de villageois étaient descendus sur le rivage, et inévitablement, tous les regards se tournèrent vers Zelim quand il sortit son filet pour examiner son contenu.

Il y avait là des langoustes, des poissons-chats et même un petit esturgeon. Mais tout au fond du filet, prisonnier des mailles, et continuant à se débattre comme s'il possédait une vitalité hors du commun, il y avait un poisson que Zelim n'avait jamais vu de sa vie. Il était plus gros que tous les autres réunis dans le filet ; ses flancs qui se soulevaient péniblement n'étaient ni verts ni argentés, mais d'un rouge terne. Cette créature attira immédiatement l'attention. Une femme déclara à voix haute que c'était un poisson-démon. « Regardez comment il nous regarde ! s'exclama-t-elle d'une voix stridente. Oh, Dieu du ciel, protège-nous. Regardez comme il nous regarde ! »

Zelim ne dit rien ; il était presque aussi abasourdi que les femmes par la vue de ce poisson. En effet, l'animal semblait tous les regarder avec son œil qui tournoyait, comme pour dire : vous mourrez tous comme moi, tôt ou tard, en étouffant.

La panique de la femme se propagea. Les enfants se mirent à pleurer ; on les emmena rapidement en leur interdisant de regarder le démon, et même Zelim qui avait rapporté cette chose à terre.

— C'est pas ma faute ! dit Zelim. Je l'ai trouvé dans mon filet.

— Mais pourquoi a-t-il *nagé* dans ton filet ? lança

Baru en se frayant un passage parmi les curieux restés sur le rivage, pour pointer un doigt accusateur en direction de Zelim. Je vais te dire pourquoi, moi. Parce qu'il voulait être avec toi !

— Être avec moi ? répéta Zelim.

Cette idée était tellement grotesque qu'il ne put s'empêcher d'en rire. Mais il fut le seul. Tous les autres regardaient son accusateur ou bien l'objet du délit, toujours vivant, alors que les autres poissons rassemblés dans le filet avaient rendu l'âme depuis longtemps.

— Ce n'est qu'un poisson ! s'exclama Zelim.

— Je n'en ai jamais vu de semblable en tout cas, dit Baru.

Il balaya du regard la foule qui s'assemblait, dans l'attente de l'affrontement.

— Où est Kekmet ? demanda-t-il.

— Je suis là, dit le vieil homme.

Il se tenait en retrait de la foule, mais Baru lui demanda d'approcher. Ce que fit Kekmet, à contrecœur visiblement. Les intentions de Baru étaient évidentes.

— Depuis combien de temps pêches-tu par ici ? lui demanda Baru.

— Depuis que je suis né, dit Kekmet. Et avant que tu me poses la question, je te réponds : non, je n'ai jamais vu un poisson comme celui-ci. (Il se tourna vers Zelim.) Mais ça ne veut pas dire que c'est un poisson-démon, Baru. Ça veut dire simplement... qu'on n'en a jamais vu.

Une expression sournoise apparut sur le visage de Baru.

— Tu en mangerais ? demanda-t-il.

— Quel est le rapport ? s'exclama Zelim.

— Baru t'a pas parlé ! lui cria une femme.

C'était une personne pleine d'amertume, dont le visage était aussi étroit et maladif que celui de Baru était rond et rougeaud.

— Réponds, Kekmet ! Vas-y. Dis-nous si tu mettrais cette *chose* dans ton estomac.

Elle regarda le poisson, qui, par un malencontreux

hasard, sembla faire pivoter son œil de bronze au même moment pour l'observer lui aussi. Elle frissonna et, à la surprise générale, elle arracha la canne que tenait Kekmet pour frapper la créature, pas une ou deux fois, mais vingt, trente fois, avec une telle violence que la chair de l'animal n'était plus que de la bouillie à la fin. Elle s'arrêta, jeta la canne dans le sable et leva les yeux vers Kekmet ; ses lèvres retroussées par un rictus dévoilaient ses dents pourries.

— Et comme ça ? demanda-t-elle. Tu en veux maintenant ?

Kekmet secoua la tête.

— Croyez ce que vous voulez, dit-il. Les mots me manquent pour vous faire changer d'avis. Peut-être que tu as raison, Baru. Peut-être que nous sommes tous maudits, en effet. Mais je suis trop vieux, je m'en fiche.

Sur ce, il posa la main sur l'épaule d'un des enfants pour remplacer la canne qu'on lui avait arrachée. Et, poussant l'enfant devant lui, il s'éloigna de la foule en boitant.

— Tu as déjà fait trop de mal, dit Baru à Zelim. Tu dois t'en aller.

Zelim ne chercha pas à protester. À quoi bon ? Il récupéra son couteau à dépecer dans la barque et retourna chez lui. Il lui fallut moins d'une demi-heure pour faire ses bagages. Quand il ressortit, la rue était déserte ; ses voisins – que ce soit par honte ou par crainte, il l'ignorait et s'en fichait – s'étaient cachés. Mais il sentit leurs yeux posés sur lui quand il s'en alla, et à ce moment-là, il regretta presque que les accusations de Baru ne soient pas justifiées, car s'il pouvait jeter un sort et condamner à la cécité tous ces gens qu'il laissait maintenant derrière lui, ils se réveilleraient demain matin avec les yeux soudés dans leurs orbites.

Chapitre quatre

Laissez-moi vous raconter ce qu'il advint de Zelim après qu'il eut quitté Atva.

Décidé à prouver – ne serait-ce qu'à lui-même – qu'il ne fallait pas redouter la forêt d'où avait surgi la famille, il s'enfonça au milieu des arbres. C'était un endroit humide, froid, et plus d'une fois Zelim songea à rebrousser chemin pour retrouver la clarté du rivage, mais au bout d'un moment, ces pensées se dissipèrent, en même temps que sa peur. Il n'y avait dans cette forêt aucun danger qui menaçait son âme. Quand de la merde lui tombait sur la tête ou à côté de lui, comme cela arrivait régulièrement, le coupable n'était pas quelque monstre dévoreur d'enfants comme on le lui avait toujours fait croire, mais un simple oiseau. Quand quelque chose bougeait dans les fourrés et qu'il apercevait le scintillement d'un œil, ce n'était pas le regard d'un djinn errant qui se posait sur lui, mais celui d'un sanglier ou d'un chien sauvage.

Sa prudence se volatilisa en même temps que sa peur, et à sa grande surprise, il retrouva le moral. Il se mit à chantonner en marchant. Pas des chansons de pêcheurs, toujours mélancoliques ou obscènes, mais deux ou trois chansonnettes de son enfance, des mélodies simples qui faisaient resurgir des souvenirs joyeux.

Pour se nourrir, il mangeait des baies ; il se lavait dans l'eau des ruisseaux qui serpentaient entre les arbres. À deux reprises, il découvrit des nids dans les buissons et put dîner d'œufs crus. C'est seulement la nuit, quand il était obligé de se reposer (une fois le soleil couché, il n'avait plus aucun moyen de savoir dans quelle direction il avançait), qu'il sentait renaître l'angoisse. N'ayant pas de quoi allumer un feu, il demeurait dans l'obscurité la plus complète, jusqu'à l'aube, en priant pour qu'un ours ou une meute de loups en quête d'un repas ne viennent pas renifler dans les parages.

Il lui fallut quatre jours et quatre nuits pour parvenir de l'autre côté de la forêt. Quand enfin il émergea des arbres, il était tellement habitué à l'absence de lumière que l'éclat du soleil lui fit mal à la tête. Il s'allongea dans l'herbe à la lisière de la forêt et s'assoupit dans la chaleur, en se promettant de repartir dès que le soleil serait un peu moins brûlant. En fait, il dormit jusqu'au crépuscule, lorsqu'il fut réveillé par des bruits de voix qui récitaient des prières. Non loin de l'endroit où Zelim s'était allongé s'étendait une arête rocheuse semblable à la colonne vertébrale de quelque géant, et sur l'étroit chemin qui serpentait au milieu des éboulis un petit groupe de religieux marchait en chantant leurs prières. Certains tenaient des lanternes, qui permirent à Zelim de distinguer leurs visages : barbes hirsutes, fronts creusés par de profondes rides et crânes brûlés par le soleil. Voilà des hommes qui ont souffert pour leur foi, se dit-il.

Il se leva et marcha à leur rencontre en boitant, et en les appelant pour qu'ils ne soient pas surpris par son apparition soudaine. En l'apercevant, les hommes s'arrêtèrent brusquement ; ils échangèrent des regards soupçonneux.

— Je suis perdu et j'ai faim, leur dit Zelim. Auriez-vous un peu de pain, ou pourriez-vous au moins me dire où je peux trouver un lit pour la nuit ?

Le chef, un homme imposant, confia sa lanterne à un compagnon et fit signe à Zelim d'approcher.

— Que fais-tu par ici ? demanda le moine.

— J'ai traversé la forêt, expliqua Zelim.

— Tu ne sais pas que c'est une route dangereuse ? (L'haleine du moine dégageait l'odeur la plus épouvantable qu'ait jamais sentie Zelim.) Il y a des voleurs sur cette route. Un tas de gens ont été agressés et tués ici.

Soudain, le moine saisit Zelim par le bras pour l'attirer vers lui. En même temps, il dégaina un grand couteau qu'il appuya contre la gorge de Zelim.

— Appelle-les ! ordonna-t-il.

Zelim ne comprenait pas ce qu'il voulait dire.

— Appeler qui ?

— Le reste de ta bande ! Dis-leur que je te tranche la gorge s'ils essayent de s'en prendre à nous.

— Vous vous trompez. Je ne suis pas un bandit.

— La ferme ! dit le moine en appuyant la lame du couteau dans le cou de Zelim, si fortement que le sang se mit à couler. *Appelle-les !*

— Je suis seul, je vous dis ! Je le jure ! Je le jure sur la tête de ma mère, je ne suis pas un bandit !

— Tranche-lui la gorge, Nazar, dit un des moines.

— Non, par pitié, ne faites pas ça ! Je suis un innocent !

— Il n'y a plus d'innocents, répondit Nazar, l'homme qui le tenait. Le monde vit ses derniers jours et tous les survivants sont corrompus.

Zelim se dit que c'était de la philosophie ampoulée, que seul un moine pouvait comprendre.

— Si vous le dites. Je n'en sais rien, moi. Mais je peux vous assurer que je ne suis pas un bandit. Je suis pêcheur.

— Tu es bien loin de la mer, fit remarquer le petit moine grincheux à qui Nazar avait passé sa lanterne.

Il se pencha en avant pour observer Zelim, en levant légèrement la lampe.

— Pourquoi as-tu abandonné tes poissons ?

— Les gens ne m'aimaient pas, expliqua Zelim.

Il lui semblait préférable d'être franc.

— Et pourquoi donc ?

Il haussa les épaules. Pas trop franc, quand même.

— C'est comme ça, dit-il.

Le petit moine continua de dévisager Zelim, puis il s'adressa au chef :

— Tu sais, Nazar, je crois bien qu'il dit la vérité. (Zelim sentit se relâcher la pression de la lame du couteau sur sa gorge.) On a cru que tu faisais partie d'une bande de bandits, lui dit le moine, et qu'on t'avait laissé sur notre chemin pour détourner notre attention.

Une fois de plus, Zelim eut l'impression de ne pas comprendre ce qu'on lui disait.

— Et alors... pendant que vous parliez avec moi, les bandits vous auraient attaqués ?

— Non, pas pendant qu'on parlait, dit Nazar.

Le couteau abandonna la gorge de Zelim pour descendre vers sa poitrine, et là, il découpa la chemise déjà déchirée. L'autre main du moine s'introduisit sous le tissu, pendant que le couteau continuait son trajet vers le sud, jusqu'à ce que la lame appuie contre l'entrejambe du pantalon de Zelim.

— Il est un peu vieux pour moi, Nazar, commenta le moine grincheux.

Tournant le dos à Zelim, il s'assit par terre, au milieu des pierres.

— Il n'y a que moi, alors ? demanda Nazar.

En guise de réponse, trois hommes encerclèrent Zelim tels des chiens affamés. On l'allongea de force sur le sol, où on lui déchira tous ses vêtements ; après quoi, les moines lui infligèrent des sévices sexuels, sans se soucier de ses cris de protestations et de ses supplications. Ils l'obligèrent à lécher leurs pieds et leurs fondements, à sucer leurs barbes, leurs tétons et leurs sexes au gland violacé. Ils l'immobilisèrent pendant qu'ils le possédaient, l'un après l'autre, indifférents au fait qu'il saignait abondamment.

Pendant que cela se déroulait, les autres moines qui s'étaient retirés sur les rochers lisaient, buvaient du vin ou contemplaient les étoiles, allongés sur le dos. Il y en avait même un qui priait. Zelim voyait tout ce qui se passait autour de lui, car il évitait délibérément le regard de ses violeurs, décidé à ce qu'ils ne voient pas la terreur dans ses yeux, et décidé à ne pas pleurer. Alors, il regardait les autres, et il attendait que les hommes qui le violaient aient terminé.

Il était quasiment certain qu'ils le tueraient après en avoir fini avec lui, mais ce châtiment, au moins, lui fut épargné. Au lieu de cela, les moines passèrent toute la nuit avec lui, par intermittences, se servant de lui de toutes les manières qu'imposaient leurs désirs, et finalement, juste avant l'aube, ils l'abandonnèrent au milieu des pierres et reprirent leur route.

Le soleil se leva, mais Zelim ferma les yeux pour s'en protéger. Il ne voulait plus jamais voir la lumière. Il avait trop honte. Toutefois, à la mi-journée, la chaleur l'obligea à se redresser pour ramper vers la fraîcheur relative qu'offrait l'ombre des rochers. Là, à sa grande surprise, il découvrit qu'un des religieux – celui qui priait, peut-être – avait laissé une gourde de vin, un peu de pain et un bout de fruit séché. Ce n'était pas un oubli, Zelim le savait. Cet homme avait laissé ces choses à son intention.

À ce moment-là alors, et seulement à ce moment-là, le pêcheur laissa couler ses larmes, non pas à cause de ses souffrances, mais à l'idée que l'un de ces hommes avait éprouvé suffisamment d'affection à son égard pour lui accorder cette gentillesse.

Il but et mangea. Peut-être était-ce dû au pouvoir du vin, toujours est-il qu'il se sentit étonnamment revigoré, et, après avoir couvert sa nudité le mieux possible, il sortit de sa niche au milieu des rochers pour suivre la route. Son corps était encore endolori, mais le saignement avait cessé, et, plutôt que de s'allonger quand la nuit tomba, il continua à marcher sous les étoiles. Quelque part en chemin, une chienne efflanquée s'approcha de lui à petits pas, en quête peut-être du réconfort d'une présence humaine. Zelim ne la chassa pas ; lui aussi avait envie de compagnie. Au bout d'un moment, l'animal s'enhardit au point de marcher sur ses talons, et, après avoir constaté que son nouveau maître ne lui donnait pas de coups de pied, la chienne se mit à trottiner à son côté comme s'ils vivaient ensemble depuis toujours.

L'arrivée de la chienne affamée dans l'existence de Zelim marqua un net renouveau de sa chance. Quelques heures plus tard, il arriva dans un village bien plus grand qu'Atva, où il découvrit une foule immense qui semblait célébrer gaiement quelque événement. Les rues étaient pleines de gens qui criaient, tapaient du pied et s'amusaient.

— C'est un jour de fête ? demanda Zelim à un jeune garçon qui buvait assis sur un pas de porte.

Celui-ci s'esclaffa.

— Non, c'est pas un jour de fête.

— Mais alors, pourquoi tout le monde semble si joyeux ?

— Il va y avoir des pendaisons, répondit le garçon avec un sourire nonchalant.

— Oh... je vois.

— Tu veux aller regarder ?

— Je n'y tiens pas particulièrement.

— On pourra peut-être te trouver quelque chose à manger, dit le garçon. On dirait que t'en as bien besoin. (Il regarda Zelim de la tête aux pieds.) En fait, t'as besoin de pas mal de choses. À commencer par un pantalon. Qu'est-ce qui t'est arrivé ?

— Je n'ai pas envie d'en parler.

— À ce point-là ? Tu devrais venir voir les pendaisons, dans ce cas. Mon père y est déjà ; il prétend que ça fait du bien de voir des gens plus malheureux que soi. C'est bon pour l'âme, qu'il dit. Ça te soulage.

Convaincu par la sagesse de ce raisonnement, Zelim, toujours accompagné de sa chienne, suivit le jeune garçon dans les rues du village jusqu'à la place du marché. Mais il leur fallut plus de temps pour se frayer un chemin au milieu de la foule que ne l'avait prévu son guide et quand ils arrivèrent, tous les hommes qui devaient être pendus, sauf un, se balançaient déjà aux potences. Zelim reconnut immédiatement les condamnés : les barbes hirsutes, les crânes brûlés par le soleil. C'étaient ses violeurs. De toute évidence, ils avaient horriblement souffert avant que le nœud coulant leur ôte la vie. Trois d'entre eux n'avaient plus de mains, l'un avait eu les yeux crevés ; les autres, à en juger par le sang séché qui durcissait leurs vêtements à l'entrecuisse, avaient eu la virilité tranchée.

Parmi ces hommes émasculés figurait Nazar, le chef de la bande, le dernier encore vivant. Comme il ne tenait plus debout, deux villageois le soutenaient, pendant qu'un troisième lui passait la corde au cou. Ses dents pourries avaient été brisées, tout son corps était couvert de plaies et d'hématomes. La foule se réjouissait de voir la souffrance de cet homme. Chaque fois qu'il grimaçait ou étouffait un cri, ils applaudissaient et lui jetaient ses crimes au visage : « Assassin ! » hurlaient-ils. « Voleur ! » « Sodomite ! »

— Il est tout ça et bien plus, d'après mon père, dit le garçon. Cet homme est tellement mauvais, dit mon père, qu'au moment où il mourra, on pourrait bien voir le Diable grimper sur la potence et s'emparer de son âme quand elle sortira de sa bouche !

Zelim frissonna, écœuré par cette pensée. Si le père de ce garçon avait raison, si le moine voleur et sodomite était réellement le jouet de Satan, peut-être que cette possession diabolique était passée dans son propre corps, en même temps que la bave et la semence de cet homme. Oh, quelle horreur de se dire qu'il était, d'une certaine façon, l'épouse de cet homme épouvantable et que le moment venu, il serait entraîné dans le même lieu infernal !

Le nœud coulant était maintenant autour du cou de Nazar et la corde suffisamment serrée pour le faire tenir debout comme un pantin. Les hommes qui le soutenaient s'écartèrent pour aider le troisième à tirer sur la corde. Mais juste avant que celle-ci ne l'empêche de respirer, Nazar s'exprima. Ou plutôt, il *hurla*, en faisant appel aux dernières particules de force contenues dans son corps meurtri.

— *Dieu vous chie dessus !* cria-t-il.

La foule se déchaîna. Certaines personnes lui jetèrent des pierres. Si Nazar sentait la douleur de ses os brisés, il ne laissa rien paraître. Il continua à vociférer :

— *Il a placé mille âmes innocentes entre nos mains ! Sans se soucier de ce qu'on leur a fait ! Alors, vous pouvez me faire tout ce que vous voulez...*

La corde se resserrait autour de son cou à mesure que les hommes tiraient à l'autre bout. Nazar était dressé sur la pointe des pieds. Mais il continua à hurler ; le sang et la salive accompagnaient ses paroles.

— ... Il n'y a pas d'enfer ! Il n'y a pas de paradis ! Il n'y a pas de...

Il n'alla pas plus loin ; le nœud coulant lui bloqua la trachée et il décolla du sol. Mais Zelim savait quel mot il n'avait pas eu le temps de prononcer. *Dieu.* Le moine était sur le point de crier : *Il n'y a pas de Dieu.*

Autour de lui, la foule était survoltée ; les gens applaudissaient, huaient et crachaient sur le pendu qui se balançait au bout de la corde. Ses souffrances furent brèves. Son corps torturé rendit l'âme en quelques secondes, à la grande déception du public, et il demeura inanimé comme si la grâce de la vie ne l'avait jamais effleuré. Le garçon qui accompagnait Zelim semblait déçu, lui aussi.

— J'ai pas vu Satan, et toi ?

Zelim secoua la tête, mais en lui-même, il se dit : peut-être que je l'ai vu. Le Diable est peut-être un homme tout simplement, comme moi. Peut-être qu'il est un tas d'hommes, tous les hommes même.

Son regard glissa sur la rangée de pendus ; il cherchait celui qui avait prié pendant qu'on le violait ; celui que Zelim soupçonnait de lui avoir laissé du vin, du pain et un fruit. Peut-être avait-il également convaincu ses compagnons d'épargner leur victime ; Zelim ne le saurait jamais. Mais il y avait une chose très étrange. Dans la mort, tous ces hommes se ressemblaient à ses yeux.

Tout ce qui rendait chacun d'eux si particulier semblait s'être volatilisé, laissant des visages abandonnés, comme des maisons dont les occupants sont partis en emportant avec eux tout ce qui en faisait la particularité. Zelim ne pouvait dire lequel d'entre eux avait prié sur le rocher, lequel s'était montré particulièrement cruel pendant qu'ils s'acharnaient sur lui. Lequel l'avait mordu comme un animal, lequel lui avait pissé au visage pour le réveiller quand il avait failli s'évanouir, lequel lui avait donné un nom de femme pendant qu'il le labourait. Au bout du compte, alors qu'ils se balançaient sur la potence, il était quasiment impossible de les différencier.

— Ils vont leur couper la tête et la planter sur une pique, expliqua le garçon. Pour servir d'exemple aux bandits.

— Et aux religieux, dit Zelim.

— C'étaient pas des religieux.

Une femme qui se trouvait près d'eux entendit cette dernière remarque.

— Détrompe-toi, petit, dit-elle. Leur chef, Nazar, était moine à Samarkand. Il a étudié des livres qu'il n'aurait jamais dû étudier ; c'est pour ça qu'il est devenu ce qu'il est devenu.

— Quel genre de livres ? demanda Zelim.

La femme lui jeta un regard apeuré.

— Il vaut mieux pas le savoir, dit-elle.

— Bon, je vais essayer de retrouver mon père, dit le garçon à Zelim. J'espère que tout ira bien pour toi. Que Dieu te garde.

— Toi aussi, dit Zelim.

Chapitre cinq

1

Zelim en avait vu suffisamment, plus que suffisamment à vrai dire. Une nouvelle poussée de fièvre s'était emparée de la foule, tandis qu'on détachait les pendus pour pouvoir les décapiter ; on hissait les enfants sur les épaules de leurs parents pour qu'ils puissent assister au châtiment. Zelim, lui, était écœuré par ce spectacle. Tournant le dos à la scène, il se baissa pour ramasser sa chienne couverte de puces et se fraya un chemin vers l'extrémité de la foule.

Soudain, une voix s'adressa à lui :

— La vue du sang te dégoûte ?

Il tourna la tête. C'était la femme qui lui avait parlé des livres impies de Samarkand.

— Non, pas du tout, répondit Zelim d'un ton agressif, croyant que cette femme s'en prenait à sa virilité. Mais je trouve ça ennuyeux. Ces hommes sont morts. On ne peut plus les faire souffrir.

— Oui, tu as raison, dit la femme avec un haussement d'épaules.

Zelim constata alors qu'elle portait des vêtements de veuve, bien qu'elle soit encore très jeune : elle avait tout juste un ou deux ans de plus que lui.

— Il n'y a que nous qui souffrons, ajouta-t-elle. Il n'y a que nous qui sommes encore vivants.

Il comprenait très bien la vérité contenue dans ces paroles, d'une manière qui lui aurait échappé avant cette terrible mésaventure sur la route. Les moines lui avaient au moins donné une chose : la compréhension du désespoir des autres.

— Autrefois, je croyais qu'il y avait toujours des raisons... dit-il à voix basse.

La foule rugissait. Zelim jeta un coup d'œil par-dessus son épaule. On brandissait une tête bien haut, dégoulinante de sang, scintillante dans la lumière vive du soleil.

— Que disais-tu ? demanda la femme en se rapprochant de lui pour l'entendre, à cause du vacarme.

— Peu importe, dit-il.

— Non, dis-moi, je t'en prie. Ça m'intéresse.

Zelim haussa les épaules. Il avait envie de pleurer, mais quel homme oserait pleurer en public dans un lieu tel que celui-ci ?

— Si tu venais avec moi ? proposa la femme. Tous mes voisins sont ici, en train d'assister à cette *idiotie*. Si tu m'accompagnes, personne ne nous verra. Personne ne racontera des choses sur nous.

Zelim réfléchit à cette proposition, pendant une seconde ou deux.

— D'accord, mais avec ma chienne.

2

Il resta six ans. Évidemment, au bout d'une semaine environ, les voisins commencèrent à colporter des rumeurs, mais ce n'était pas comme à Atva ; ici, les gens ne passaient pas leur temps à se mêler de vos affaires. Zelim vécut heureux avec la veuve Passak, qu'il apprit à aimer. C'était une femme au sens pratique, mais une fois leur porte et leurs volets fermés, elle savait se montrer passionnée. Principalement, pour une raison inconnue, quand le vent soufflait du désert, un vent brûlant qui charriait des monceaux de sable cinglant. Quand ce vent soufflait, la veuve perdait toute retenue ; elle était prête à tout pour leur plaisir mutuel, et dans ces moments-là, Zelim l'aimait plus encore.

Malgré tout, les souvenirs d'Atva et de la magnifique famille qui était apparue sur le rivage en ce jour lointain ne le quittaient pas. Pas plus que les heures de son supplice ou les étranges pensées qui l'avaient envahi tandis que Nazar et sa bande se balançaient sur la potence. Toutes ces expériences demeuraient dans son cœur, comme un ragoût qu'on laisse mijoter, et mijoter encore ; et à mesure que les années passaient, il était de plus en plus goûteux et riche.

Alors, au bout de six années, après bien des jours et des nuits de bonheur avec Passak, Zelim comprit que le moment était venu pour lui de s'asseoir pour déguster ce ragoût.

Cela se produisit au cours d'une des tempêtes qui venaient du désert. Passak et lui avaient fait l'amour, non pas une fois, mais trois fois ce soir-là. Cependant, au lieu de s'endormir juste après, à l'instar de Passak, Zelim ressentait un étrange picotement derrière les yeux, comme si le vent sifflant avait réussi à s'introduire dans son cerveau pour remuer le ragoût une dernière fois avant de le servir.

Dans un coin de la chambre, la chienne, devenue vieille et aveugle, gémissait.

— Chut, ma belle.

Zelim ne voulait pas que Passak se réveille, pas avant qu'il ait analysé la nature des sentiments qui le hantaient.

Il prit sa tête à deux mains. Qu'allait-il devenir ? Il avait vécu une existence plus riche que s'il était resté à Atva, mais tout cela n'avait aucun sens. Au moins, à Atva, les choses obéissaient à un rythme simple. Un garçon naissait, il devenait assez fort pour être pêcheur, alors il devenait pêcheur, puis ses forces l'abandonnaient, jusqu'à ce qu'il redevienne aussi fragile qu'un enfant, puis il s'éteignait, réconforté de penser qu'au moment même où il quittait ce monde, de nouveaux pêcheurs voyaient le jour. Mais l'existence de Zelim était dépourvue de telles certitudes. Il avait trébuché de confusion en confusion, trouvant la souffrance là où il s'attendait à découvrir une consolation, et du plaisir là où il croyait trouver de la tristesse. Il avait vu le Diable sous sa forme humaine et les visages des esprits divins incarnés sous une forme identique. La vie ne ressemblait pas du tout, tant s'en faut, à ce qu'il avait cru.

Et soudain, il se dit : je dois raconter ce que je sais. Voilà pourquoi j'existe ; je dois raconter aux gens tout ce que j'ai vu et ressenti, pour que ma souffrance ne se répète pas. Pour que ceux qui me succéderont soient comme mes enfants, car j'aurai aidé à les façonner, à les rendre forts.

Il se leva, rejoignit sa douce Passak couchée et s'agenouilla près du lit étroit. Il l'embrassa sur la joue. Elle était réveillée, depuis un certain temps déjà.

— Si tu t'en vas, je serai très triste, dit-elle. (Elle marqua une pause, puis ajouta :) Mais j'ai toujours su que tu partirais un jour. En fait, je suis même étonnée que tu sois resté si longtemps.

— Comment savais-tu que...

— Tu parlais à voix haute, tu ne t'en rendais pas compte ? Ça t'arrive tout le temps. (Une larme coula du coin de son œil, mais il n'y avait aucune tristesse dans sa voix.) Tu es un homme merveilleux, Zelim. Je crois que tu ne sais pas à quel point tu es merveilleux. Tu as vu des choses... peut-être les as-tu imaginées, peut-être étaient-elles réelles, je ne sais pas... mais tu dois les raconter aux gens.

C'était lui qui pleurait maintenant, en l'entendant parler ainsi, sans aucune trace de réprimande.

— J'ai passé des années magnifiques avec toi, mon amour. Jamais je n'aurais cru connaître une telle joie.

J'exagérerais si j'en réclamais davantage, alors que j'ai déjà tellement reçu.

Elle souleva légèrement la tête et l'embrassa.

— Je t'aimerai encore plus si tu pars vite, dit-elle.

Zelim se mit à sangloter. Toutes les belles pensées qui l'habitaient quelques minutes plus tôt lui paraissaient vaines tout à coup. Comment pouvait-il envisager de quitter cette femme ?

— Je ne peux pas m'en aller, dit-il. Je ne sais pas d'où m'est venue cette idée.

— Tu t'en iras, répondit-elle. Si tu ne pars pas maintenant, tu partiras tôt ou tard. Alors, va-t'en.

Il sécha ses larmes.

— Non. Je ne partirai pas.

En effet, il resta. Les tempêtes de sable se succédèrent, mois après mois, la veuve et Zelim continuèrent à forniquer furieusement dans la petite maison, tandis que le feu murmurait dans l'âtre et que le vent jacassait sur le toit. Mais le bonheur de Zelim était gâché, celui de Passak aussi. Il lui en voulait de le retenir sous son toit, bien qu'elle ait accepté de le laisser partir. Et elle, à son tour, sentit son amour pour lui s'émousser, car il n'avait pas eu le courage de partir, et en restant avec elle, il tuait la chose la plus délicieuse qu'elle ait jamais connue : leur amour partagé.

Finalement, la tristesse de cette situation lui fut fatale. C'est étrange, mais cette femme courageuse qui avait survécu au chagrin du veuvage ne put surmonter la mort de son amour pour un homme qui était demeuré à son côté. Zelim l'enterra, et une semaine plus tard, il prit la route.

Plus jamais, il ne mena une vie sédentaire. Il avait connu tout ce qu'il avait besoin de connaître de la vie domestique ; désormais, il vivrait en nomade. Mais le ragoût qui mijotait en lui depuis si longtemps était encore savoureux. Peut-être un peu plus relevé à cause de la tristesse des derniers mois passés avec Passak.

Quand il commença l'œuvre de sa vie et entreprit d'éduquer les gens en leur racontant ses expériences, il dut ajouter à son récit le caractère poignant de leur amour aigri : cette femme à qui, un jour, il avait promis son amour éternel, en disant que les sentiments qu'elle lui inspirait étaient impérissables, cette femme sembla devenir un souvenir aussi lointain que sa jeunesse à Atva. L'amour – du moins le genre d'amour que partagent les hommes et les femmes – n'était pas fait d'éternité. Pas plus que son contraire. De même que les cicatrices laissées par Nazar et ses hommes s'étaient effacées avec les années, la haine que leur vouait Zelim s'était atténuée.

Cela ne veut pas dire que c'était un homme dépourvu de sentiments, tant s'en faut. Au cours des trente et une années qui lui restaient à vivre, il acquerrait la réputation d'un prophète, d'un conteur et d'un homme habité par une passion rare. Mais cette passion ne ressemblait pas à celle que connaissent la plupart d'entre nous. Malgré ses origines modestes, Zelim devint un être aux émotions raffinées et élevées. Les paraboles qu'il récitait n'auraient pas fait honte au Christ dans leur simplicité, mais, contrairement aux leçons sobres et bonnes données par Jésus, Zelim transmettait à travers ses paroles une vision bien plus ambiguë, dans laquelle Dieu et le Diable se livraient en permanence à un jeu de masques.

Peut-être aurai-je l'occasion de vous narrer quelques-unes de ses paraboles au gré de cette histoire, mais pour l'instant, laissez-moi vous raconter comment il mourut. Cela se passa, bien évidemment, à Samarkand.

Chapitre six

Laissez-moi tout d'abord vous parler un peu de cette ville, dont la splendeur avait alimenté la plupart des histoires que Zelim avait entendues dans son enfance. Celui qui racontait ces histoires, le Vieux Zelim, n'était pas le seul à idolâtrer Samarkand, une ville qu'il n'avait jamais vue. En ce temps-là, c'était un lieu quasiment mythique. Une cité, disait-on, dont la beauté vous coupait le souffle, où les pensées, les formes et les actes inimaginables dans tous les autres endroits du globe étaient chose courante. Nulle part on ne trouvait pareilles femmes, ni pareils garçons, aussi libres de leurs corps que dans les rues parfumées de Samarkand. Nulle part on ne trouvait hommes aussi puissants, ni semblables trésors accumulés par ces hommes de pouvoir, ni semblables palais construits par ambition, ni semblables mosquées érigées pour le salut de leurs âmes.

Comme si toutes ces merveilles ne suffisaient pas, il y avait le miracle que constituait l'existence même de cette ville, alors que tout autour s'étendait la nature sauvage. Les marchands qui traversaient la cité en suivant la route de la soie qui conduisait au Turkistan et en Chine, ou qui transportaient des épices venues d'Inde ou du sel des steppes, parcouraient d'immenses déserts brûlants et de glaciales immensités grises avant d'apercevoir le fleuve Zeravchan et les terres fertiles sur lesquelles se dressaient les tours et les minarets de Samarkand, telles des fleurs qu'aucun jardin n'avait jamais fait éclore. Leur joie de quitter ces étendues désolées qu'ils venaient de traverser les incitait à écrire des chansons et des poèmes à la gloire de cette ville (peut-être plus louangeurs qu'elle le méritait) ; des chansons et des poèmes qui, à leur tour, attiraient davantage de marchands, de jolies femmes, de bâtisseurs de tours semblables à des fleurs, si bien que, au fil des générations, Samarkand construisit sa réputation légendaire, jusqu'à ce que l'adulation contenue dans ces chansons et poèmes finisse par paraître trop faible.

Mais Samarkand n'était pas uniquement, permettez-moi de le souligner, un lieu de débauche des sens. C'était également un lieu d'enseignement où les philosophes étaient à l'honneur, où l'on écrivait et lisait des livres, où l'on débattait inlassablement des théories sur la naissance et la fin du monde, autour d'un verre de thé. Bref, c'était une ville en tous points miraculeuse.

À trois reprises dans sa vie, Zelim se joignit à une caravane qui suivait la route de la soie pour se rendre à Samarkand. La première fois, c'était juste deux ans après la mort de Passak, et il effectua le voyage à pied, n'ayant pas les moyens d'acheter un animal assez robuste pour survivre à ce périple. Ce voyage éprouva jusqu'à ses ultimes limites son désir de découvrir cet endroit : quand les tours fabuleuses apparurent enfin à l'horizon, Zelim était tellement épuisé – il avait les pieds en sang, le corps secoué de frissons, les yeux à vif à force de marcher pendant des jours dans les nuages de poussière soulevés par celui qui le précédait – qu'il s'effondra dans l'herbe tendre au bord du fleuve et dormit le restant de la journée devant les murs de la cité, inconscient.

Il se réveilla au crépuscule, s'aspergea les yeux pour chasser le sable et renversa la tête. Le ciel était rempli de couleurs somptueuses ; de minuscules tresses de nuages ambrés flottaient à l'ouest, badigeonnées de bleu pourpre sur leurs flancs, à l'est ; des nuées d'oiseaux virevoltants tournoyaient autour des minarets rougeoyants pour regagner leurs perchoirs. Zelim se leva et pénétra dans la ville, tandis qu'on allumait le long des murailles des feux alimentés par un bois si odorant que l'air lui-même était empreint d'un parfum de sainteté.

Une fois à l'intérieur, toutes les souffrances qu'il avait endurées pour parvenir jusqu'ici furent oubliées. Samarkand était tout ce que son père en disait, et même plus. Bien que Zelim ne soit guère qu'un clochard dans cette ville, il comprit très vite qu'il y avait ici une clientèle pour ses histoires. Et il avait beaucoup de choses à raconter. Les gens l'aimaient entendre narrer la scène du baptême à Atva, parler de la forêt, de Nazar et de son triste sort. Et qu'importe s'ils croyaient ou non à la véracité de ces récits ; ils donnaient à Zelim argent, nourriture, amitié (et même, dans le cas de plusieurs femmes de bonne famille, des nuits d'amour) pour l'entendre raconter ses histoires. Alors, il commença à étendre son répertoire ; il improvisa, enrichit, inventa. Il créa de nouvelles histoires mettant en scène la famille sur le rivage, et, puisque les gens semblaient aimer que l'on saupoudrât leurs distractions d'une pincée de philosophie, Zelim introduisit dans ses histoires ses thèmes sur le destin, des idées qu'il avait développées durant ses années de vie conjugale avec Passak.

Quand il repartit de Samarkand après sa première visite, qui dura un an et demi, il avait acquis une certaine réputation, pas uniquement en tant que conteur, mais aussi comme homme de sagesse. Et un nouveau sujet accompagnait désormais ses voyages : Samarkand.

Dans cette cité, disait-il, les plus hautes aspirations de l'âme humaine et les plus vils appétits de la chair sont si intimement liés qu'il est parfois difficile de séparer les uns des autres. C'était un point de vue que les gens avaient soif d'entendre, car c'était souvent une réalité dans leur propre vie, sans qu'ils osent l'avouer. La réputation de Zelim s'accrut encore.

La deuxième fois où il se rendit à Samarkand, il voyagea à dos de chameau, accompagné d'un garçon de quinze ans qui lui préparait à manger et veillait à son confort, un jeune apprenti qu'on lui avait confié, car lui aussi rêvait de devenir conteur. Quand ils atteignirent la cité, Zelim éprouva inévitablement une certaine déception : il se sentait comme un homme qui retrouve le lit d'une magnifique maîtresse pour s'apercevoir que ses souvenirs sont plus doux que la réalité. Mais cette expérience lui servit à créer une autre parabole, et il était en ville depuis moins d'une semaine que déjà sa déception faisait partie d'une nouvelle histoire.

En outre, il y avait des compensations : les retrouvailles avec des amis rencontrés la première fois, des invitations dans les demeures somptueuses de personnes qui, quelques années plus tôt, l'auraient regardé avec mépris comme un vulgaire pêcheur sans éducation, mais qui aujourd'hui se déclaraient honorées quand il franchissait le seuil de leurs maisons. Et surtout, il y avait cette immense satisfaction : il découvrit qu'il existait dans cette ville un minuscule groupe de jeunes érudits qui étudiaient sa vie et ses paraboles comme s'il était un homme important. Qui n'aurait pas été flatté ? Zelim passa un grand nombre de jours et de nuits à discuter avec eux, à répondre à leurs questions de manière aussi honnête que possible.

L'une d'elles en particulier continua à traîner dans son esprit quand il repartit de Samarkand.

— Croyez-vous que vous reverrez un jour ces gens que vous avez rencontrés sur le rivage ? lui avait demandé un jeune érudit.

— Non, je ne crois pas, avait-il répondu. Je n'étais rien pour eux.

— Mais pour l'enfant, peut-être...

— Pour l'enfant ? Je doute qu'il ait su que j'existais. Il s'intéressait plus au lait de sa mère qu'à moi.

Mais le jeune érudit avait insisté.

— Dans vos histoires, vous enseignez que les choses reviennent toujours. Dans l'une d'elles, vous parlez de la Roue des Étoiles. Peut-être en sera-t-il de même avec ces gens. Ils seront comme les étoiles. On les perd de vue...

— ... Et elles resurgissent, avait conclu Zelim.

Un sourire lumineux avait éclairé le visage de l'érudit, fier d'entendre son maître compléter sa pensée.

— Oui, elles resurgissent.

— Peut-être, avait dit Zelim. Mais je ne vivrai pas dans cette attente.

Il tint parole. Malgré tout, la remarque du jeune érudit resta gravée en lui, et elle aussi donna naissance à une parabole : la triste histoire d'un homme qui vit dans l'attente de la rencontre avec une personne qui se révèle être son meurtrier.

Au fil des ans, la célébrité de Zelim ne cessa de croître. Il parcourut des distances considérables – jusqu'en Europe, en Inde, aux frontières de la Chine – pour raconter ses histoires, découvrant que l'étrange poésie de ses inventions apportait du plaisir à tous les cœurs, quels qu'ils soient.

Dix-huit années s'écoulèrent avant qu'il ne retourne à Samarkand et cela – bien qu'il l'ignorât – pour la dernière fois.

Chapitre sept

Zelim avançait en âge et, même si ses nombreux voyages avaient fait de lui un homme sec et nerveux, résistant, il sentait peser le poids des ans cet automne. Ses articulations étaient douloureuses ; le matin, ses gestes étaient mous ou ankylosés ; il dormait mal et peu. Et quand il dormait, il rêvait d'Atva, ou plus exactement de son rivage et de la sainte famille. Son existence faite de sagesse et de souffrance était née de cette rencontre. S'il n'était pas descendu sur la plage ce jour-là, il serait encore là-bas parmi les pêcheurs, menant une vie spirituelle indigente, trop inculte pour que son âme vibre, trop inculte pour qu'elle s'élève.

Alors, il était là, à Samarkand, en ce mois d'octobre ; il se sentait vieux et dormait mal. Mais il n'avait guère droit au repos ; le nombre de ses adeptes s'était accru et l'un d'eux (le garçon qui l'avait interrogé sur la pérennité des choses) avait fondé une école. Elle se composait de jeunes hommes qui avaient découvert un zèle révolutionnaire enfoui dans les paraboles de Zelim, qui à leur tour nourrissaient leur désir de voir l'humanité libérée de ses chaînes. Il les accueillait chaque jour. Parfois, il les laissait l'interroger sur lui, sur sa vie et ses opinions. À d'autres moments – quand il était las des questions – il leur racontait une histoire.

Mais ce jour-là, la leçon était un mélange des deux. Un des étudiants demanda :

— Maître, la plupart d'entre nous s'affrontent farouchement avec leurs pères qui ne souhaitent pas que l'on étudie vos œuvres.

— Vraiment ? répondit le vieux Zelim en haussant un sourcil. Je ne vois pas pourquoi. (Il y eut des petits rires parmi les étudiants.) Quelle est ta question ?

— Je me demandais si... accepteriez-vous de nous parler de votre père ?

— Mon père... répéta Zelim.

— Oui, juste un peu.

Le prophète sourit.

— Ne sois pas si nerveux, allons, dit-il au jeune homme. Pourquoi as-tu l'air si inquiet ?

Le jeune homme rougit.

— J'avais peur que vous ne vous mettiez en colère si je vous interrogeais sur votre famille.

— Pour commencer, dit Zelim sans élever la voix, je suis beaucoup trop vieux pour me mettre en colère. C'est une perte d'énergie et il ne m'en reste plus beaucoup. En outre, mon père est assis là devant vous, de la même manière que tous vos pères sont assis devant moi. (Son regard balaya la trentaine d'élèves assis en tailleur devant lui.) Et ils forment un joli groupe, ajouta-t-il, avant de reporter son attention sur le jeune homme qui l'avait questionné. Que fait ton père dans la vie ?

— C'est un marchand de laine.

— Il est donc installé quelque part en ville, et il vend de la laine, mais cela ne suffit pas à satisfaire sa nature. Il a besoin d'autre chose dans sa vie ; c'est pourquoi il t'envoie ici parler philosophie.

— Oh, non... vous ne comprenez pas... ce n'est pas lui qui m'envoie.

— Il n'en a peut-être pas conscience. Et toi non plus. Mais tu es le fils de ton père, et quoi que tu fasses, tu le fais pour lui.

Le jeune homme fronça les sourcils, visiblement troublé à l'idée de faire quelque chose pour son père.

— Tu es comme les doigts de sa main qui creusent la terre pendant qu'il compte ses balles de laine. Il ne remarque même pas cette main qui creuse. Il ne la voit pas déposer des graines dans le trou. Et il s'étonne de voir qu'un arbre a poussé auprès de lui, chargé de fruits délicieux et d'oiseaux qui chantent. Pourtant, c'est sa main qui l'a fait pousser.

Le jeune homme baissa le regard.

— Que voulez-vous dire par là ?

— Que nous ne nous appartenons pas. Que même si nous ne pouvons comprendre entièrement le but de notre création, nous devons penser que ceux qui nous ont précédés le comprennent mieux que nous. Pas uniquement nos pères et nos mères, mais *tous ceux* qui ont vécu avant. Ils forment le chemin qui ramène vers Dieu ; Dieu qui ignore peut-être, alors même qu'Il compte les étoiles, que nous sommes tranquillement en train de creuser un trou et de planter une graine...

Le jeune homme releva la tête, avec un sourire, amusé de penser que Dieu le Père regardait ailleurs pendant que Ses mains humaines faisaient pousser un jardin à Ses pieds.

— Cela répond à ta question ? demanda Zelim.

— En fait, je me demandais...

— Oui ?

— Votre père...

— Il était pêcheur dans un petit village baptisé Atva, sur les bords de la mer Caspienne.

En prononçant ces mots, Zelim sentit un petit souffle de vent lui caresser le visage, délicieusement frais. Il s'interrompit pour en profiter. Il ferma les yeux un instant. Quand il les rouvrit, il comprit que quelque chose avait changé dans la pièce, sans qu'il puisse dire quoi.

— Où en étais-je ?

— À Atva, répondit quelqu'un au fond de la pièce.

— Ah, oui. Atva. Mon père y a vécu toute sa vie, mais il rêvait d'un endroit lointain. Il rêvait de Samarkand. Il racontait à ses enfants qu'il y était allé, dans sa jeunesse. Et il inventait de telles histoires sur cette ville, de telles histoires...

Zelim s'interrompit de nouveau. Le vent frais avait caressé sa joue une seconde fois, et il y avait dans ce contact une sorte de signe. Comme si le vent lui disait : *regarde, regarde...*

Mais quoi ? Il regarda par la fenêtre en se disant que, peut-être, il y avait au-dehors une chose qui réclamait son attention. Le ciel s'assombrissait, la nuit était proche. Un marronnier, encore paré de ses feuilles malgré la saison, se découpait en ombre chinoise. Dans ses branches les plus hautes, l'étoile du berger scintillait. Mais Zelim avait déjà vu tout ça : le ciel, un arbre, une étoile.

Il reporta son regard à l'intérieur de la salle, dubitatif.

— Quel genre d'histoires ? demandait quelqu'un.

— Des histoires... ?

— Vous disiez que votre père racontait des histoires sur Samarkand.

— Oh, oui. C'est vrai. Des histoires merveilleuses. Ce n'était pas un très bon marin. En fait, il s'est noyé sur une mer d'huile. Mais il aurait pu raconter des histoires sur Samarkand pendant un an sans jamais raconter deux fois la même.

— Pourtant, vous dites qu'il n'est jamais venu ici ? fit remarquer le fondateur de l'école.

— Non, jamais, confirma Zelim avec un sourire. Voilà pourquoi il racontait de si belles histoires sur cette ville.

Cette remarque amusa beaucoup tout le monde. Mais Zelim entendit à peine les rires. Cette brise énigmatique avait de nouveau léché son visage, et cette fois-ci, en relevant les yeux, il vit quelqu'un se déplacer dans l'obscurité du fond de la pièce. Ce n'était pas un élève. Ceux-ci étaient tous vêtus de tuniques jaune pâle. L'inconnu portait un pantalon noir déchiré et une chemise sale. Sa peau était noire, habitée par un étrange éclat qui rappela à Zelim un jour fort lointain.

— Atva... ? murmura-t-il.

Seuls les élèves les plus proches de Zelim l'entendirent prononcer ce mot, et même eux s'opposèrent par la suite quant au sens de celui-ci. Certains affirmaient qu'il avait dit *Allah*, d'autres prétendaient qu'il avait prononcé un mot magique destiné à tenir en respect l'inconnu qui était apparu au fond de la salle. Si la nature de ce mot donna lieu à tant de débats, c'était pour une raison très simple : ce fut le dernier mot prononcé par Zelim, dans le monde des vivants, du moins.

À peine ce mot fut-il sorti de sa bouche que sa tête tomba et sa main laissa échapper son verre de thé. Les murmures qui parcouraient la salle cessèrent instantanément ; les élèves se levèrent comme un seul homme, certains commençaient déjà à pleurer, d'autres à prier. Le grand maître était mort, sa sagesse appartenait au passé. Il n'y aurait plus d'histoires, plus de prophéties. Des siècles durant, on ne pourrait que répéter inlassablement ses paraboles et vérifier si ses prophéties se réalisaient.

Devant l'école, sous le marronnier, deux hommes parlaient à voix basse. Personne ne les voyait ; personne n'entendait leur échange joyeux. Je n'inventerai pas ces paroles, je vous laisse imaginer cette conversation : entre l'esprit de Zelim et celui d'Atva, qu'on appellerait plus tard Galilée. Je ne vous dirai qu'une chose : une fois leur discussion terminée, Zelim quitta Samarkand en compagnie de Galilée ; un fantôme et un dieu s'éloignant dans les volutes du crépuscule, comme deux amis inséparables.

Est-il besoin de préciser que le rôle joué par Zelim dans cette histoire est loin d'être terminé ? Il fut emmené ce jour même dans les bras de la famille Barbarossa, au service de laquelle il est toujours demeuré depuis.

Dans ce livre, comme dans la vie, rien ne disparaît jamais véritablement. Certes, les choses changent, évidemment, il le faut bien. Mais tout est conservé dans l'instant éternel : Zelim le pêcheur, Zelim le prophète, Zelim le fantôme ; il a été enregistré sous toutes ses formes et ces quelques pages ne sont que l'écho misérable, mais passionné, du grand registre qu'est la sainteté elle-même.

Il doit rester encore de la place pour la note d'échec, évidemment. Même dans un monde immortel, il y a des fois où la beauté disparaît, où l'amour quitte les cœurs, et nous ressentons la tristesse de la séparation.

À Samarkand, cité glorieuse en son temps, les carreaux en losange, bleu et or, sont tombés des murs, et le marronnier sous lequel Zelim et Galilée bavardèrent après la mort du prophète a été abattu. Les dômes dépérissent, les rues autrefois remplies de vacarme ont été livrées au silence. Un silence de mauvais augure ; ce n'est pas le calme de la cellule de l'ermite, ni la quiétude de l'aube. C'est tout simplement l'absence de vie. Les régimes se sont succédé, tout comme les partis et les potentats, les vieilles gardes et les nouvelles, chacun dérobant une parcelle de la splendeur de Samarkand avant d'abandonner le pouvoir. Il ne reste plus que la boue et le désespoir. Le plus grand espoir des survivants est de voir les Américains débarquer un beau jour et de retrouver des raisons de croire à l'avenir de cette ville. Alors, il y aura des hamburgers, du soda et des cigarettes. Triste ambition pour les habitants de n'importe quelle grande ville.

En attendant ce jour, il n'y a que les tuiles qui tombent et un vent sale.

Quant à Atva, elle n'existe plus. En creusant profondément le sable sur la côte, sans doute trouveriez-vous les vestiges des murs de quelques maisons, un seuil ou deux, une marmite. Mais rien de très intéressant. Les habitants d'Atva menaient des vies banales, à l'instar des rares traces qu'elles ont laissées. Atva n'apparaît sur aucune carte (même du temps de sa prospérité elle n'a jamais été signalée), et elle n'est mentionnée dans aucun ouvrage sur la mer Caspienne.

Atva existe maintenant de deux manières. Dans ces pages, bien évidemment. Et comme le nom véritable de mon frère Galilée.

Il me reste un détail à ajouter avant de passer à quelque chose de plus urgent. Cela concerne le tout premier jour, quand mon père Nicodemus et son épouse Cesaria descendirent sur la plage pour baptiser leur enfant chéri dans la mer.

Apparemment, voici ce qui s'est passé : à peine Cesaria eut-elle trempé l'enfant dans l'eau que celui-ci se tortilla entre ses mains et lui échappa ; englouti par la première vague qui se présentait, il disparut aux yeux de ses parents. Évidemment, mon père se précipita dans l'eau, mais le courant était particulièrement fort ce jour-là et, avant que Nicodemus ne puisse rattraper l'enfant, celui-ci fut entraîné vers le large. J'ignore si Cesaria pleurait, hurlait ou restait muette. Mais je sais qu'elle ne se précipita pas à la poursuite du fugitif, car, comme elle le confia un jour à Marietta, elle avait toujours su que Galilée l'abandonnerait un jour, et, bien que surprise de le voir partir si jeune, elle n'essaya pas de le retenir.

Finalement, à environ cinq cents mètres du rivage, mon père aperçut une petit tête qui ballottait sur les flots. Aux dires de tous, le bébé continuait à nager, ou du moins il s'y efforçait. Quand il sentit les mains de mon père se refermer sur lui, Atva se mit à brailler et à se tortiller. Mais mon père le tenait solidement. Il coinça l'enfant sur son épaule et repartit à la nage vers le rivage.

Cesaria raconta à Marietta que le bébé avait ri en se retrouvant dans les bras de sa mère, il avait ri aux larmes tellement il était content de ce qu'il venait de faire.

Mais quand je pense à cet épisode, surtout dans le contexte de ce que je vais vous raconter, ce n'est pas l'image de l'enfant rieur qui me vient à l'esprit. Non, c'est celle du petit Atva, vieux d'un jour, échappant aux mains de ceux qui l'ont créé et, ignorant leurs cris et leurs appels, s'éloignant à la nage, sans s'arrêter, comme si sa première préoccupation était de fuir.

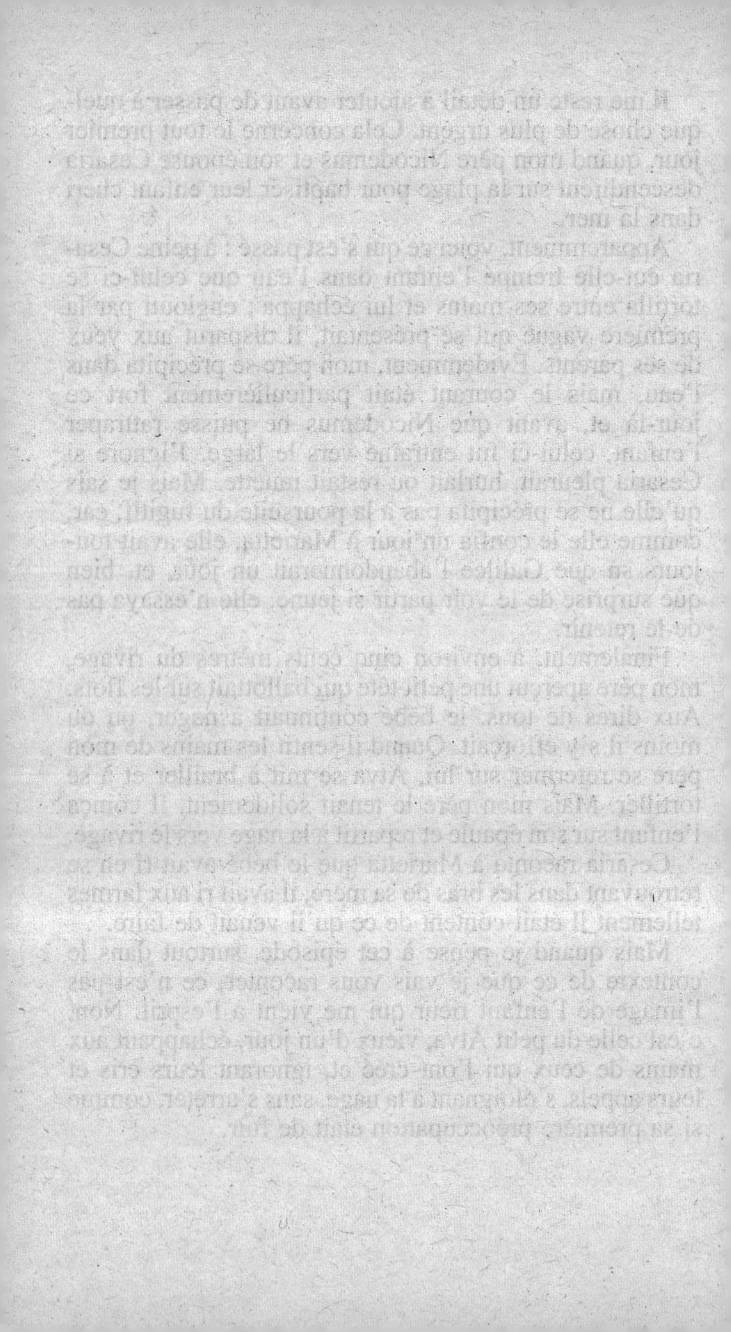

TROISIÈME PARTIE

UNE VIE DE LUXE

Chapitre premier

1

Vous vous souvenez de Rachel Pallenberg ? Je vous ai brièvement parlé d'elle dans un chapitre précédent, quand je me lamentais en ne sachant pas par quelle histoire commencer. Je l'ai décrite en train de traverser en voiture sa ville natale de Dansky dans l'Ohio, située entre Marion et Shanck, près du mont Gilead. Le terme « sans prétention » serait une façon aimable de décrire cette ville ; l'adjectif « banale » serait peut-être plus juste. Si elle avait possédé jadis un charme quelconque, celui-ci avait disparu, démoli pour faire place aux grands classiques américains : des fast-foods bon marché, des boutiques d'alcool bon marché, des sodas qui imitent des marques de sodas plus chères, des fromages qui imitent des produits laitiers. Le soir, la station-service est l'endroit le plus illuminé de la ville.

C'est là que Rachel a grandi, jusqu'à l'âge de dix-sept ans. Ces rues devraient lui sembler familières ; pourtant, elle est perdue. Bien qu'elle reconnaisse la plupart des choses qu'elle voit : l'école dans laquelle elle a passé plusieurs années déprimantes est encore debout, tout comme l'église où son père (qui avait toujours été plus pieux que sa mère) l'emmenait tous les dimanches, la banque où Hank Pallenberg avait travaillé jusqu'à sa maladie et sa disparition prématurée... tous ces endroits, elle les reconnaît, et pourtant, elle est perdue. Ce n'est pas chez elle. Pas plus que l'endroit qu'elle a quitté pour revenir ici, le somptueux appartement dominant Central Park où elle nageait dans l'argent et le luxe, mariée à l'homme qui faisait rêver d'innombrables femmes : Mitchell Geary.

Rachel ne regrette pas d'avoir quitté Dansky. La vie qu'elle y menait, morne et répétitive, lui donnait l'impression d'étouffer. L'avenir n'était pas plus joyeux. Les femmes célibataires de Dansky ne se brisaient pas le cœur en nourrissant des rêves insensés. Ce qu'elles voulaient, c'était se marier, et, si leurs maris n'étaient pas trop soûls deux ou trois soirs par semaine, si leurs enfants naissaient avec tous leurs membres, elles s'estimaient heureuses, et elles se préparaient à un long déclin.

Rachel avait d'autres objectifs en tête. Elle avait quitté Dansky le surlendemain de son dix-septième anniversaire, sans même se retourner. Il existait une autre vie ailleurs ; elle l'avait vue dans les magazines et à la télé : une vie pleine de possibilités, une vie de star de cinéma, une vie qu'elle avait l'intention de s'offrir. Évidemment, elle n'était pas la seule fille de dix-sept ans à nourrir de tels espoirs en Amérique. Et je ne suis pas le premier à raconter par écrit comment Rachel transforma ce rêve en réalité. J'ai devant moi quatre livres et une pile de magazines – dont la plupart des articles ne méritent pas le terme de reportage –, qui tous évoquent, en usant souvent de métaphores grossières, l'ascension de Rachel Pallenberg. Je m'efforcerai ici d'éviter tous les excès pour m'en tenir uniquement aux faits, mais cette histoire, qui ressemble à un conte de fées par bien des côtés, a de quoi tenter un ascète littéraire, comme vous allez le constater. La jolie fille aux yeux sombres de Dansky, que rien ne distingue de la majorité des autres filles, à part son sourire éblouissant et son charme plein de décontraction, se retrouve, par un pur hasard, en compagnie du célibataire le plus recherché d'Amérique, et elle capte son attention. La suite n'appartient pas encore à l'histoire ; l'histoire exige un certain recul, or cette destinée se poursuit. En tout cas, c'est assurément une chose remarquable.

Comment est-ce arrivé ? Cette partie du récit, au moins, est facile à raconter.

Rachel quitta Dansky avec l'intention de commencer sa nouvelle vie à Cincinnati, où vivait la sœur de sa mère. C'est donc là qu'elle se rendit, et qu'elle demeura pendant environ deux ans. Après une courte et humiliante période de formation pour devenir prothésiste dentaire, elle travailla comme serveuse pendant plusieurs mois. On l'appréciait, mais on ne l'aimait pas. Apparemment, certaines de ses collègues la trouvaient trop ambitieuse ; elle faisait partie de ces gens qui n'hésitent pas à exprimer leurs aspirations et cela agaçait ceux qui avaient peur de faire la même chose, ou qui n'aspiraient à rien tout simplement. Le directeur du restaurant, un certain Herbert Finney, a conservé d'elle deux images différentes, d'une interview à l'autre. Rachel était-elle « une fille plutôt réservée et travailleuse », comme il le raconta à un journaliste, ou bien « une fille qui cherchait les histoires et flirtait avec tous les clients, en essayant toujours de profiter de la situation », comme il l'affirma plus tard à un autre journaliste ? La vérité se cache peut-être au milieu. Une chose est sûre : le métier de serveuse ne lui convint pas très longtemps, pas plus que Cincinnati. Vingt et un mois après son arrivée dans cette ville, à la fin du mois d'août, elle prit le train pour se rendre dans l'est, à Boston. Plus tard, quand un magazine idiot lui demanda pourquoi elle avait choisi cette ville, elle répondit qu'elle avait entendu dire que les mois d'automne y étaient particulièrement beaux. Elle trouva un nouvel emploi de serveuse et partagea un appartement avec deux autres filles, qui venaient elles aussi d'arriver à Boston. Au bout de deux semaines, elle fut engagée par une bijouterie chic de Newbury Street, où elle travailla pendant tout l'automne – qui fut effectivement magnifique, clair et frais –, jusqu'au 23 décembre, en fin d'après-midi, lorsque le père Noël lui rendit visite sous les traits de Mitchell Geary.

2

Il se mit à neiger cet après-midi-là ; vers les quatorze heures, les premiers flocons firent leur apparition au moment où Rachel revenait de déjeuner. Les prévisions météorologiques pour le restant de la journée et la nuit s'aggravaient d'heure en heure : le blizzard approchait.

Les affaires tournaient au ralenti ; les gens quittaient la ville prématurément, bien qu'ils puissent compter sur leurs doigts et leurs orteils les heures qu'il leur restait pour faire leurs courses avant Noël. Le directeur de la bijouterie, M. Erickson (un homme de quarante ans qui possédait l'élégance lasse et un peu triste d'un individu deux fois plus âgé), s'entretenait au téléphone avec son patron, dans le bureau du fond, pour savoir s'il était possible de fermer plus tôt exceptionnellement, lorsqu'une limousine s'arrêta devant la boutique et qu'un homme brun, jeune, emmitouflé dans un épais manteau au col relevé, franchit à grands pas et les yeux baissés les dix mètres qui séparaient la limousine de la bijouterie, comme s'il craignait d'être reconnu. Il tapa des pieds pour décoller la neige de ses chaussures et entra. Erickson était toujours dans le bureau, en train de négocier l'heure de fermeture. L'autre vendeuse, Noelle, était partie chercher un café. Il incomba donc à Rachel de servir l'homme au manteau.

Elle savait qui il était, évidemment. Qui ne le savait pas ? Ce visage à la beauté classique – les pommettes saillantes, le regard profond, la bouche ferme et sensuelle, les cheveux rebelles – apparaissait chaque mois dans un ou plusieurs magazines. Mitchell Monroe Geary était un des hommes les plus observés d'Amérique, celui qui provoquait le plus de commentaires et de pâmoisons. Et voilà qu'il se tenait devant Rachel, avec des flocons de neige qui fondaient sur ses longs cils noirs.

Que s'était-il passé ensuite ? Leur échange avait été assez banal. Il était à la recherche, expliqua-t-il, d'un cadeau de Noël pour l'épouse de son grand-père, Loretta. Un bijou avec des diamants. « Elle adore les diamants », précisa-t-il en secouant légèrement la tête. Rachel lui montra une sélection de broches, en priant pour qu'Erickson ne raccroche pas trop vite et pour qu'il y ait suffisamment la queue à la cafétéria pour retarder de cinq minutes encore le retour de Noelle. Avoir pour elle seule le prince Geary quelques instants de plus, voilà tout ce qu'elle demandait.

Il dit qu'il aimait bien le papillon et l'étoile. Elle les décrocha de leurs coussinets en velours noir pour lui permettre de les examiner de plus près. Qu'en pensait-elle ? lui demanda-t-il. Moi ? dit-elle. Oui, vous. Eh bien, répondit Rachel, surprise par l'aisance avec laquelle elle s'adressait à lui, si c'est pour votre grand-mère, je pense que le papillon est sans doute un peu trop romantique.

Il la regarda droit dans les yeux, avec une lueur malicieuse dans le regard.

— Qu'est-ce qui vous dit que je ne suis pas passionnément amoureux de ma grand-mère ? répliqua-t-il.

— Si c'était le cas, vous ne seriez pas encore en train de chercher une fiancée, répondit-elle du tac au tac.

— Et comment savez-vous que je cherche une fiancée ?

Cette fois, ce fut elle qui sourit.

— Je lis les magazines.

— Ils ne racontent jamais la vérité. Je mène une vie de moine, je vous le jure.

Rachel ne releva pas, sans doute en avait-elle déjà trop dit, pensait-elle. Si elle perdait la vente, elle perdait sa place en même temps, si par malheur Erickson avait entendu leur échange.

— Je prends l'étoile, déclara-t-il. Merci pour le conseil.

Il effectua son achat et repartit, en emportant la broche, son charme, sa présence et la lueur de son regard. Bizarrement, Rachel se sentit flouée après son départ comme s'il avait également emporté une chose qui était à elle. Idée absurde. Juste au moment où il se dirigeait vers la limousine, Noelle revint avec les cafés.

— C'était bien qui je pense ? demanda-t-elle, les yeux écarquillés.

Rachel répondit par un hochement de tête.

— Il est encore plus craquant en vrai, hein ? dit Noelle. (Rachel hocha la tête.) Attention, ma vieille, tu baves.

Rachel éclata de rire.

— Il est beau, dit-elle simplement.

— Il était seul ?

Noelle se retourna pour voir la limousine démarrer.

— *Elle* était avec lui ?

— Qui ça ?

— Natasha Morley. Le top model. L'anorexique.

— Elles sont toutes anorexiques.

— Ces filles ne sont pas heureuses, déclara Noelle avec une conviction inébranlable. On ne peut pas être aussi maigre et heureuse.

— Elle n'était pas avec lui. Il est venu acheter un bijou pour sa grand-mère.

— Oh, cette peau de vache ! Celle qui s'habille toujours en blanc.

— Loretta.

— Exact. Loretta. La seconde femme de son grand-père.

À écouter Noelle, la famille Geary habitait juste à côté de chez elle.

— J'ai lu dans *People* un article disant que c'était quasiment elle qui dirige la famille. Elle contrôle tout le monde.

— Je vois mal quelqu'un contrôlant Mitchell Geary, dit Rachel.

— Oui, mais je parie que tu aimerais bien essayer !

Erickson émergea du bureau sur ces entrefaites, de fort méchante humeur. En dépit de la tempête de neige qui ne cessait d'empirer, ils avaient ordre de ne fermer qu'à vingt heures trente. C'était mieux que rien : deux jours avant Noël, ils restaient ouverts généralement jusqu'à vingt-deux heures, afin d'attirer ce qu'Erickson nommait « la clientèle des maris honteux ». Plus le cadeau coûtait cher, affirmait Erickson, plus le client avait commis d'adultères dans l'année. Quand il était d'humeur particulièrement acerbe, il ne répugnait pas à citer un chiffre dès que la porte se refermait.

Alors, ils demeurèrent à leur poste consciencieusement, tandis que dehors, la neige redoublait de violence, comme prévu. Il y eut encore quelques clients, mais rien de très important.

Et puis, juste au moment où Erickson s'apprêtait à vider toutes les vitrines pour la nuit, un homme entra avec une enveloppe destinée à Rachel.

— M. Geary est désolé, il ne connaît pas votre prénom, lui dit le messager.

— Je m'appelle Rachel.

— Je le lui dirai. Je suis son chauffeur et son garde du corps, au fait. Je m'appelle Ralph.

— Bonsoir, Ralph.

Ralph – qui mesurait pas loin de deux mètres et semblait avoir connu une brillante carrière de punching-ball – lui adressa un large sourire.

— Bonsoir, Rachel. Ravie de vous connaître. (Il ôta son gant en cuir pour lui serrer la main.) Bonsoir à tous.

Il se dirigea vers la sortie d'un pas lourd.

— Ah, au fait, évitez le Totin Bridge. Il y a eu un accident et c'est complètement bouché.

Rachel n'avait aucune envie d'ouvrir l'enveloppe devant Noelle et Erickson, mais elle ne supportait pas de devoir attendre dix-neuf minutes jusqu'à la fermeture de la bijouterie pour se retrouver seule dans la rue. Alors, elle l'ouvrit. À l'intérieur se trouvait une petite carte rédigée de la main de Mitchell Geary pour l'inviter à boire un verre à l'Algonquin Club le lendemain soir, jour du réveillon de Noël.

Trois semaines et demie plus tard, dans un restaurant de New York, il lui offrait la broche papillon en diamants et lui avouait qu'il était tombé amoureux.

Chapitre deux

Ce moment en vaut bien un autre pour tenter de brosser le tableau de la famille Geary. La descente est longue, très longue, de la branche la plus haute, là où se posa Rachel Pallenberg lorsqu'elle devint l'épouse de Mitchell Geary, jusqu'aux racines de la famille, des racines enfoncées si profondément dans la terre que je ne suis pas sûr d'être prêt à les déterrer dès maintenant. À la place, permettez-moi de m'intéresser, pour le moment du moins, à la partie visible de cet arbre généalogique, celle qui apparaît dans les livres qui traitent de l'ascension et de l'influence de la machine Geary.

Très vite, il apparaît, même en parcourant d'un œil distrait ces ouvrages, que pendant plusieurs générations les Geary se sont comportés (et ont été traités) comme une sorte de famille royale américaine. À l'instar des membres de la royauté, ils ont toujours agi comme s'ils étaient au-dessus du droit coutumier, aussi bien dans le domaine de la vie privée que dans celui des affaires. Au fil des ans, plusieurs membres de la dynastie ont commis des actes qui les auraient expédiés derrière les barreaux s'ils n'avaient pas été ce qu'ils étaient, des actes allant de la conduite en état d'ébriété avancée aux violences conjugales. Comme dans les familles royales, leurs passions et leurs échecs se sont souvent accompagnés d'une splendeur qui nous galvanisait, nous autres qui menons des existences confinées par nécessité. Même les personnes qu'ils avaient trompées durant toutes ces années – que ce soit dans leurs vies personnelles ou par leurs machinations commerciales – étaient fascinées par ces gens, prêtes à pardonner et oublier si seulement le regard des Geary pouvait se poser encore une fois sur elles.

Et, comme la royauté, ils avaient les mains tachées de sang. Aucun trône n'a jamais été conquis ni conservé sans violence, et, même si les Geary n'étaient pas bénis par ces dieux faiseurs de rois qui avaient sacré les têtes couronnées d'Europe, ou les empereurs de Chine et du Japon, il existait un esprit noir et sanguinaire dans leur âme collective, un démon des Geary en quelque sorte, qui leur conférait une autorité sans aucune commune mesure avec leurs droits séculiers. Un esprit qui les rendait farouches en amour et féroces dans leurs haines ; en outre, ils possédaient une volonté de fer et une grande longévité, et leur cruauté s'exerçait avec la même désinvolture que leur charisme.

La plupart du temps, on aurait dit qu'ils n'avaient même pas conscience de ce qu'ils faisaient, que ce soit bien ou mal. Ils vivaient dans une sorte de transe égocentrique, comme si le reste du monde n'était qu'un miroir qu'on brandissait devant leurs yeux, et ils traversaient l'existence en ne voyant qu'eux-mêmes.

D'une certaine façon, l'amour représentait la manifestation ultime du démon des Geary, car c'était par le biais de l'amour que la famille s'agrandissait et s'enrichissait.

Pour les hommes, avoir des maîtresses était presque un point d'honneur, et il était bon que tout le monde le sache, même si on n'abordait le sujet qu'à mots couverts. Cette tradition contestable avait été introduite par le grand-père de Mitch, Laurence Grainger Geary, un obsédé sexuel à l'énergie légendaire qui avait engendré, estimait-on, au moins deux douzaines de bâtards. Ses goûts en matière de maîtresses étaient étendus. À sa mort, deux Noires du Kentucky, des sœurs, rien que ça, prétendirent avoir mis au monde ses enfants ; une philanthrope juive très respectée, vivant dans le nord de l'État de New York, et qui avait siégé avec le vieux Geary dans un comité pour la réhabilitation de la morale publique, avait tenté de se suicider et avoué dans sa lettre d'adieu la véritable paternité de ses trois filles, tandis que la tenancière d'un bordel du Nouveau-Mexique exhibait son fils devant la presse locale pour montrer à quel point il ressemblait à un Geary.

Verna, l'épouse de Laurence, n'avait pas réagi publiquement à toutes ces affirmations. Mais celles-ci furent fatales à la pauvre femme. Un an plus tard, elle fut admise dans le même asile psychiatrique qui avait accueilli Mary Lincoln durant les dernières années de sa vie. C'est là que Verna Geary survécut pendant un peu plus de dix ans, avant de quitter ce monde de manière pitoyable.

Un seul de ses quatre enfants (elle en avait perdu trois autres en bas âge) continua à veiller sur elle durant ces années de déchéance ; il s'agissait de sa fille aînée, Eleanor. Mais la vieille femme n'avait que faire de la constante attention d'Eleanor. Elle n'aimait qu'un seul de ses enfants au point de réclamer sa présence, en le suppliant lettre après lettre, pendant toute la durée de son enfermement : c'était son fils adoré, Cadmus. Hélas, l'objet de son affection demeurait indifférent. Il lui rendit visite une fois et ne revint plus jamais. Nul doute que Verna était responsable de la cruauté de son fils. Dès son plus jeune âge, elle lui avait appris qu'il était un être hors du commun, et ce caractère exceptionnel se traduisait, entre autres choses, par le fait qu'on ne l'obligeait jamais à poser les yeux sur un spectacle qui lui déplaisait. Et aujourd'hui, confronté à pareil spectacle – celui de sa mère dans un profond état de confusion mentale –, il se contentait de détourner le regard.

« Je veux m'entourer des choses que j'ai plaisir à regarder, expliqua-t-il à sa sœur horrifiée, et je n'ai *aucun* plaisir à *la* regarder. »

Ce qui réjouissait les sens du jeune homme de vingt-huit ans qu'était Cadmus à cette époque, c'était une femme nommée Katherine Faye Browning – Kitty pour les intimes –, fille d'un magnat de l'acier de Pittsburgh. Cadmus l'avait rencontrée en 1919 et courtisée avec acharnement pendant deux ans, durant lesquels il avait commencé à utiliser son génie de la finance pour faire fructifier la fortune déjà considérable de son père. Il ne s'agissait pas d'un concours de circonstances fortuit. Plus Kitty Browning jouait avec les sentiments de Cadmus (refusant de le voir pendant presque deux mois, à l'automne de cette année-là, simplement parce que, comme elle l'écrivit, *« Je veux savoir si je peux vivre sans toi. Si j'en suis capable, je le ferai, car ça veut dire que tu n'es pas l'homme qui gouverne mon cœur »*), plus la frustration alimentait les ambitions du jeune homme. Sa réputation de grand stratège financier – et d'adversaire démoniaque pour qui s'opposait à lui – se forgea durant ces années-là. Et bien qu'il s'adoucît quelque peu par la suite, quand les gens pensaient à Cadmus Northrop Geary, c'était l'image du jeune Cadmus qui leur venait à l'esprit : l'homme qui ne pardonnait rien.

Au cours de la construction de son empire, il se comporta comme une divinité séculaire. Des communautés dépendant des industries qu'il rachetait se retrouvaient détruites sur un coup de tête, tandis que d'autres, au contraire, prospéraient si elles avaient l'heur de lui plaire. Arrivé à l'âge mûr, il avait déjà accompli plus de choses que la plupart des hommes rêvent de réaliser durant cent vies. Il n'existait aucun lieu de pouvoir où il ne soit connu et adulé. Il influençait l'adoption des lois et la nomination des juges ; il achetait aussi bien des républicains que des démocrates (et les abandonnait à la merci de leurs partis respectifs une fois qu'il n'avait plus besoin d'eux) ; il couvrait de ridicule de grands hommes et – quand cela lui convenait – il hissait des imbéciles à des postes importants.

Ai-je besoin de préciser que Kitty Browning finit par succomber à l'insistance de Cadmus et l'épouser ? Ou de préciser qu'il commit son premier adultère – un *batifolage*, comme il disait – durant leur voyage de noces ?

Un homme aussi puissant et influent que Cadmus – sans parler de sa beauté (il était bâti sur le modèle américain classique, avec un corps gracieux dans l'effort et élégant au repos, des traits fins et symétriques perpétuellement hâlés, un regard pénétrant, un sourire qui l'était encore plus) –, un homme comme lui était en permanence entouré d'admiratrices. Il n'y avait rien de languissant ni de terne en lui ; rien qui trahisse le doute ou la fatigue : c'était là que résidait sa force. Eût-il été un homme meilleur, ou pire encore, fit remarquer un jour sa sœur, il aurait pu devenir président. Mais il n'avait aucun désir de gaspiller ses talents dans la politique. Alors qu'il y avait tellement de femmes à séduire (si on peut employer le mot « séduire » quand l'entreprise nécessitait si peu d'efforts), il partageait son temps entre ses bureaux de New York et de Chicago, ses maisons de Virginie et du Massachusetts, et les lits de plusieurs centaines de femmes par an, versant de l'argent aux maris courroucés qui découvraient cet adultère, à moins qu'il les engage.

Quant à Kitty, elle avait sa propre vie : quatre enfants à élever et un calendrier mondain copieusement rempli. Elle n'avait aucune envie d'avoir un mari dans les pattes. Du moment que Cadmus ne la mettait pas dans l'embarras avec ses intrigues, elle était bien contente de le laisser mener ses petites affaires.

Une seule histoire d'amour – ou plus exactement, une histoire d'amour ratée – vint menacer cet étrange équilibre. En 1926, à l'invitation de Lionel Bloombury, qui dirigeait un petit studio indépendant à Hollywood, Cadmus se rendit sur la côte Ouest. Il se considérait comme un connaisseur dans le domaine du cinéma, et Lionel lui avait naturellement suggéré d'investir une partie de son capital dans cette industrie. Ce qu'il fit par la suite ; il plaça l'argent des Geary dans la Metro-Goldwyn-

Mayer, à la grande époque, et récolta de substantiels bénéfices. Il acheta également de grands terrains dans des endroits qui deviendraient par la suite Beverly Hills et Culver City. Mais la seule chose qu'il désirait véritablement à Hollywood, il ne put se l'offrir : il s'agissait d'une actrice nommée Louise Brooks. Il la rencontra : lors de l'avant-première des *Mendiants de la vie*, un film Paramount dans lequel elle jouait avec Wallace Beery. Elle lui fit l'effet d'une présence quasi surnaturelle ; pour la première fois, confia-t-il à un ami, il croyait au paradis, à l'idée d'un jardin idéal d'où les hommes avaient été chassés pour avoir manipulé les femmes.

Le sujet de cette discussion métaphysique, Louise elle-même, était assurément d'une grande beauté ; ses cheveux d'un noir brillant coupés à la garçonne encadraient son visage pâle sculpté de manière exquise. Mais c'était également une femme ambitieuse et astucieuse qui n'avait nulle envie d'être un objet d'art pour Cadmus ou n'importe qui d'autre. L'année suivante, elle partit pour l'Allemagne afin de tenir la vedette dans deux films, dont un, *Loulou*, qui l'immortaliserait. Cadmus était à ce point épris qu'il prit le bateau pour l'Europe dans l'espoir de nouer une liaison avec Louise, et il semblerait que celle-ci n'ait pas totalement rejeté ses avances. Ils dînèrent ensemble et firent quelques excursions quand le programme de tournage le permettait. Mais apparemment, elle jouait avec lui. De retour sur le plateau, elle alla se plaindre au metteur en scène, un dénommé Pabst, en disant que la présence de Geary nuisait à sa concentration ; était-il possible de le faire sortir ? Il se produisit une sorte d'altercation, quelques jours plus tard, lorsque Cadmus – qui avait tenté, apparemment, d'acheter entre-temps le studio qui produisait *Loulou*, mais en vain – pénétra de force sur le plateau avec l'espoir de parler à Louise. Celle-ci refusa de l'écouter et Cadmus fut expulsé sans ménagement. Trois jours plus tard, il était à bord d'un bateau qui le ramenait en Amérique.

Sa « folie », ainsi qu'il nommerait par la suite cet

épisode, était passée. Il retrouva sa vie d'homme d'affaires avec un appétit aiguisé, pour ne pas dire vorace. Un an après son retour, en octobre 1929, l'effondrement de la Bourse marqua le début de la Dépression. Cadmus affronta la calamité comme un dresseur de chevaux sauvages dans les westerns qu'il aimait tant ; il ne se laissa pas désarçonner. D'autres hommes riches s'endettèrent et finirent dans l'indigence, beaucoup mirent fin à leurs jours, mais durant ces années où le pays traversa la pire crise économique depuis la guerre de Sécession, Cadmus transforma les défaites de ceux qui l'entouraient en victoires personnelles. Il rachetait des sociétés en ruine pour une bouchée de pain et lançait des gilets de sauvetage à quelques rares chanceux qui se noyaient autour de lui, s'assurant ainsi leur loyauté une fois la tempête passée.

En outre, il ne faisait pas uniquement des affaires avec ceux qui étaient restés relativement honnêtes et traversaient des temps difficiles ; il traitait également avec des hommes aux mains tachées de sang. C'était l'époque de la prohibition, il y avait beaucoup d'argent à gagner en fournissant de l'alcool aux palais asséchés des Américains. Et partout où il y avait des profits à réaliser, on trouvait Cadmus Geary. Durant les quatre années entre son retour d'Allemagne et l'abrogation du 18e Amendement, il investit l'argent des Geary dans plusieurs affaires d'alcool et de « divertissement » illicites, raflant des bénéfices dont le fisc ignorait tout et qu'il réinvestissait aussitôt dans ses activités légales.

Néanmoins, il faisait attention dans le choix de ses associés ; il évitait de fréquenter des individus trop fiers de leur triste notoriété. Ainsi, il ne traita jamais avec Capone et ses semblables, préférant des hommes plus tranquilles comme Tyler Burgess et Clarence Filby, dont les noms n'apparaissaient pas à la une des journaux ou dans les livres d'histoire. En vérité, Cadmus n'avait pas assez de cran pour être un criminel. Alors qu'il amassait énormément d'argent grâce à ces activités illégales, il rompit tout contact au printemps 1933, juste avant le vote de l'abrogation de la prohibition par le Congrès, avec les « Hommes du Midwest » comme il les appelait.

À vrai dire, ce fut Kitty qui lui força la main. En temps normal, elle ne se mêlait jamais des affaires de son mari, mais là, lui dit-elle, il ne s'agissait pas d'une question financière : la réputation de sa famille serait irrémédiablement souillée si on pouvait prouver que son mari était lié à cette vermine. Cadmus s'empressa de céder à cette pression ; de toute façon, il n'aimait pas traiter avec ces gens. La plupart étaient des paysans ; une génération plus tôt, dit-il, ils vivaient encore dans un coin paumé au fin fond de l'Europe et ils bouffaient les croûtes de leurs ânes. Cette remarque amusa Kitty ; elle se l'appropria pour l'utiliser quand elle se sentait d'humeur particulièrement malveillante.

La prohibition et les tristes années de la Dépression ne furent bientôt plus qu'un souvenir ; les Geary étaient maintenant une des familles les plus riches de toute l'histoire de ce continent. Ils possédaient des aciéries, des chantiers navals et des abattoirs. Ils possédaient des plantations de café et de coton, et d'immenses étendues de terres consacrées à la culture de l'orge ou du blé et à l'élevage du bétail. Ils possédaient de vastes terrains dans les trente plus grandes villes d'Amérique ainsi que la plupart des immeubles, maisons et résidences construits sur ces terrains. Ils possédaient des chevaux et des hippodromes, des voitures de course. Ils possédaient des usines de chaussures, des conserveries et une chaîne de restaurants de hot dogs. Ils possédaient des magazines et des quotidiens, les distributeurs qui diffusaient ces publications et les kiosques dans lesquels elles étaient vendus. Ce qu'ils ne pouvaient s'offrir, ils apposaient leur nom dessus. Comme pour différencier sa noble famille de ces paysans avec qui il avait cessé de faire des affaires en 1933, Cadmus autorisa Kitty a dépenser des dizaines de millions de dollars pour soutenir des œuvres philanthropiques, si bien que, au cours des deux décennies suivantes, le nom de la famille Geary apparut sur des façades d'hôpitaux, d'écoles et d'orphelinats. Mais bien évidemment, toutes ces bonnes œuvres n'empêchaient pas les observateurs cyniques de remarquer l'inextinguible soif de possession de Cadmus. Malgré les années qui passaient, il ne semblait pas décidé à lever le pied. Au milieu des années soixante, à un âge où des hommes moins passionnés rêvaient de parties de pêche et de jardinage, Cadmus tourna son appétit vers l'Orient, vers Hongkong et Singapour, où il appliqua les méthodes de pillage qui avaient fait sa réussite en Amérique. Son flair ne l'avait pas abandonné ; son savoir-faire magique transformait les entreprises l'une après l'autre. C'était un mastodonte discret, devenu presque invisible, doté d'une réputation quasi légendaire.

Il continuait ses batifolages, comme dans sa jeunesse, même s'il attachait beaucoup moins d'importance qu'autrefois à la frénésie de la conquête sexuelle. Au dire de nombreuses personnes, il restait un amant remarquable (peut-être choisissait-il délibérément des femmes moins discrètes que ses maîtresses de jadis, comme pour mieux afficher sa virilité), mais, après l'épisode Louise Brooks, il n'approcha jamais plus de cet état de bonheur intense que procure l'amour, sauf dans ses envolées capitalistes. C'était seulement dans ces moments-là qu'il avait l'impression de vivre, comme quand il avait rencontré Kitty, ou quand il avait suivi Louise en Allemagne ; il n'y avait que dans ces moments-là qu'il exultait, ou qu'il approchait du bonheur.

Entre-temps, évidemment, une nouvelle génération de Geary grandissait. Il y eut d'abord Richard Emerson Geary, né en 1934, après deux fausses couches de Kitty. Puis, un an plus tard, Norah Faye Geary, et deux ans après, George, le père de Mitchell Garrison, vint au monde.

À bien des égards, Richard, Norah et George furent les mieux lotis sur le plan des sentiments, toutes générations confondues. Kitty était sensible au pouvoir corrupteur de l'argent : elle avait été témoin, au sein même de sa famille, de la manière dont il pouvait détruire des êtres sains. Elle faisait tout son possible pour protéger ses enfants du danger qu'il y avait à grandir en ayant l'impression d'être extraordinaire ; et sa capacité à aimer, étouffée par son mariage, s'épanouissait de façon éloquente dans ses rapports avec ses enfants. Des trois enfants, c'était Norah la plus gâtée, de la faute de l'impénitent Cadmus. Très vite, elle devint une sale gamine, et, malgré tous ses efforts, Kitty ne parvint pas à la discipliner. Chaque fois que Norah n'obtenait pas ce qu'elle voulait, elle allait pleurer devant son père, qui lui donnait ce qu'elle réclamait. Ce procédé atteignit des proportions grotesques quand Cadmus fit en sorte que sa fille de onze ans, qui s'était mise en tête de devenir actrice, puisse tourner un véritable bout d'essai, réalisé sur les plateaux de la MGM. Les effets à long terme de cette idolâtrie n'apparaîtraient pas avant plusieurs années, mais ils se solderaient par un drame.

Pendant ce temps, Kitty dispensait son amour plein de bon sens à Richard et George et elle regardait ses deux fils devenir deux hommes extraordinairement compétents. Ce n'était pas un hasard si aucun des deux n'avait envie de gérer l'empire Geary ; Kitty leur avait inculqué de manière subtile un mépris pour le monde dans lequel Cadmus avait bâti un millier de fortunes. C'est seulement lorsque apparurent les premiers signes de la détérioration mentale de Cadmus, vers les soixante-quinze ans, que George, le cadet, accepta d'abandonner sa société d'investissement pour prendre en main la rationalisation de ce qui était devenu un empire incontrôlable. Une fois en place, il découvrit que cette tâche était plus adaptée à sa personnalité qu'il ne l'avait cru. Il fut accueilli par les investisseurs, les syndicats et les membres du conseil d'administration comme un Geary d'un autre type, plus soucieux du bien-être de ses employés et des groupes humains souvent dépendants des investissements de la famille Geary que de la recherche du profit.

C'était également un père de famille exemplaire, à l'ancienne pourrait-on dire. Il épousa une certaine Deborah

Halford, sa fiancée du lycée, et tous deux menèrent une existence qui s'inspirait de l'environnement stable et affectueux que Kitty s'était toujours efforcée d'offrir à ses enfants. Son frère aîné, Richard, était devenu avocat plaidant, avec un flair pour les meurtriers et la rhétorique ; sa vie ressemblait à un long dernier acte d'opéra débordant d'émotions outrées. Quant à la pauvre Norah, elle était passée d'un mariage raté à un autre, toujours à la recherche de l'homme qui lui accorderait cette dévotion sans bornes qu'elle avait trouvée auprès de papa.

Par contraste, George menait un existence presque terne, bien qu'il gérât presque toute la fortune des Geary. Il parlait d'une voix calme, ses manières étaient discrètes et son sourire charmeur, quand on l'apercevait. Malgré son savoir-faire avec les employés, il n'était pas toujours facile de marcher sur les traces de Cadmus. Tout d'abord, le vieil homme n'avait nullement renoncé à essayer d'influencer la gestion de son empire, et, une fois ses ennuis de santé terminés, il pensait bien retrouver son siège en bout de table lors des conseils d'administration. Ce fut Loretta, sa seconde épouse, qui le persuada qu'il serait plus sage de laisser les rênes à George et de se contenter d'un rôle consultatif. Le vieil homme accepta cette solution, mais à contrecœur : quand il désapprouvait les décisions de son fils, il n'hésitait pas à le critiquer publiquement, et plus d'une fois il fit avorter des accords que George avait préparés pendant des mois.

Parallèlement, pendant que Cadmus faisait tout son possible pour ternir la réussite de son fils, d'autres problèmes surgirent. Il y eut d'abord les enquêtes concernant des délits d'initiés relatifs aux avoirs boursiers des Geary, puis l'effondrement complet du chiffre d'affaires en Extrême-Orient, après le suicide de l'homme que Cadmus avait nommé et qui avait dissimulé, comme on le découvrit par la suite, plusieurs milliards de pertes, et enfin, la révélation, après un demi-siècle de secret soigneusement gardé, des activités de Cadmus durant la prohibition, dans un livre qui figura brièvement dans la liste des best-sellers en dépit des manœuvres juridiques de Richard visant à le faire interdire, pour diffamation.

Quand les choses devenaient trop frénétiques, George se réfugiait dans une vie de famille quasiment idyllique. Deborah était une mère poule-née ; son seul désir était de construire un petit nid où son mari et ses enfants se sentiraient dorlotés et à leur aise. Une fois la porte refermée, disait-elle, le monde extérieur ne pouvait plus entrer sans être invité, et cette règle s'appliquait également à tous les membres du clan Geary. Si George avait besoin de solitude, d'un moment de répit pour écouter sa collection de disques de jazz ou pour jouer avec les enfants, elle pouvait se montrer réellement féroce pour défendre son foyer. Même Richard, l'avocat qui avait pourtant convaincu des jurys de l'impossible, ne parvenait pas à franchir le barrage de Deborah quand elle protégeait l'intimité de George.

Les quatre enfants de ce mariage heureux – Tyler, Karen, Mitchell et Garrison – ne manquaient donc ni d'affection, ni de pragmatisme, mais ils étaient également soumis à une succession de tentations que n'avaient pas connues les générations précédentes. Ils furent également les premiers Geary à être suivis en permanence par des paparazzi au cours de leur adolescence, à être dénoncés par leurs camarades de classe quand ils fumaient de l'herbe ou essayaient de coucher avec quelqu'un, les premiers à apparaître en couverture des magazines quand ils se baignaient nus. Malgré tous ses efforts, Deborah ne pouvait pas protéger ses enfants des vautours qui venaient rôder dans les parages. D'ailleurs, il était préférable de ne pas essayer, disait George. Les enfants apprendraient ainsi la douleur de l'humiliation publique de la manière la plus brutale, en souffrant. S'ils étaient intelligents, ils changeraient de comportement. Sinon, disait-il, ils finiraient comme sa sœur Norah qui collectionnait les couvertures de magazines à scandale et les psychiatres. C'était un monde cruel et l'amour n'empêchait personne de souffrir. Peut-être pouvait-il, parfois, accélérer la cicatrisation des plaies.

Chapitre trois

1

Dire que j'avais promis d'être bref. J'avais l'intention d'écrire un court chapitre, condensé, pour vous donner un aperçu de l'arbre généalogique de la famille Geary, et voilà que je me retrouve perdu dans ses branches. Or, chaque ramification n'a pas de rapport direct avec cette histoire ; si tel était le cas, je n'aurais jamais entrepris cette tâche. Mais il existe de surprenantes connexions entre certaines choses que je vous ai racontées et des événements futurs. Pour vous donner un exemple : Rachel a une façon de sourire, parfois, qui n'est pas sans rappeler la lueur d'humour malicieux qui brillait dans les yeux de Louise Brooks, et bien évidemment, elle a les mêmes cheveux noirs et brillants que Louise. Il est donc important que vous sachiez à quel point Cadmus était attaché à Louise, si vous voulez comprendre l'influence que Rachel exercera sur lui par la suite.

Mais plus important que tous ces détails, me semble-t-il, c'est la perception d'ensemble du modèle créé par ces gens en inculquant leurs principes, bons et mauvais, à leurs enfants. Comment, par exemple, Laurence Grainger Geary (qui mourut, soit dit en passant, dans le lit d'une prostituée à La Havane) apprit à son fils Cadmus à ignorer la peur et la pitié. Comment Cadmus fit de Norah un être totalement autodestructeur, et de George un homme qui se consacra de manière discrète à causer la perte de son père.

George. Prenons un petit moment pour achever l'histoire de George. Ce fut une triste fin pour un homme si agréable, et d'innombrables questions planent encore autour de sa mort. Le 6 février 1981, au lieu de rejoindre sa résidence secondaire de Caleb's Creek qu'il adorait, pour retrouver sa famille, il se rendit en voiture à Long Island. Étonnamment, c'était lui qui conduisait. George n'aimait pas conduire, surtout quand le temps était épouvantable, comme cette nuit-là. Il appela Deborah pour lui dire qu'il arriverait tard, car il avait « une pénible histoire de boulot à régler », mais il promettait d'être là dans la nuit. Deborah l'attendit. Il n'arriva jamais. À trois heures du matin, elle appela la police et, dès l'aube, des recherches furent entreprises. Elles se poursuivirent tout le samedi et tout le dimanche, sous la pluie, sans le moindre résultat. Ce n'est que le lundi matin, vers sept heures et demie, qu'un homme qui promenait son chien sur le rivage à Smith Point Beach décida de jeter un œil à l'intérieur d'une voiture qui était stationnée là, près de la plage, depuis trois jours. Il découvrit le corps d'un homme. C'était George. La nuque brisée. Le meurtre avait été commis sur la plage – il y avait du sable dans les chaussures, les cheveux et la bouche de George – et on avait transporté le corps dans la voiture ensuite. On retrouva son portefeuille par la suite, sur la plage. Une seule chose avait disparu : la photo de sa femme.

La chasse au meurtrier dura plusieurs années (on peut même dire qu'elle se poursuit, d'une certaine façon, le dossier n'ayant jamais été refermé), mais, malgré la récompense d'un million de dollars offerte par Cadmus en échange de toute information pouvant conduire à l'arrestation du meurtrier, celui-ci ne fut jamais retrouvé.

2

Les principales conséquences du décès de George – celles qui concernent directement cette histoire, du moins – sont au nombre de trois. Première conséquence : Deborah se sentit exclue de l'existence de son mari, du fait des circonstances suspectes de sa mort. Que lui cachait-il ? Une chose vitale ; une chose mortelle. Malgré toute la confiance qu'ils se vouaient mutuellement, il existait une chose, une chose terrible, qu'il n'avait pas partagée avec elle. Et elle ignorait de quoi il s'agissait. Pendant plusieurs mois, elle fit bonne figure, soutenue par la nécessité d'apparaître comme une veuve exemplaire, mais, dès que les objectifs des appareils photo se tournèrent vers de nouveaux scandales, de nouvelles horreurs, elle capitula rapidement devant les ténèbres de ses doutes et de son chagrin. Elle partit pendant plusieurs mois en Europe, où la rejoignit sa belle-sœur Norah, avec laquelle, jusqu'à présent, elle n'avait jamais eu de points communs. Pendant ce temps, aux États-Unis, les rumeurs recommencèrent à circuler : les deux femmes vivaient comme deux divas d'un certain âge, affirmaient les journalistes des magazines à scandale, draguant les caniveaux de Rome et de Paris en quête de compagnie. Une chose est sûre : lors de leur retour au pays, en août 1981, Deborah avait la tête d'une femme qui n'a pas seulement vu le Vatican et la tour Eiffel. Elle avait perdu quinze kilos, elle portait des tenues faites pour une femme de dix ans plus jeune et elle chassa à coups de pied le premier photographe qui se dressa sur son chemin à l'aéroport.

La deuxième conséquence du décès de George concerne évidemment ses enfants. Mitchell, âgé maintenant de quatorze ans, était devenu l'objet d'une attention particulière de la part du public après la disparition de son père. Son physique commençait à tenir ses promesses (tout le monde s'accordait à dire que ce serait le plus beau de tous les Geary) et la manière dont il réagissait face à l'intrusion de la presse dans sa vie trahissait une maturité et une dignité d'adulte. C'était un prince, tout le monde s'accordait à le dire : un prince.

Garrison, de six ans son aîné, avait toujours été plus réservé, et il ne chercha pas à masquer son malaise durant cette période. Alors que Mitchell demeurait au côté de sa mère pendant tout le deuil, l'accompagnant dans les galas de charité et autres mondanités à la place de son père, Garrison disparut presque totalement de la scène. Pour toujours. Quant à Tyler et Karen, plus jeunes que Mitchell, leurs vies demeurèrent à l'abri de la curiosité des journalistes, pendant quelques années du moins. Tyler devait mourir en 1987, en même temps que son oncle Todd, le quatrième mari de Norah, lorsque le petit avion de tourisme piloté par Todd s'écrasa lors d'un orage soudain, près d'Orlando en Floride. Karen – qui, rétrospectivement, ressemblait peut-être davantage que les autres à son père, de par sa nature raffinée – devint archéologue et se distingua très vite dans ce domaine.

La troisième conséquence de la disparition brutale de George Geary fut le retour au premier plan de Cadmus Geary. Il avait surmonté les problèmes physiques et psychologiques qui l'avaient ébranlé, comme il avait surmonté tant d'autres choses dans sa vie, et, maintenant que l'empire Geary avait besoin d'un leader, il était là pour reprendre les rênes. Malgré ses quatre-vingts ans passés, il se comportait comme si cette petite maladie n'avait été qu'un moyen de se rincer le palais, un sorbet amer qui avait aiguisé son appétit pour déguster le plat de viande rare que l'on déposait devant lui. Dans une décennie de cupidité revendiquée, on assista au retour triomphant de l'homme qui avait édicté les règles modernes du combat. Parfois, il semblait avoir du mal à compenser l'humanité de son fils décédé. Quiconque se dressait contre lui (généralement pour des principes défendus par George) était renvoyé sur-le-champ ; Cadmus n'avait ni le temps ni l'envie de se laisser convaincre.

Wall Street réagit de manière positive à ce changement. « Le vieux Cadmus de retour au pouvoir », titra le *Wall Street Journal* et, en l'espace de quelques mois, on put lire son portrait un peu partout, accompagné de l'inévitable liste de ses cruautés. Cadmus s'en fichait. Il ne s'en était jamais soucié, il ne s'en soucierait jamais. C'était son style, et celui-ci convenait parfaitement bien au monde dans lequel il avait ressuscité.

3

Je reparlerai du vieux Geary plus tard, bien plus longuement. Pour l'instant, laissons-le à son triomphe et revenons-en au sujet de la mortalité. Je vous ai déjà dit comment étaient morts Laurence Geary (le lit de la prostituée à La Havane) et Tyler (à bord de l'avion de l'oncle Todd, en Floride) et bien sûr George (au volant de sa Mercedes, à Long Island), mais d'autres passages vers l'au-delà méritent d'être signalés ici. Vous ai-je parlé de la mère de Cadmus, Verna ? Oui. Elle est morte dans un asile d'aliénés, vous vous en souvenez. Toutefois, je ne vous ai pas précisé que son décès était certainement un meurtre, là aussi, sans doute commis par une autre internée, une certaine Dolores Cooke, qui se suicida ensuite (à l'aide d'un cure-dents qu'elle avait subtilisé et avec lequel elle s'infligea d'innombrables blessures au point de se vider de son sang), six jours après le décès de Verna. Eleanor, sa fille rejetée, mourut à un âge avancé, tout comme Louise Brooks qui abandonna sa carrière d'actrice de cinéma dans les années 30, car elle trouvait que le résultat ne méritait pas tant d'efforts.

De tous les acteurs importants, je n'ai oublié que Kitty, qui mourut d'un cancer de l'œsophage en 1979, juste au moment où Cadmus émergeait de ses propres ennuis de santé. Elle avait deux ans de moins que le siècle. L'année suivante, Cadmus se remaria : l'heureuse élue était une femme de presque vingt ans sa cadette, Loretta Talley (encore une ancienne actrice, d'ailleurs ; Loretta avait joué à Broadway dans sa jeunesse, mais, à l'instar de Louise, elle s'était lassée de cette inanité).

Pour en revenir à Kitty, elle ne joue aucun rôle, ou presque, dans ce qui suit, et je trouve cela dommage, car j'ai en ma possession la copie d'un document extraordinaire qu'elle rédigea durant la dernière année de sa vie et qui pourrait alimenter d'innombrables et passionnantes spéculations. Le texte est totalement désordonné, mais cela n'est pas surprenant si l'on songe à la quantité de médicaments qu'elle prenait à l'époque où elle l'a écrit. Chaque page de ce témoignage (entièrement manuscrit) exprime son désir de vivre des choses plus profondes que les simples devoirs de mère, d'épouse et de philanthrope, sa soif profonde et inassouvie d'un élément poétique dans son existence. Parfois, le texte perd tout sens pour se transformer en une succession d'images décousues. Mais elles aussi sont puissantes. Il me semble qu'elle commence, à la fin de son existence, à vivre dans un présent ininterrompu : un endroit où la mémoire, l'expérience et l'attente sont réunies dans un unique flot délirant de sentiments. Par moments, elle écrit comme une enfant qui regarderait son corps décati, fascinée par ses mutineries et ses aspects grotesques.

Elle parle également de Galilée.

C'est seulement en lisant ce document pour la troisième fois (en l'épluchant pour essayer d'y trouver des indices concernant son opinion sur le meurtre de George Geary) que j'ai remarqué que mon demi-frère apparaissait dans ce texte. Mais il est bien là. Il entre et ressort du récit de Kitty comme cette brise qui, au moment où j'écris ces mots, agite les feuilles sur mon bureau, visible uniquement à travers ses effets. Mais il ne fait aucun doute que Galilée lui offrit, d'une certaine façon, tout ce qu'elle n'avait jamais eu, et qu'il fut, sinon l'amour de sa vie, du moins l'image fugitive et alléchante des changements qu'un amour vraiment fort, un amour réciproque s'entend, aurait pu provoquer en elle.

4

Permettez-moi maintenant de vous offrir une brève visite guidée des différentes maisons de la famille Geary, étant donné que bon nombre de scènes que je vais rapporter se déroulent dans ces lieux. Au fil des ans, les Geary ont acquis une grande quantité de biens immobiliers, et, puisqu'ils n'ont jamais été dans l'obligation de réaliser leur capital, ils n'ont presque rien vendu. Parfois, ils retapaient ces maisons et les occupaient. Mais très souvent, les maisons des Geary sont restées propriété de la famille pendant des dizaines d'années, régulièrement entretenues et redécorées, sans que jamais personne n'en franchisse le seuil. À l'heure où j'écris ce livre, je connais des maisons et des appartements que possèdent les Geary à Washington, Boston, Los Angeles, dans le Montana, en Louisiane, en Caroline du Sud et à Hawaï. En Europe également : Vienne, Zurich, Londres et Paris. Et encore plus loin : Le Caire, Bangkok et Hongkong.

Pour l'instant, ce sont les résidences new-yorkaises que je dois décrire de manière un peu plus détaillée. Mitchell possède un pied-à-terre aux abords de Soho, meublé de manière bien plus extravagante et protégé de manière bien plus obsessionnelle que ne le laisse deviner la banalité de la façade. Margie et Garrison occupent deux étages presque tout en haut de la Trump Tower ; leur appartement offre une vue extraordinaire dans toutes les directions. C'est Margie qui a suggéré cet achat (à l'époque, c'était un des endroits les plus chers au monde et l'idée de dépenser l'argent de Garrison la réjouissait), mais elle n'avait jamais été séduite par cet appartement, malgré son prestige. Le décorateur qu'elle avait engagé, un dénommé Jeffrey Penrose, était mort un mois seulement après avoir achevé la transformation et des articles posthumes dans la presse parlaient de l'appartement de la Trump Tower comme de « sa dernière grande création, semblable à la femme qui l'avait engagé : kitsch, clinquant et délirant ». C'était vrai de l'appartement, c'était vrai de Margie également, à cette époque. Mais les années n'ont pas été tendres. Le strass paraît de mauvais goût aujourd'hui et ce qui semblait si original dans les années quatre-vingt a perdu tout son attrait.

L'unique grande résidence des Geary à New York est celle que tout le monde dans la famille nomme « la demeure » : une immense maison datant de la fin du XIXe siècle située dans l'Upper East Side. Le quartier se nomme Carnegie Hill, mais il pourrait tout aussi bien porter le nom des Geary : Laurence y habitait déjà vingt ans avant qu'Andrew Carnegie ne fasse bâtir sa maison dans la 5e Avenue, au niveau de la 91e Rue. La plupart des maisons qui entourent celle des Geary ont été cédées à des ambassades ; elles sont trop grandes et trop coûteuses pour abriter une seule famille. Mais Cadmus est né et a grandi dans cette demeure, et jamais il n'a envisagé de la vendre. D'abord, toutes les choses qu'elle contient ne trouveraient pas leur place dans un espace aux dimensions plus modestes : il y a entre ces murs assez de meubles, de tapis, d'horloges et d'objets d'art pour créer un musée de taille respectable. Sans parler des tableaux qui, contrairement à la plupart des autres objets, ont été rassemblés par Cadmus en personne. Des toiles de grandes dimensions uniquement, toutes réalisées par des peintres américains. Des œuvres magnifiques signées Albert Bierstadt, Thomas Cole et Frederick Church, de gigantesques peintures représentant des paysages américains dans ce qu'ils ont de plus impressionnant. Aux yeux de certains, ces tableaux sont rétrogrades et prétentieux, œuvres d'artistes au talent limité et trop ambitieux dans leur désir de capter une vision sublime.

Mais, accrochés dans cette maison, occupant parfois un mur tout entier, ces tableaux dégagent un sentiment de force indéniable. D'une certaine façon, ils définissent la maison. Oui, il y fait sombre et lourd ; on a parfois du mal à respirer, semble-t-il, tant l'air est dense, vicié. Mais ce n'est pas le souvenir que les gens gardent de cette maison. Ils se souviennent des tableaux, qui ressemblent presque à des fenêtres, ouvertes sur d'immenses paysages sauvages indomptés.

La maison est tenue par une équipe de six personnes, sous l'œil critique et omniprésent de Loretta. Mais, malgré tous leurs efforts, la maison est plus grande que leurs capacités de travail. Il y a toujours de la poussière qui se dépose quelque part ; ils pourraient travailler vingt-quatre heures par jour, sept jours par semaine, sans jamais parvenir à dominer l'énormité de ce lieu.

Voilà pour les résidences new-yorkaises. En vérité, je ne vous ai pas encore tout dit. Garrison possède un endroit secret, dont Margie elle-même ignore l'existence. Mais je vous en parlerai quand il s'y rendra, et je vous expliquerai pourquoi il est obligé de garder cet endroit secret. Il existe également une maison dans le nord de l'État, près de Rhinebeck, mais celle-ci aussi joue un rôle important dans le récit qui va suivre et je vous la décrirai au moment opportun.

La seule autre résidence dont je veux vous parler ici est située bien loin de New York, mais je dois l'évoquer maintenant, il me semble, car dans mon imagination elle forme une trinité avec « la demeure » et *L'Enfant.* Cette maison est beaucoup plus simple que les deux autres. À vrai dire, c'est sans doute la moins impressionnante de toutes les grandes maisons présentes dans ce récit. Mais elle se dresse à quelques mètres seulement de l'océan Pacifique, au milieu d'un bosquet de palmiers, et, pour les quelques personnes qui ont eu la chance de passer une nuit ou deux sous son toit, elle évoque des souvenirs édéniques.

Nous reviendrons plus tard sur cette maison également, et sur les secrets qu'elle renferme, bien plus moites que ceux que Garrison cache dans son petit refuge, et en même temps d'une telle ampleur de sens qu'ils défient le savoir-faire des hommes qui ont peint la nature sauvage de « la demeure ». Nous n'y sommes pas encore, mais je vous demande de conserver l'image de cet endroit paradisiaque quelque part dans un coin de votre tête, telle une pièce de puzzle éclatante, qui semble n'avoir aucune place dans le tableau, mais qu'il faut conserver et contempler de temps à autre, jusqu'à ce que sa signification apparaisse, et à ce moment-là, on comprend le tableau comme on n'aurait pas pu le comprendre avant que cette pièce trouve sa place.

Chapitre quatre

1

Il faut que j'avance. Ou plutôt, que je revienne en arrière. Pour retrouver ce personnage avec lequel j'ai ouvert cette séquence : Rachel Pallenberg. Dans les deux chapitres précédents, j'ai tenté d'établir une sorte de contexte autour de l'histoire d'amour entre Rachel et Mitchell. J'espère, par conséquent, que vous éprouverez pour Mitchell un peu plus de compassion qu'il semble en mériter au vu de ses actes ultérieurs. Il n'a pas toujours été un homme cruel et blâmable. Mais il avait vécu presque toute sa vie sous les feux des projecteurs, malgré tous les efforts de sa mère. Ce genre d'attention permanente provoque très souvent une certaine affectation dans le comportement d'un individu. Chaque chose devient une sorte de représentation.

Au cours des dix-sept années qui avaient suivi le décès de son père, Mitchell avait appris à se mettre en scène à la perfection ; c'était là son génie. Dans tous les autres domaines – exception faite de son physique –, c'était un être moyen, voire médiocre. Étudiant terne, amant passable, peu brillant dans l'art de la conversation. Mais quand le sujet de la discussion disparaissait, et que seul le charme continuait de flotter dans l'air, il était irrésistible. Je me permets de citer Burgess Motel qui avait passé une demi-journée avec Mitchell afin de réaliser son portrait pour *Vanity Fair* : « Plus ses propos manquaient de profondeur, plus il paraissait à son aise, plus il paraissait parfait, mais oui. Si cette affirmation vous semble flirter dangereusement avec le non-sens, c'est parce qu'il faut être présent, il faut le voir accomplir son numéro très "zen" qui consiste à évoluer dans le néant, pour comprendre à quel point cet homme est convaincant et sexy. Ai-je l'air fasciné ? Je le suis ! »

Ce n'était pas la première fois qu'un auteur masculin se pâmait comme une jeune fille devant Mitchell dans les colonnes d'un magazine, mais c'était la première fois que quelqu'un analysait avec brio la manière dont Mitchell prenait possession d'un lieu. Nul ne manipulait le charme aussi bien que Mitchell, et nul ne savait aussi bien que Mitchell que le charme s'exerçait encore mieux dans le vide.

Tout cela, pensez-vous sans doute, n'est pas flatteur pour Rachel. Comment avait-elle pu tomber amoureuse de tant de futilité ? Se jeter dans les bras d'un homme qui offrait la meilleure image de lui quand il n'avait rien d'intéressant à dire ? Ce n'était pas difficile, croyez-moi. Elle était éblouie, elle était flattée, ensorcelée. Pas uniquement par Mitchell, mais aussi par tout ce qu'il représentait. Depuis qu'elle était née, la famille Geary avait toujours incarné l'idée qu'elle se faisait de l'Amérique, et voilà qu'on lui offrait de pénétrer dans leur cercle, de devenir un élément de leur mystique. Qui pouvait refuser pareille proposition ? C'était une sorte de rêve éveillé ; elle était soudain arrachée à la grisaille de sa pénible existence pour se retrouver dans un lieu coloré, confortable et opulent. Et elle s'étonnait de trouver si aisément sa place dans ce paysage de rêve. Un peu comme si elle avait toujours su, au plus profond d'elle-même, que c'était la vie qu'elle mènerait un jour et s'y était préparée inconsciemment.

Cela ne veut pas dire pour autant qu'elle n'avait jamais la paume des mains moite. Quand elle avait rencontré toute la famille pour la première fois, à l'occasion de la fête organisée pour les quatre-vingt-quinze ans de Cadmus ; quand elle avait descendu pour la première fois un tapis rouge, lors d'un gala de charité au Lincoln Center, juste après l'annonce de ses fiançailles. Quand elle avait pris pour la première fois le jet privé des Geary et s'était retrouvée seule à bord. Tout cela était à la fois tellement étrange et étrangement familier.

De son côté, Mitchell semblait détecter instinctivement la moindre angoisse de Rachel, et il agissait en conséquence. Si elle se sentait mal à l'aise, il se tenait à son côté et lui montrait, par l'exemple, comment repousser poliment des questions impertinentes ou alimenter une conversation banale si son interlocuteur restait muet tout à coup. À l'inverse, si elle semblait s'amuser, il la laissait à ses distractions. Rachel acquit rapidement une réputation de femme pleine d'entrain, à l'aise avec toutes sortes de gens. Mais la plus grande révélation pour elle fut la suivante : tous ces gens puissants, ces potentats auxquels elle commençait à se frotter avaient soif de conversations simples. Très souvent, elle se surprenait à penser : ils ne sont pas différents de nous, finalement. Ils souffraient de dyspepsie et de cors aux pieds, ils se rongeaient les ongles et se souciaient de leur ligne. Évidemment, il y avait bien quelques personnes qui la jugeaient inférieure – généralement des femmes au pedigree incertain –, mais elle affrontait rarement ce genre de snobisme. La plupart du temps, elle était reçue très chaleureusement ; on faisait remarquer qu'elle était celle que Mitchell cherchait depuis longtemps et tout le monde se réjouissait qu'elle soit enfin là.

Quant à son propre passé, elle n'en parla guère au début. Quand les gens l'interrogeaient, elle répondait de manière évasive. Mais à mesure qu'elle prenait confiance en elle, Rachel se mit à parler plus librement de sa vie à Dansky, de sa famille. Il y avait un certain nombre de personnes dont le regard devenait vitreux dès qu'elle mentionnait un endroit situé à l'ouest de l'Hudson, mais la plupart semblaient heureux de découvrir un monde moins clos, moins étouffant que le leur.

« Vous aurez remarqué », lui dit un jour Margie, l'épouse de Garrison, une femme amère au comportement tapageur, réputée pour l'acidité de ses propos, « que vous voyez partout les mêmes vieux visages aigris, où que vous alliez. Savez-vous pourquoi ? Il ne reste plus que vingt personnes importantes à New York, vingt et une maintenant que vous êtes là, et nous allons tous dans les mêmes soirées, nous appartenons tous aux mêmes comités. Et nous sommes fatigués de nous voir. » Elle avait fait cette remarque alors que Rachel et elle étaient sur un balcon surplombant une foule scintillante d'environ mille personnes. « Avant que vous ne fassiez une réflexion, avait ajouté Margie, sachez que c'est juste un jeu de miroirs. »

Inévitablement, il arrivait que quelqu'un fasse un commentaire qui la mettait mal à l'aise. La plupart du temps, ces remarques ne lui étaient pas destinées à elle, mais à Mitchell, en sa présence.

« Où l'as-tu trouvée ? » demandait quelqu'un, sans chercher à offenser Rachel, mais cette question lui donnait le sentiment d'être une chose qu'on achète, comme si celui qui la posait avait l'intention de se précipiter dans la boutique pour s'offrir la même.

— Ils sont jaloux, de ma chance, lui dit Mitchell lorsque Rachel lui fit remarquer le caractère désobligeant de ce genre de remarques. Ils ne veulent pas être grossiers.

— Je sais.

— On n'est pas obligés d'aller dans toutes ces soirées, si tu veux.

— Non, je veux connaître tous les gens que tu connais.

— La plupart sont d'un ennui mortel.

— C'est ce que dit Margie.

— Vous vous entendez bien toutes les deux ?

— Oh, oui. Je l'adore. Cette femme est complètement incroyable.

— C'est une terrible ivrogne, déclara Mitchell d'un ton cassant. Elle se tient mieux depuis deux ou trois mois, mais elle reste incontrôlable.

— Elle a toujours été...

— Alcoolique ? Oui.

— Je peux peut-être l'aider, dit Rachel.

Mitchell l'embrassa.

— Mon bon Samaritain. (Il l'embrassa de nouveau.) Tu peux essayer, mais je ne suis pas très optimiste. Elle a un tas de problèmes à régler. Elle n'aime pas du tout Loretta. Et je crois qu'elle ne m'aime pas beaucoup, moi non plus.

Cette fois, ce fut Rachel qui l'embrassa.

— Comment peut-on ne pas t'aimer ?

Mitchell sourit.

— Je n'en ai aucune idée.

— Égotiste.

— Moi ? Non, tu dois me confondre avec quelqu'un d'autre. Je suis la seule personne modeste de la famille.

— Je ne crois pas qu'il existe...

— Un Geary modeste ?

— Oui.

— Hmm. (Mitchell réfléchit un instant.) Grand-mère Kitty n'en était pas très loin, je crois.

— Tu l'aimais ?

— Oui, beaucoup, dit Mitchell, et dans sa voix perçait la chaleur de son affection. C'était une femme adorable. Un peu folle vers la fin de sa vie, mais adorable.

— Et Loretta ?

— Elle n'est pas folle du tout. C'est la personne la plus saine d'esprit de la famille.

— Non, non, je t'ai demandé si tu l'aimais.

Mitchell haussa les épaules.

— Loretta, c'est Loretta. Une force de la nature.

Rachel n'avait vu Loretta que deux ou trois fois jusqu'à présent, mais cette femme ne lui donnait pas du tout cette impression. Bien au contraire. Elle lui avait paru plutôt réservée, voire effacée ; sentiment renforcé par le fait qu'elle s'habillait toujours en blanc ou en gris clair. Seule touche théâtrale : le turban qu'elle portait sur la tête et la précision immaculée de son maquillage qui renforçait le violet saisissant de ses yeux. Elle s'était montrée agréable avec Rachel, de manière discrète et évasive.

— Je sais ce que tu penses, dit Mitchell. Tu penses que Loretta n'est qu'une vieille femme de l'ancien temps. Et tu as raison. Mais si quelqu'un s'amuse à la contrarier...

— Que se passe-t-il ?

— Je te l'ai dit : c'est une force de la nature. Surtout s'il est question de Cadmus. Si un membre de la famille dit du mal de lui et si jamais elle l'apprend, elle lui arrache la langue. « Sans lui, vous n'auriez pas un sou au fond de votre poche aujourd'hui », dit-elle toujours. Et elle a raison. Sans lui, cette famille aurait sombré dans le déclin.

— Alors, que se passera-t-il quand il mourra ?

— Il ne mourra pas, dit Mitchell sans la moindre trace d'ironie. Il restera vivant éternellement, jusqu'à ce que l'un de nous le conduise à Long Island. Désolé. C'était une blague de mauvais goût.

— Tu y penses souvent ?

— À ce qui est arrivé à papa ? Non. Je n'y pense jamais. Sauf quand quelqu'un sort un livre, en disant que c'était un coup de la mafia ou de la CIA. Ça me fiche la trouille, cette histoire. Mais on ne saura jamais ce qui s'est vraiment passé, alors à quoi bon y penser ? (Il repoussa une mèche de cheveux qui pendait sur le front de Rachel.) Ne t'inquiète pas pour tout ça. Si le vieux meurt demain, on partagera le gâteau : une part pour Garrison, une part pour Loretta et une part pour nous. Et ensuite, toi et moi... on disparaîtra. On prendra un avion et on partira loin.

— On pourrait le faire maintenant, si tu veux, dit Rachel. Je n'ai pas besoin de ta famille, je n'ai pas besoin de vivre comme une princesse. J'ai juste besoin de toi.

Mitchell poussa un soupir, un profond soupir, angoissé.

— Ah... Où s'arrête la famille et où commence Mitchell ? Voilà la question.

— Je sais très bien qui tu es, répondit Rachel en s'approchant de lui. Tu es l'homme que j'aime. C'est simple et clair.

2

Évidemment, ce n'était pas aussi simple ; ce n'était pas aussi clair. Rachel était entrée dans une coterie réduite et peu enviable : le groupe des personnes dont les vies privées appartenaient à l'opinion publique. L'Amérique voulait tout savoir sur la femme qui avait dérobé le cœur de Mitchell Geary, d'autant plus que, récemment encore, Rachel était un être ordinaire. Aujourd'hui, elle était métamorphosée. Les preuves s'étalaient sur les pages glacées des magazines et dans les hebdomadaires à scandale : Rachel Pallenberg vêtue d'une robe qu'elle n'aurait pu s'acheter avec un an de salaire six mois plus tôt, arborant le sourire d'une femme comblée au-delà de ses rêves les plus fous. Un tel bonheur ne pouvait être fêté très longtemps ; il finit par perdre son charme. Ces mêmes lecteurs qui, en février et en mars, se passionnaient pour ce conte de fées, qui en avril et en mai s'émerveillaient de voir la petite vendeuse transformée en princesse, et qui, en juin, écrasèrent quelques larmes lors de l'annonce du mariage à l'automne, ces lecteurs voulaient des ragots en juillet.

Qui était-elle *réellement*, cette voleuse qui s'était enfuie avec le cœur du prince Mitchell ? Elle ne pouvait pas être aussi parfaite qu'elle semblait l'être ; personne n'était aussi sympathique. Elle cachait des secrets, aucun doute. Une fois le mariage annoncé, les enquêteurs se mirent au travail. Avant que Rachel Pallenberg enfile sa robe blanche et devienne Rachel Geary, ils dénicheraient des informations scandaleuses, même s'ils devaient pour cela retourner toutes les pierres de l'Ohio.

Mitchell n'était pas à l'abri de l'acharnement de ces fouineurs. De vieilles histoires concernant d'anciennes liaisons remontèrent à la surface, un peu arrangées. Sa brève aventure avec une droguée, fille d'un membre du Congrès ; ses diverses excursions en mer Égée avec un petit harem de mannequins parisiens ; son attachement apparemment obsessionnel pour Natasha Morley, qui avait récemment épousé une tête couronnée d'Europe de second plan, un mariage qui (selon certaines sources) lui avait brisé le cœur. Un des magazines les plus scabreux avait même réussi à retrouver un ancien camarade de Harvard qui affirmait que l'amour de Mitchell pour la gent féminine le poussait vers des jeunes filles à peine pubères. « Du moment qu'il y a de l'herbe sur le terrain, on peut faire une partie », voilà ce que disait Mitchell, se souvenait le « camarade de classe ».

Au cas où Rachel serait tentée de prendre trop à cœur toutes ces histoires, Margie lui apporta une pile de magazines que sa gouvernante, Magdalen, avait mis de côté durant les premières années de mariage de Margie avec Garrison ; tous contenaient des articles écrits avec le même vitriol. Les deux femmes étaient on ne peut plus différentes, dans tous les domaines : Rachel était menue et élégante, de nature réservée ; Margie était une femme solidement charpentée, habillée de manière trop voyante et volubile. Malgré tout, elles étaient comme deux sœurs au cœur de cette tempête.

— J'étais bouleversée sur le coup, expliqua Margie. Puis au bout d'un moment, j'aurais bien voulu que 10 % seulement de ce qu'ils racontaient sur Garrison soit vrai. Ça l'aurait rendu sacrément plus intéressant.

— S'ils ne publient que des mensonges, pourquoi personne ne les attaque en justice ? demanda Rachel.

Margie répondit par un haussement d'épaules fataliste.

— S'ils ne s'intéressaient pas à nous, ils trouveraient d'autres victimes. Et s'ils ne publiaient plus ces cochonneries, je serais peut-être obligée de recommencer à lire des livres.

Elle conclut par un frisson théâtral.

— Ça veut dire que vous lisez ces trucs-là ?

Margie haussa ses sourcils bien épilés.

— Pas toi ?

— Euh...

— Allons, ma chérie, tout le monde adore savoir qui baise qui. Du moment qu'on parle des autres. Attends un peu, tu verras. Tu auras droit à ton lot de saloperies, toi aussi. Et ensuite, ils passeront à un autre petit veinard.

Margie, bénie soit-elle, était venue rassurer Rachel juste à temps. La semaine suivante, elle vit apparaître dans la presse les premières informations en provenance de Dansky. Rien de particulièrement blessant, juste un portrait volontairement sinistre de la vie quotidienne dans la petite ville natale de Rachel, accompagné de quelques photos de la maison de sa mère, triste et délabrée : l'herbe du jardin avait jauni, la peinture de la porte d'entrée s'écaillait. Il y avait également un bref encadré racontant la vie et la mort de Hank Pallenberg à Dansky. La brièveté même de l'article avait quelque chose de cruel, songea Rachel. Son père méritait mieux que ça. Mais le pire était à venir. Le journaliste d'un des tabloïds, en quête d'un parfum de scandale, retrouva la trace d'une femme qui avait suivi avec Rachel des cours pour devenir prothésiste dentaire. Cette « Brandy » qui refusait qu'on cite son nom, car elle ne voulait pas attirer l'attention de la presse, disait-elle, offrait un portrait de Rachel peu flatteur.

« Elle passait son temps à essayer de dégoter un homme riche, affirmait Brandy. Elle découpait des photos dans les journaux, les photos des hommes riches qu'elle pensait pouvoir séduire, vous voyez. Toujours des hommes riches, vraiment riches. Elle les punaisait sur le mur de sa chambre et elle les regardait longuement le soir avant de s'endormir. » Mitchell Geary faisait-il partie du hit-parade des milliardaires célibataires dressé par Rachel Pallenberg ? demandait le journaliste à Brandy. « Oh que oui », répondait la jeune femme en précisant qu'elle avait eu l'estomac noué en apprenant que le plan de Rachel avait finalement porté ses fruits. « Je suis née et j'ai grandi dans la foi catholique, voyez-vous, et j'ai toujours pensé que c'était très bizarre ce que faisait Rachel avec ces photos accrochées sur son mur. Comme une sorte de rite vaudou, un truc dans ce genre. »

Tout cela était pure invention, évidemment, mais le mélange de tous les éléments était terriblement efficace. Le gros titre de l'article, accompagné d'une photo de Rachel prise lors d'un gala de charité récent, les yeux rougis par le flash du photographe, proclamait : « Les terribles pouvoirs envoûtants de la future Mme Geary ! » Le numéro fut épuisé en une seule journée.

3

Rachel faisait de son mieux pour assumer cette situation, mais ce n'était pas facile ; d'autant qu'il lui fallait reconnaître qu'elle avait été autrefois consommatrice de ce genre d'inepties, pour son plus grand plaisir. Maintenant, c'était son visage que contemplaient les gens en faisant la queue au supermarché, c'étaient des mensonges sur sa vie qu'ils lisaient, sans y croire totalement, tout en y croyant quand même. Le détachement qu'elle réussissait à afficher ne l'empêchait pas de souffrir.

— Comment peux-tu simplement *regarder* ces saloperies ? lui demanda Mitchell un soir où elle aborda le sujet, alors qu'ils dînaient au restaurant.

Ils étaient au Luther, un établissement feutré situé dans Park Avenue, tout près de l'appartement de Mitchell.

— Ils sont capables d'écrire *n'importe quoi*, dit Rachel, au bord des larmes. Pas uniquement sur moi. Sur ma mère aussi, sur ma sœur ou sur *toi*.

— Nos avocats les ont à l'œil en permanence. Si jamais Cecil estime qu'ils dépassent les bornes...

— Les bornes ? Ça veut dire quoi ?

— Une chose qui vaille la peine de se battre.

Mitchell se pencha pour lui prendre la main.

— Il n'y a pas de quoi pleurer, mon ange, dit-il d'une voix caressante. Ce sont des imbéciles qui n'ont rien de mieux à faire que d'essayer de détruire les autres. Mais rassure-toi, ils n'y arriveront pas. Ils ne peuvent rien nous faire. Les Geary sont trop forts pour eux.

— Je sais... dit Rachel en se mouchant. Je voudrais être forte, moi aussi, mais...

— Je ne veux pas entendre de « mais », mon cœur, dit Mitchell avec la même voix douce, malgré la sécheresse du commandement. Tu dois être forte, car les gens te regardent. Tu es une princesse.

— Je n'ai pas l'impression d'être une princesse à cet instant.

Mitchell parut déçu. Il repoussa son assiette de rognons et passa sa main sur son visage.

— Dans ce cas, dit-il, je ne remplis pas mon rôle. (Rachel le regarda d'un air perplexe.) Mon rôle, c'est que tu te sentes comme une princesse. *Ma* princesse. Que puis-je faire ?

Il leva les yeux vers elle, avec dans le regard une lueur de désespoir irrésistible.

— Dis-le-moi : que puis-je faire ?

— Aime-moi, c'est tout.

— Je t'aime. Crois-moi, ma chérie.

— Je te crois.

— Je ne supporte pas de penser que ces salopards te font du mal, mais ils ne peuvent pas t'atteindre, mon cœur. Pas réellement. Ils peuvent cracher et hurler, mais ils ne peuvent pas t'atteindre. (Il serra la main de Rachel dans la sienne.) Voilà mon rôle, dit-il. Personne à part moi ne peut te toucher.

Elle fut parcourue d'un tremblement, comme si les mains de Mitchell s'étaient insinuées entre ses cuisses. Lui aussi était conscient de l'effet produit. Il passa sa langue sur sa lèvre inférieure, furtivement, pour l'humidifier.

— Veux-tu connaître un secret ? demanda-t-il en se penchant davantage vers elle.

— Oui, s'il te plaît.

— Ils ont tous peur de nous.

— Qui donc ?

— Tout le monde, dit-il en la regardant droit dans les yeux. On est différents d'eux et ils le savent. Voilà pourquoi ils ont peur. Alors, il faut bien les laisser se défouler de temps en temps. Ils deviendraient fous, sinon.

Rachel hocha la tête ; elle comprenait ce qu'il voulait dire. Quelques mois plus tôt, ces paroles n'auraient eu aucun sens pour elle, plus maintenant.

— Je ne me laisserai plus embêter par tout ça, déclara-t-elle. Et même si ça me chagrine, je n'en parlerai pas.

— Tu es une sacrée bonne femme, tu sais ? C'est ce que Cadmus a dit de toi après son anniversaire.

— Il m'a à peine adressé la parole.

— Il a des yeux. « C'est une sacrée bonne femme », a-t-il dit. « Elle possède l'étoffe pour devenir une Geary. » Il a raison. Et tu sais quoi ? Une fois que tu feras partie de cette famille, *rien* ne pourra plus t'atteindre. Absolument rien. Tu seras intouchable, je te le jure sur ma vie. C'est comme ça quand on est un Geary. Et dans neuf semaines, tu porteras ce nom. Tu seras une Geary. Pour toujours.

Chapitre cinq

Marietta est entrée dans mon bureau, tout simplement, et elle a lu ce que j'avais écrit. Elle était d'humeur volontaire, comme cela lui arrivait parfois, et j'aurais dû me méfier, mais quand elle me demanda si elle pouvait lire des passages de ce que j'avais écrit, je lui tendis quelques pages de mon manuscrit. Elle sortit sur la véranda, alluma un de mes cigares et se mit à lire. Pendant ce temps, je fis semblant de continuer à travailler, comme si son opinion sur mon travail n'avait pour moi aucune importance, mais je ne pouvais empêcher mon regard de glisser vers elle, pour essayer d'interpréter son expression. Par moments, elle paraissait amusée, mais ça ne durait pas très longtemps. Elle survolait les feuilles (beaucoup trop vite, pensais-je, pour savourer la prose) d'un air impassible. Je sentais monter ma colère et j'avais presque envie d'aller la rejoindre sur la véranda. Finalement, avec un petit soupir, elle se leva de sa chaise et revint dans le bureau en me tendant les feuilles.

— Tu écris des longues phrases, commenta-t-elle.

— C'est tout ce que tu trouves à dire ?

Elle sortit de sa poche une pochette d'allumettes et en gratta une pour rallumer le cigare.

— Que veux-tu que je dise ? répondit-elle avec un haussement d'épaules. Ça fait un peu ramassis de ragots, non ? (Elle étudiait la pochette d'allumettes en parlant.) Et je trouve ça un peu difficile à suivre. Tous ces noms. Tous ces Geary. Tu n'es pas obligé de remonter aussi loin, si ? Tout le monde s'en fout.

— C'est pour établir le contexte.

— Je me demande à qui appartient ce numéro de téléphone, dit-elle en continuant à examiner la pochette d'allumettes. C'est un numéro à Raleigh. Qui est-ce que je connais à Raleigh, nom de Dieu ?

— Si tu ne peux pas te montrer un peu plus charitable, un peu plus constructive...

Levant la tête, Marietta sembla prendre conscience de mon désespoir.

— Oh, Eddie, dit-elle avec un sourire. Ne prends pas cet air triste. Je trouve ça formidable.

— Non, c'est faux.

— Je te jure que si. Mais tu sais, moi, les mariages, dit-elle en esquissant une moue, c'est pas ce que je préfère.

— Tu y es allée, pourtant, lui rappelai-je.

— Tu vas écrire ça ?

— Parfaitement.

Elle me tapota la joue.

— Ça va donner un peu de vie à ton récit. Au fait, comment vont tes jambes ?

— Très bien.

— Tu es complètement guéri ?

— On dirait.

— Je me demande pourquoi elle t'a guéri après tout ce temps.

— Peu m'importe la raison. Je lui en suis reconnaissant.

— Zabrina m'a dit qu'elle t'avait vu sortir.

— Oui, je vais rendre visite à Luman un jour sur deux environ. Il s'est mis en tête qu'on devrait collaborer à l'écriture d'un livre quand j'aurai fini celui-ci.

— Un livre sur quoi ?

— Les asiles d'aliénés.

— Quel adorable rayon de soleil, ce garçon. Ça y est, je me souviens ! C'est le numéro d'Alice. (Elle lança la pochette d'allumettes en l'air et la rattrapa.) Alice, la blonde. Elle habite à Raleigh.

— Tu as une lueur salace dans le regard, fis-je remarquer.

— Alice est une fille adorable. Vraiment... somptueuse. (Elle retira un morceau de tabac coincé entre ses dents.) Tu devrais sortir avec moi un de ces jours. On irait boire un coup. Je pourrais te présenter aux filles.

— Je me sentirais mal à l'aise.

— Pourquoi ? Rassure-toi, personne ne viendra te draguer dans une boîte de filles.

— Je n'oserai jamais.

— Mais si. (Elle pointa sur moi l'extrémité humectée de son cigare.) Je vais faire en sorte que tu t'amuses, déclara-t-elle en rangeant la pochette d'allumettes. Peut-être même que je te présenterai à Alice.

Bien évidemment, elle m'abandonna aux affres de l'angoisse. D'humeur épouvantable, je me réfugiai dans la cuisine afin de noyer mes chagrins dans la nourriture. Il était un peu moins d'une heure du matin ; Dwight était parti se coucher depuis longtemps. *L'Enfant* était calme. Trouvant l'air un peu étouffant, j'ouvris la fenêtre au-dessus de l'évier. La brise qui soufflait au-dehors était la bienvenue et je demeurai devant l'évier quelques instants pour la laisser rafraîchir mon visage. Après quoi, j'ouvris le réfrigérateur et entrepris de me confectionner un sandwich pantagruélique ; plusieurs tranches de jambon cuit, sur lesquelles j'étalai de la moutarde, quelques aubergines braisées en lamelle, une douzaine de tomates cerises, coupées, et un soupçon d'huile d'olive, le tout coincé entre deux épaisses tranches de pain de seigle tout frais.

M'empiffrer est pour moi un moyen de mettre les choses en perspective. Pourquoi accordais-je tant de poids à l'opinion de Marietta ? Ce n'était pas une éminente critique littéraire. C'était mon livre, mes idées, ma vision. Et si ça ne lui plaisait pas, tant pis pour elle. Son avis n'avait aucune espèce d'importance. Je ne me contentai pas de me faire ces réflexions, je me les répétai à voix haute pour m'en convaincre ; un mélange moutardé de mots et de jambon.

— Qu'est-ce que tu marmonnes ?

Je m'interrompis et regardai par-dessus mon épaule. Zabrina se tenait derrière moi, emplissant l'encadrement de la porte. Elle était vêtue d'une chemise de nuit qui ressemblait à une tente ; son visage qu'elle parait souvent d'un peu de fard et de poudre était rouge, comme à vif. Elle avait des yeux minuscules et une large bouche aux lèvres fines. Un jour, dans un accès de colère, Marietta l'avait traitée de grosse grenouille aux yeux de fouine et, même si cette description est cruelle, elle est exacte. Son seul attrait quelque peu séduisant, ce sont ses cheveux d'un roux orangé intense et voluptueux qui lui descendent jusqu'à la taille. Ce soir, elle ne les avait pas attachés et ils flottaient sur ses épaules comme une cape.

— Ça fait longtemps que je ne t'ai pas vue, lui dis-je.

— Tu m'as vue, répondit-elle avec son étrange voix voilée. Mais on ne s'est pas parlés.

Je faillis lui répondre « C'est parce que tu t'enfuies chaque fois », mais je m'abstins. Zabrina était une créature nerveuse. Un seul mot de travers et elle s'en irait. Elle ouvrit le réfrigérateur pour inspecter son contenu. Comme toujours, Dwight avait laissé un choix de tartes et de gâteaux pour qu'elle s'en régale.

— N'attends aucune aide de ma part, déclara-t-elle à brûle-pourpoint.

— De l'aide pour quoi faire ?

— Tu le sais très bien, répondit-elle en continuant d'examiner les clayettes encombrées du réfrigérateur. Je ne trouve pas ça bien.

Elle prit une tarte dans chaque main, puis, en pivotant sur elle-même avec une grâce surprenante pour une personne de sa corpulence, elle referma la porte du réfrigérateur avec ses fesses.

— Ne compte pas sur moi pour décharger ma conscience.

Elle faisait allusion au livre, évidemment. Son aversion pour ce projet était parfaitement prévisible, étant donné que l'idée émanait en partie de Marietta. Malgré tout, je n'étais pas d'humeur à me faire sermonner.

— Ne parlons pas de ça, dis-je.

Elle déposa les deux tartes – une aux cerises, l'autre aux noix de pécan – côte à côte sur la table. Sur ce, elle retourna vers le réfrigérateur en poussant un petit soupir d'exaspération motivé par son oubli et sortit un bol contenant de la crème fouettée. Il y avait déjà une fourchette dans le bol. Zabrina s'assit en douceur sur une chaise et se mit à l'œuvre : elle chargeait sur la fourchette un morceau de tarte aux cerises, un peu de tarte aux noix de pécan et une grosse quantité de crème. De toute évidence, elle avait déjà effectué cette opération d'innombrables fois et c'était un véritable spectacle de voir avec quelle dextérité elle érigeait ces petites tours de gourmandise, sans jamais faire tomber une seule miette de pâtisserie dans la crème, ni une seule goutte de crème sur la table.

— Quand as-tu eu des nouvelles de Galilée pour la dernière fois ? me demanda-t-elle.

— Il y a longtemps.

— Hmm.

Elle introduisit entre ses lèvres un petit monticule vacillant et ses paupières papillotèrent de plaisir quand elle le fit tournoyer dans sa bouche.

— Il t'écrit parfois ? demandai-je.

Elle prit tout son temps pour déglutir avant de répondre.

— Autrefois, il m'envoyait un petit mot de temps en temps. Mais plus maintenant.

— Il te manque ?

Elle me regarda en fronçant les sourcils et en faisant saillir sa lèvre inférieure.

— Ne commence pas avec ça, dit-elle. Je t'ai déjà expliqué...

Je levai les yeux au ciel.

— Bon sang, Zabrina, je t'ai juste demandé...

— Je ne veux pas apparaître dans ton livre.

— Tu me l'as déjà dit.

— Je ne veux être dans aucun livre. Je ne veux pas... qu'on *parle* de moi. J'aimerais être invisible.

Je ne pus m'en empêcher : j'esquissai un sourire en coin. L'idée que Zabrina (plus que n'importe qui) puisse rêver d'invisibilité avait quelque chose de pathétique et de risible. Alors qu'elle était en train de conspirer contre son souhait à chaque bouchée. Je croyais avoir effacé le sourire de mon visage quand elle leva la tête, mais il resta accroché à mes lèvres, comme la crème aux commissures de sa bouche.

— Qu'y a-t-il de si amusant ? demanda-t-elle.

Je secouai la tête.

— Rien.

— D'accord, je suis grosse. Et j'aimerais mieux être morte. Et alors ?

Mon sourire en coin avait disparu pour de bon cette fois.

— Non, tu ne préférerais pas être morte. Certainement pas.

— Quelle raison ai-je de vivre ? répliqua-t-elle. Je n'ai rien. Rien de ce que je désire en tout cas.

Elle posa sa fourchette et s'attaqua à la tarte aux cerises avec les doigts, pour saisir les fruits dégoulinant de sirop.

— Chaque jour, c'est toujours la même histoire. Servir maman. Manger. Servir maman. Manger. Quand je dors, je rêve que je suis là-haut avec elle, et elle me parle de l'ancien temps. Je hais l'ancien temps ! s'exclama-t-elle avec une véhémence soudaine. Et demain, alors ? Si on s'occupait plutôt de demain, hein ? (Son visage qui était déjà rougeaud, comme je l'ai indiqué, avait viré au cramoisi.) On reste tous complètement passifs, ajouta-t-elle, et sa véhémence se teinta d'une note de tristesse. Tu as retrouvé l'usage de tes jambes, mais à quoi te servent-elles ? Es-tu sorti d'ici ? Non. Tu restes assis à l'endroit où tu es resté assis pendant des années, comme si tu étais encore handicapé. Parce que tu l'es toujours. Je suis obèse et toi, tu es handicapé, et on continuera à mener nos existences inutiles, jour après jour, jusqu'à ce que quelqu'un de dehors (elle désigna le monde extérieur) ait l'obligeance de venir nous tirer une balle dans la tête.

Sur ce, elle se leva au milieu des ruines pâtissières et fit sa sortie. Je n'essayai pas de la retenir. Je me rassis sur ma chaise et la regardai s'éloigner.

Ensuite, je dois l'avouer, je restai là un certain temps, me tenant la tête à deux mains et sanglotant.

Chapitre six

1

Assailli à la fois par Marietta et Zabrina et doutant de mes talents, je regagnai ma chambre et demeurai éveillé le restant de la nuit. J'aimerais pouvoir dire que cette insomnie était due à des problèmes d'ordre littéraire, hélas, la vérité était plus prosaïque : j'avais la chiasse. Je ne sais pas si c'était le jambon, les aubergines braisées ou la foutue conversation de Zabrina qui était responsable, toujours est-il que je restai jusqu'à l'aube assis sur mon trône de porcelaine au milieu de mes miasmes. Un peu avant le petit jour, faible, le ventre en feu et me lamentant sur mon sort, je rampai jusque dans mon lit et parvins à dérober quelques heures de sommeil. À mon réveil, mon esprit endormi sembla avoir décidé que je ferais mieux de décrire le mariage de Rachel et de Mitchell en utilisant un style plus concis que celui que j'avais choisi jusqu'à maintenant. Après tout, me dis-je, un mariage c'est un mariage. Inutile de s'étendre sur le sujet. Les gens étaient capables de fournir eux-mêmes les détails manquants.

Donc : uniquement les faits. Le mariage eut lieu la première semaine de septembre, dans une petite ville de l'État de New York nommée Caleb's Creek. Je l'ai déjà mentionnée en passant, il me semble. Elle est située près de Rhinebeck, non loin de l'Hudson. C'est un bel endroit, dont raffolaient les anciennes générations de la royauté américaine. Les Van Cortandt y ont construit une maison, tout comme les Astor et les Roosevelt. Des demeures extravagantes où ils pouvaient réunir deux cents invités pour une retraite douillette le temps d'un week-end. À l'opposé, la propriété que George Geary avait achetée à Caleb's Creek était une demeure modeste : cinq chambres, de style colonial, décrite comme une « ferme » dans un livre consacré aux Geary, même si je doute que cette maison ait jamais servi à cet usage. George était tombé amoureux de cet endroit, et Deborah aussi. Après la mort de son mari, elle avait souvent répété que c'était dans cette maison qu'elle avait passé les meilleurs moments de sa vie ; des moments de décontraction et d'affection, quand le monde extérieur était prié d'attendre sur le pas de la porte. En fait, c'était Mitchell qui avait suggéré qu'on rouvrît la maison (personne ou presque n'y avait mis les pieds depuis la mort de George) et qu'on y organisât la fête de mariage. Sa mère avait été immédiatement emballée par cette idée. « George aurait adoré ça », avait-elle dit, comme si elle voyait encore l'âme de son époux adoré flotter dans cette maison, enchantée par l'écho des jours plus gais.

Pour convaincre sa future épouse, Mitchell conduisit Rachel à Caleb's Creek au milieu du mois de juillet et ils passèrent une nuit dans la maison. Un couple d'habitants du coin, les Rylander, qui avaient été gouvernante et jardinier de la maison des Geary du temps de sa splendeur et l'avaient entretenue durant ses années d'abandon, s'étaient démenés pour lui offrir une nouvelle jeunesse. Quand Mitchell et Rachel arrivèrent sur place, la maison ressemblait à une retraite de rêve. Eric Rylander avait planté des centaines de fleurs et de rosiers, il avait fait pousser le gazon ; les fenêtres, les portes et les volets avaient été repeints, ainsi que les piquets de la clôture blanche. Le petit verger derrière la maison avait été débroussaillé, les arbres taillés ; tout était en ordre. À l'intérieur, la femme d'Eric n'avait pas ménagé sa peine, elle non plus. La maison avait été aérée de la cave au grenier, les rideaux et les tapis nettoyés, les boiseries et les meubles cirés jusqu'à ce qu'ils brillent.

Rachel tomba sous le charme, naturellement. Pas uniquement celui de la beauté de la maison et de l'éclat du jardin ; elle succomba à l'omniprésence de cet homme qui avait engendré son futur mari. Comme Deborah l'avait demandé, la maison était restée conforme aux goûts de George. Ses centaines de disques de jazz étaient encore sur les étagères, classés par ordre alphabétique. Sa table de travail, là où d'après Mitchell il prenait des notes en vue d'écrire une sorte de biographie de sa mère Kitty, était encore comme il l'avait laissée, encombrée de cadres renfermant des photos de famille, dont la plupart avaient jauni.

Cette visite ne servit pas seulement à renforcer Mitchell dans sa conviction que le mariage devait se dérouler dans cet endroit, elle se transforma en rendez-vous galant pour les deux amoureux. Ce soir-là, après un merveilleux dîner préparé par Barbara, ils restèrent sur la terrasse à regarder s'assombrir le ciel d'été, en sirotant du whisky, en évoquant leur enfance et leur père respectifs. Au bout d'un moment, le ciel devint si noir qu'ils ne distinguaient plus leurs visages, mais ils continuèrent à discuter, alors que le vent soufflait dans les pommiers ; ils parlèrent des moments de joie, des moments gâchés. Quand enfin ils allèrent se coucher (Mitch refusa de dormir dans la chambre principale, bien que Barbara ait préparé le grand lit à baldaquin ; ils dormirent dans la chambre qui était celle de Mitch quand il était enfant), ils restèrent enlacés, enveloppés par cette sorte de fatigue délicieuse qui succède généralement aux rapports sexuels, même s'ils n'avaient pas fait l'amour.

Quand ils repartirent pour New York le lendemain matin, Rachel tint la main de Mitchell durant tout le trajet. Jamais dans toute sa vie elle n'avait ressenti, tant s'en faut, un sentiment amoureux aussi fort que celui qu'il lui inspirait ce jour-là.

2

Le vendredi soir, alors que la propriété tout entière – la maison, le jardin, le verger, le pré – grouillait de monde (il y avait là des gens qui accrochaient les lanternes, plantaient des panneaux, dressaient un kiosque à musique, transportaient des tables, comptaient les chaises, astiquaient les verres, et ainsi de suite), Barbara Rylander rejoignit son mari qui se tenait à l'entrée de la propriété pour surveiller le flot des voitures, et, après lui avoir fait jurer de garder le secret, elle lui confia qu'elle revenait du verger où elle s'était réfugiée pour échapper un peu à toute cette agitation, et là, elle avait vu M. George sous les arbres, qui assistait à la fête. Il souriait, précisa-t-elle.

« Tu es une pauvre vieille folle, dit Eric à son épouse. Mais je t'adore. » Et il lui donna un énorme baiser, devant tous ces inconnus, ce qui n'était pas du tout dans sa nature.

Puis vint le grand jour, et ce fut un moment spectaculaire. Le soleil était chaud, sans être brûlant. Le vent soufflait de manière continue, mais jamais trop fort. Dans l'air flottait encore le parfum de l'été, avec juste une pointe d'âpreté pour suggérer l'arrivée de l'automne.

Quant à la mariée, elle surpassa tout le reste. Le matin, elle fut prise de nausées, mais, dès qu'elle commença à s'habiller, sa nervosité se dissipa. Elle fit une brève rechute quand Sherrie, venue voir sa fille, laissa éclater des larmes de bonheur qui menaçaient de faire jaillir celles de Rachel. Mais Loretta ne l'entendait pas de cette oreille. Avec fermeté, elle envoya Sherrie se chercher un brandy, puis elle s'assit avec Rachel et lui parla. Simplement, raisonnablement.

— Je ne pourrais pas vous mentir, dit Loretta d'un

ton solennel. Vous me connaissez suffisamment bien maintenant, je pense, pour le savoir.

— Oui.

— Alors, croyez-moi si je vous dis : tout va bien, tout se passera bien, et vous êtes... resplendissante. (Elle embrassa Rachel sur la joue.) Je vous envie. Sincèrement. Vous avez encore toute la vie devant vous. Je sais que c'est un horrible cliché, mais quand vous serez plus âgée, vous comprendrez combien c'est vrai. Nous n'avons qu'une vie. Une seule chance d'être nous-mêmes. De connaître le bonheur. Et l'amour. Quand c'est terminé, c'est terminé.

Elle regarda fixement Rachel en disant cela comme s'il y avait dans ses paroles une signification profonde que les mots seuls ne pouvaient exprimer.

— Allez, hop, il est temps d'aller à l'église, ajouta gaiement Loretta. Un tas de gens sont impatients de voir comme vous êtes belle.

Loretta n'avait pas menti. Le mariage fut célébré dans la petite église de Caleb's Creek, dont on avait laissé les portes grandes ouvertes pour que les invités qui n'avaient pas trouvé de place à l'intérieur – plus de la moitié d'entre eux – puissent se masser à l'extérieur et assister malgré tout à la brève cérémonie. Une fois celle-ci terminée, toute l'assemblée fit ce que les membres de la noce faisaient à Caleb's Creek depuis la naissance de cette ville : précédés par les jeunes mariés qui se donnaient la main, ils descendirent la rue principale, jonchée de pétales de fleurs destinés à « adoucir leur chemin » (conformément à la tradition locale), entre deux rangées d'habitants du coin et de visiteurs joyeux acclamant la procession qui traversait triomphalement la ville. Tout cela demeura d'une merveilleuse simplicité. À un moment, une enfant (sans doute une gamine de Caleb's Creek, âgée de quatre ans tout au plus) échappa à la vigilance de sa mère pour se précipiter vers les jeunes mariés. Mitchell la souleva de terre et la porta dans ses bras sur une douzaine de mètres, pour la plus grande joie des spectateurs et de la fillette elle-même, qui protesta seulement quand sa mère vint la récupérer.

Inutile de préciser qu'un grand nombre de photographes étaient là pour immortaliser cette scène, et ce fut cette image que choisirent tous les rédacteurs en chef pour illustrer leurs articles sur le mariage. Son symbolisme ne pouvait échapper aux chroniqueurs chargés de relater l'événement. La fillette anonyme arrachée à la foule, dans les bras puissants et protecteurs de Mitchell Geary : il aurait pu s'agir de Rachel.

Chapitre sept

1

Une fois passés le stress des préparatifs et la solennité de la cérémonie, le mariage se transforma véritablement en fête. Après les dernières formalités – les discours et les toasts – qui furent brèves, par chance, les réjouissances débutèrent. L'air était toujours aussi doux, la brise tout juste assez puissante pour faire danser les lanternes accrochées dans les arbres ; le ciel se transforma en or quand le soleil déclina à l'horizon.

— Tout est absolument parfait, Loretta, commenta Deborah lorsque les deux femmes se retrouvèrent assises côte à côte et seules pendant quelques instants.

— Merci, dit Loretta. En fait, il suffit d'un peu d'organisation.

— En tout cas, c'est merveilleux. J'aimerais tellement que George soit là pour voir ça, dit Deborah.

— Vous croyez qu'elle lui aurait plu ?

— Rachel ? Oh, oui. Il l'aurait adorée.

— C'est une fille simple.

Loretta fit ce commentaire en observant Rachel : pendue au bras de son bien-aimé, riant d'une remarque émise par un vieux copain de Mitchell qu'il avait connu à Harvard.

— Une fille ordinaire, ajouta-t-elle.

— Je ne pense pas qu'elle soit ordinaire, justement, répondit Deborah. Je la crois très forte.

— Elle devra l'être.

— Mitchell est fou d'elle.

— Je n'en doute pas. Pour l'instant, du moins.

Les lèvres de Deborah se crispèrent.

— Loretta, devrait-on...

— Lui dire la vérité ? Seulement si vous le souhaitez.

— Nous avons connu le bonheur, dit Deborah. C'est à leur tour, maintenant.

Sur ce, elle se leva.

— Non, attendez. (Loretta la saisit délicatement par le poignet pour la retenir.) Je ne veux pas qu'on se querelle.

— Je ne me querelle jamais avec personne.

— Non. Vous fuyez, c'est encore pire. Il est temps que nous soyons amies, vous ne croyez pas ? Car enfin... nous allons devoir commencer à planifier certaines choses.

Deborah libéra son bras en douceur.

— Je ne comprends pas ce que vous voulez dire, déclara-t-elle d'un ton indiquant clairement qu'elle n'avait aucune envie de poursuivre cette conversation.

Loretta changea de sujet.

— Asseyez-vous un instant. Vous ai-je parlé de mon astrologue ?

— Non... Mais Garrison m'a dit que vous aviez trouvé quelqu'un qui vous plaisait beaucoup.

— C'est un homme merveilleux. Il s'appelle Martin Yzerman ; il habite Brooklyn Heights.

— Cadmus sait que vous fréquentez ce genre de personnes ?

— Vous feriez bien d'aller voir Yzerman, vous aussi, Deborah.

— Pour quelle raison, je vous prie ?

— Il fournit des conseils très utiles quand on cherche à établir des plans à long terme.

— Je ne suis pas dans ce cas, dit Deborah. J'ai renoncé. Les choses changent trop vite.

— Il pourrait vous aider à prévoir ces changements.

— Ça m'étonnerait.

— Je vous assure.

— Aurait-il pu prévoir ce qui est arrivé à George ? demanda Deborah d'un ton cassant.

Loretta laissa s'installer un moment de silence entre elles, avant de répondre :

— Sans aucun doute.

Deborah secoua la tête.

— Non, ça ne marche pas comme ça. On ne sait jamais ce qui va se passer le lendemain. Personne ne le sait. (Elle se leva de nouveau ; cette fois, Loretta n'essaya pas de la retenir.) Je m'étonne, d'ailleurs, qu'une femme aussi intelligente que vous puisse croire à ce genre de balivernes. Franchement, je m'étonne. Ça ne tient pas debout. Ce n'est qu'une façon de vous donner l'impression de contrôler les choses, dit-elle en posant sur Loretta un regard presque empreint de pitié. Mais c'est faux. Personne ne contrôle rien. Peut-être serons-nous tous morts demain à cette heure-ci.

Sur ce, Deborah s'éloigna.

Ce curieux et bref échange ne fut pas la seule ombre au tableau durant cette joyeuse journée. Il se produisit trois autres incidents qui méritent sans doute d'être signalés, même si aucun d'entre eux ne fut suffisamment grave pour gâcher la fête.

Le premier de ces trois incidents impliqua Margie, inévitablement pourrait-on dire. Le champagne n'étant pas son moyen de transport préféré, elle avait veillé à ce que le bar soit pourvu en bon whisky, et, une fois vidée la première coupe de champagne, elle passa au scotch. Très vite, son esprit s'échauffa et elle se mit en tête d'aborder le sénateur Bryson, venu tout exprès de Washington avec sa famille, pour lui dire ce qu'elle pensait de ses commentaires récents concernant la réforme de l'aide sociale. Margie parvenait encore très bien à s'exprimer et le sénateur Bryson paraissait ravi d'avoir une discussion sérieuse à se mettre sous la dent, au lieu de se nourrir de bavardages insipides ; c'est pourquoi il écouta les remarques de Margie avec un intérêt approprié. Margie vida un autre verre de scotch et l'accusa de tenir un discours démagogue. L'épouse du sénateur tenta alors d'égayer un peu la conversation en faisant remarquer que les Geary, en tout cas, ne risquaient pas de se retrouver dans le besoin du jour au lendemain. Ce à quoi Margie répondit que son père avait travaillé presque toute sa vie dans une aciérie et était mort à quarante-sept ans avec douze dollars sur son compte en banque, et où était donc passé le type qui servait le whisky, nom de Dieu ? Cette fois, ce fut Garrison qui intervint pour tenter de mettre fin à cette discussion, mais le sénateur lui fit clairement comprendre qu'il appréciait cet « imprévu » et souhaitait poursuivre cet échange. Un serveur arriva dûment avec la bouteille de whisky et Margie fit remplir son verre. Où en étaient-ils ? Ah, oui, les douze dollars sur le compte en banque.

— Alors, ne venez pas me dire que j'ignore la réalité, reprit-elle. Le problème, c'est que tous les nantis et les puissants comme vous n'en n'ont rien à foutre. On a un tas de problèmes dans ce pays, et ils ne font qu'empirer, mais qu'est-ce que vous faites pour les régler, hein ? À part rester assis sur vos gros culs pour pontifier ?

— Je pense que tout être humain compatissant serait d'accord avec vous, dit le sénateur. Nous devons œuvrer pour que chaque Américain ait une vie meilleure.

— Et concrètement, ça donne quoi ? répliqua Margie. Du vent ! Pas étonnant que plus personne dans ce pays ne croie un seul mot de ce que vous racontez.

— Je pense que les gens s'intéressent davantage au processus démocratique...

— Démocratique, mon cul ! Tout n'est que lobbies, pots-de-vin et renvois d'ascenseurs. Je sais bien comment ça fonctionne. Je ne suis pas née de la dernière pluie. Votre seul but, c'est de rendre les riches encore plus riches.

— Je crois que vous me confondez avec un républicain, rectifia Bryson avec un petit ricanement.

— Et moi, je crois que vous me confondez avec ces rares imbéciles qui gobent les conneries de n'importe quel politicien ! répliqua Margie d'un ton cinglant.

— Bon, ça suffit maintenant, dit Garrison en prenant son épouse par le bras.

Celle-ci essaya de se libérer, mais il la tenait fermement.

— Laissez, Garrison, dit le sénateur. Votre épouse a le droit d'avoir son opinion. (Il reporta son attention sur Margie.) Mais laissez-moi vous dire ceci. L'Amérique est une démocratie. Vous n'êtes pas obligée de vivre dans le luxe si cela est contraire à vos opinions politiques. (Il sourit en disant cela, mais il n'y avait aucune chaleur dans ses yeux.) Je me demande si une femme dans votre position est bien placée pour parler des difficultés des travailleurs.

— Je vous ai dit que mon père...

— C'est du passé. L'administration actuelle travaille pour l'avenir. On ne peut pas se payer le luxe de faire du sentimentalisme. Ni de céder à la nostalgie. Et surtout, on ne peut pas se permettre de jouer les hypocrites.

Ce bref discours avait des accents de tirade finale, et Margie le sentit. Trop ivre maintenant pour formuler une riposte cohérente, elle ne put que bafouiller :

— Et ça veut dire quoi, ce baratin ?

Le sénateur s'était déjà retourné pour prendre congé, mais il pivota sur lui-même afin de répondre au défi de Margie. Son sourire, déjà dépourvu de toute tendresse, avait totalement disparu.

— Ça veut dire, madame Geary, que vous ne pouvez pas venir me dire, avec votre robe à cinquante mille dollars, que vous comprenez la souffrance des petites gens. Si vous voulez faire le bien, vous devriez peut-être commencer par vendre aux enchères le contenu de votre garde-robe et distribuer ensuite les bénéfices, substantiels j'en suis sûr.

Ce fut son dernier mot. La seconde suivante, le sénateur était déjà parti, accompagné de son épouse et de son entourage. Garrison voulut lui emboîter le pas, mais Margie le retint.

— Reste là, dit-elle. Ou sinon, je lui répète que tu l'as traité de pauvre petite merde molle.

— Tu es méprisable, dit Garrison.

— Non, c'est *toi* qui es méprisable. Moi, je ne suis qu'une pauvre alcoolique pathétique qui ne comprend rien. Tu veux bien me ramener à l'intérieur de la maison avant que je m'en prenne à quelqu'un d'autre ?

2

Rachel n'eut vent de l'altercation entre Margie et le sénateur qu'au retour de sa lune de miel, quand Margie elle-même lui en fit l'aveu. Mais Rachel joua elle aussi un rôle important dans le deuxième des trois échanges notables de cet après-midi.

Voici ce qui se produisit. Un peu avant le crépuscule, Loretta vint la trouver pour lui demander si elle accepterait de présenter sa mère et sa sœur à Cadmus, qui n'allait pas tarder à se retirer. Le vieil homme ne s'était joint à la fête qu'au moment de la pièce montée. On l'avait alors poussé dans son fauteuil vers la grande tente, sous des applaudissements nourris, et là, il avait porté un toast, bref mais éloquent, aux jeunes mariés. Après quoi, on l'avait conduit dans un coin ombragé derrière la maison, où il était plus facile de contrôler le flot des invités qui souhaitaient lui présenter leurs respects. Apparemment, Cadmus était impatient de faire la connaissance de la famille de Rachel, depuis le début de l'après-midi, mais c'était seulement maintenant, vers les neuf heures du soir, que diminuait enfin la file des personnes désireuses de lui serrer la main. Il était très fatigué, précisa Loretta par avance ; la conversation devait être brève.

En vérité, malgré toutes ces sollicitations, Rachel trouva que Cadmus paraissait plus en forme que le jour de son anniversaire : il était encore d'une vigueur étonnante pour un homme de quatre-vingt-seize ans. Assis confortablement dans un fauteuil en osier, au milieu d'un tas de coussins, dans un coin isolé du jardin, il tenait à la main un verre de cognac et le mégot éteint d'un cigare. Son visage avait conservé toute sa beauté, dans un genre patricien ; la vieillesse lui avait fait dépasser le stade des rides pour lui conférer une sorte de grandeur de squelette ; sa peau burinée ressemblait à du vieux bois, ses yeux profondément enfoncés dans leurs orbites brillaient comme des pierres précieuses. Son débit était lent et un peu confus parfois, mais il possédait encore plus de charisme que la plupart des hommes beaucoup moins âgés, et suffisamment de mémoire pour savoir comment utiliser son charme devant le sexe opposé. Il ressemblait à une star de cinéma, se dit Rachel ; un personnage tellement adulé à son époque que, bien qu'il ne soit plus dans la fleur de l'âge depuis longtemps, il continuait à croire à sa propre magie. Et c'était cela le plus important, la foi. Tout le reste n'était que poudre aux yeux.

Après avoir fait les présentations, Loretta retourna parmi les invités, laissant Cadmus face à sa petite cour.

— Tout d'abord, je voulais vous dire combien j'étais fier, déclara-t-il en s'adressant à Rachel, de vous accueillir, ainsi que votre mère et votre sœur, au sein de la famille Geary. Vous êtes toutes les trois tellement adorables, si je peux me permettre.

Il tendit son verre à la femme (sans doute une infirmière, se dit Rachel) qui se tenait près du fauteuil, et prit la main de la jeune mariée.

— Pardonnez mes doigts glacés, dit-il. Ma circulation sanguine n'est plus ce qu'elle était. Je sais combien les sentiments qui vous unissent, Mitchell et vous, sont profonds, et je dois dire qu'il est l'homme le plus chanceux sur terre, car il a réussi à gagner votre amour. Tant de gens...

Il s'interrompit et ses paupières papillotèrent. Puis il inspira profondément comme s'il cherchait à puiser dans une réserve d'énergie enfouie en lui, et cette faiblesse passagère disparut.

— Pardonnez-moi. Tant de gens, disais-je, ne connaîtront jamais dans leur vie les sentiments profonds que vous éprouvez l'un pour l'autre. J'ai eu la chance de les connaître moi aussi, dit-il avec un petit sourire amer. Hélas, ils n'étaient destinés à aucune des deux femmes que j'ai épousées.

Rachel entendit Deanne étouffer un rire dans son dos. Elle se retourna en fronçant les sourcils, mais Cadmus était le premier à s'amuser de sa remarque. Son petit sourire s'était transformé en grimace malicieuse.

— À vrai dire, ma chère Rachel, vous ressemblez fort à cette femme que j'idolâtrais. À tel point que le jour où je vous ai vue pour la première fois, lors de cette petite fête organisée en mon honneur par Loretta – comme si j'avais envie qu'on me rappelle mon âge canonique –, je me suis dit : Mitchell et moi partageons le même amour de la beauté.

— Puis-je vous demander qui était cette femme ? s'enquit Rachel.

— Je serai ravi de vous le dire. D'ailleurs, je ferai même mieux. Voudriez-vous me rendre visite la semaine prochaine ?

— Bien sûr.

— Je vous montrerai alors la femme que j'ai aimée. Je vous la montrerai sur l'écran, là où l'âge ne peut l'atteindre. Et moi non plus... hélas.

— J'attends ce moment avec impatience.

— Moi aussi... dit Cadmus d'une voix plus faible. Je crois, mesdames, que je vais vous laisser rejoindre les invités maintenant.

— C'était un bonheur de vous rencontrer, dit Sherrie.

— Tout le plaisir était pour moi. Croyez-moi. Tout le plaisir était pour moi.

— On ne fait plus des hommes comme ça, commenta Sherrie dès qu'elles se furent éloignées du vieil homme.

— Tu as l'air transie d'amour, dit Deanne.

— Je vais te dire une chose, répondit Sherrie en s'adressant à Rachel. Si Mitchell arrive seulement à la cheville de cet homme, tu n'auras pas de raison de te plaindre.

Chapitre huit

1

Le troisième et dernier événement que j'ai l'intention de rapporter se déroula bien après la tombée de la nuit et celui-ci aurait pu gâcher potentiellement la splendeur de cette journée.

Permettez-moi d'abord de planter le décor. La soirée, comme je l'ai déjà dit, était douce et, même si le nombre des invités avait diminué peu à peu, car il se faisait tard, un tas de gens étaient restés plus longtemps que prévu, pour continuer à boire, à bavarder et à danser. Tout le temps et les efforts qui avaient été nécessaires pour accrocher les lanternes dans les arbres se trouvaient justifiés par le magnifique résultat. Quand, vers vingt et une heures trente, des nuages venus du nord-est obscurcirent le ciel, les lanternes compensèrent avantageusement l'absence d'étoiles ; on aurait dit que tous les arbres de la propriété étaient porteurs de fruits lumineux qui se balançaient au bout des branches, couleur lilas, citron et citron vert. C'était l'heure des serments d'amour murmurés ou bien, chez les plus âgés, des vœux renouvelés et des promesses. « Je serai plus gentil » ; « je serai plus attentif » ; « je m'occuperai de toi comme dans les premiers temps de notre mariage ».

Personne ne craignait d'être espionné. Avec toutes ces sommités présentes, les mesures de sécurité étaient draconiennes. Mais maintenant que la plupart des invités importants étaient repartis et que la fête touchait à sa fin, la vigilance des gardes s'était quelque peu relâchée, c'est pourquoi nul ne vit les deux photographes qui escaladèrent le mur à l'est de la propriété. Malheureusement pour eux, ils ne trouvèrent pas de quoi satisfaire les exigences de leur rédacteur en chef. Quelques fêtards ivres affalés dans des fauteuils, mais pas de personne plus ou moins célèbre. Déçus, ils errèrent dans les jardins, en dissimulant leurs appareils photo sous leurs vestes quand ils croisaient quelqu'un susceptible de leur poser des questions, jusqu'à ce qu'ils atteignent les abords de la piste de danse. Là, ils décidèrent de se séparer.

L'un des deux photographes, un dénommé Buckminster, se dirigea vers la plus grande des tentes, dans l'espoir de trouver au moins une célébrité quelconque en train de s'empiffrer au buffet. Son collègue, Penaloza, dépassa la piste de danse, sur laquelle quelques couples exécutaient une valse langoureuse, pour se diriger vers les arbres.

Rien de ce qu'il voyait n'était particulièrement prometteur. Il connaissait par cœur les lois sordides de sa profession. Les lecteurs des torchons auxquels il espérait vendre ses photos voulaient voir une personne célèbre en train de commettre au moins un péché capital, et même plusieurs avec un peu de chance. La gourmandise, c'était bien ; l'avarice, c'était pas mal non plus ; la luxure et la colère, c'était formidable. Hélas, aucune scène véritablement immorale ne se déroulait sous la lumière des lanternes et Penaloza s'apprêtait à rebrousser chemin pour tenter de s'introduire dans la maison en usant de son bagout, quand il entendit une femme éclater de rire, non loin de là. Il y avait dans ce rire une petite dose de gêne qui n'échappa pas à son oreille exercée.

Le rire résonna de nouveau et cette fois, Penaloza parvint à localiser sa provenance. Oh, nom de Dieu, il n'osait pas en croire ses yeux ! Était-ce bien Meredith Bryson, la fille du sénateur Bryson, qui titubait comme une personne soûle sous les arbres, le chemisier déboutonné, pendant qu'une autre femme plaquait son visage entre ses seins ?

Penaloza dégaina son appareil photo, les mains tremblantes. Tu parles d'une photo, mon vieux ! Peut-être que, s'il pouvait se rapprocher encore un peu pour que personne ne puisse douter de l'identité de la jeune femme... Il avança de deux pas, prudemment, prêt à mitrailler et à s'enfuir ventre à terre en cas de besoin. Mais les deux femmes étaient totalement subjuguées par leur étreinte ; si jamais ça devenait plus chaud, la photo serait impubliable.

Impossible de ne pas reconnaître la fille Bryson désormais, surtout avec la tête rejetée en arrière de cette façon. Retenant son souffle, Penaloza prit un premier cliché. Puis un deuxième. Il aurait aimé en prendre un troisième, mais la maîtresse de Meredith l'avait découvert. Avec beaucoup de galanterie, elle cacha la fille Bryson derrière elle, offrant au paparazzi l'incroyable image d'une femme dressée devant lui, le chemisier ouvert jusqu'à la taille. Il n'attendit pas que la nana se mette à brailler.

« C'est le moment de décamper. » Il pivota sur lui-même et partit en courant.

Ce qui advint ensuite dépassa tout ce qu'il aurait pu imaginer. Au lieu d'entendre les deux femmes se lancer dans un concert de beuglements larmoyants, il n'y eut que le silence, brisé uniquement par le martèlement de ses pas précipités. Et soudain, quelqu'un le retint par le col de sa chemise, l'obligeant à se retourner, et ce fut lui qui poussa un grand cri de protestation lorsque son agresseur lui arracha des mains son appareil photo.

— Sale ordure !

C'était la maîtresse de Meredith, évidemment, mais Dieu seul savait par quel miracle elle avait pu courir assez vite pour le rattraper.

— Ne touchez pas à ça, c'est à moi ! s'écria-t-il en essayant de récupérer son appareil.

— Non, répondit-elle simplement en le lançant par-dessus son épaule.

— Vous n'avez pas le droit ! Cet appareil m'appartient. Si vous osez y toucher, je vous colle un procès...

— Ferme-la, ordonna la jeune femme, avant de le gifler.

Avec une telle force que Penaloza en eut les larmes aux yeux.

— Vous ne pouvez pas faire ça ! clama-t-il. C'est contraire au 5e Amendement !

Elle le frappa de nouveau.

— Tiens, prends ça en attendant.

Penaloza avait quand même quelques principes moraux. Il ne prenait aucun plaisir à frapper une femme, mais parfois, c'était une nécessité. Clignant des yeux pour chasser ses larmes, il exécuta une feinte sur la droite et décocha un crochet du gauche qui atteignit la jeune femme à la mâchoire avec un craquement d'os. Elle laissa échapper un glapissement réjouissant et tomba à la renverse, mais, à la grande stupéfaction de Penaloza, elle se retrouva debout avant même qu'il ait repris son équilibre et elle se jeta sur lui avec une telle violence qu'ils furent projetés tous les deux à terre.

— Bon Dieu ! s'exclama quelqu'un, et, du coin de l'œil, le paparazzi aperçut son collègue Buckminster, à quelques mètres de là, qui photographiait le combat.

Penaloza parvint à dégager un bras pour montrer son appareil qui gisait toujours dans l'herbe, non loin de la fille du sénateur.

— Ramasse-le ! hurla-t-il. Buck, bordel ! Salopard ! Ramasse mon appareil !

C'était trop tard. La fille Bryson s'était précipitée pour s'emparer de l'appareil et Buckminster, ayant décidé qu'il avait pris suffisamment de risques, pivota sur lui-même pour prendre la fuite. Pendant ce temps, Penaloza se débattait pour essayer de se libérer de l'étreinte de son adversaire, mais elle l'avait cloué au sol en lui enserrant la tête entre ses cuisses et il n'avait plus la force de la désarçonner. Il ne pouvait que s'agiter comme un enfant, pendant qu'elle faisait signe à Meredith Bryson d'approcher, d'un geste décontracté.

— Ouvre l'appareil, ma chérie. Et ensuite, sors la pellicule.

Penaloza recommença à brailler ; des gens venaient voir quelle était la cause de tout ce tumulte. Si l'un d'eux pouvait empêcher Meredith d'ouvrir le boîtier, il conserverait ses preuves. Trop tard ! Le dos de l'appareil se souleva et la fille Bryson sortit la pellicule du boîtier.

— Vous êtes contentes, hein ? grogna le paparazzi.

La femme assise sur lui à califourchon sembla réfléchir à la question.

— On t'a déjà dit que tu étais mignon ? demanda-t-elle en tendant la main derrière elle. (Elle lui attrapa les couilles et serra.) Que tu étais un magnifique spécimen de mâle ? (Elle lui tordit le scrotum. Penaloza se mit à sangloter, de peur autant que de douleur.) Non ?

— ... Non...

— Tant mieux. Parce que c'est pas le cas. Tu n'es qu'une vulgaire merde de rat. (Elle continua à lui tordre les couilles.) Alors, qu'est-ce que tu es ?

S'il avait eu un flingue à cet instant, il se serait fait une joie de lui tirer une balle dans la tête à cette salope.

— Qu'est-ce... que... tu.... es ? demanda-t-elle en exerçant un mouvement de torsion à chaque syllabe.

— Une merde de rat, répondit Penaloza.

2

La jeune femme qui avait mis Penaloza au tapis n'était autre que ma très chère Marietta, bien évidemment. Et vous la connaissez suffisamment bien maintenant, je suppose, pour deviner qu'elle était très fière d'elle. Quand elle revint ici, à *L'Enfant,* elle nous fit à Zabrina et à moi un récit détaillé de son escapade.

« Mais d'abord, qu'étais-tu allée foutre là-bas ? » lui demanda Zabrina, je m'en souviens.

« J'avais envie de foutre le bordel, répondit Marietta. Mais une fois sur place, et après quelques coupes de champagne, je n'avais plus qu'une seule envie : m'envoyer en l'air. Alors, j'ai trouvé cette fille. Je ne savais pas qui c'était. (Elle esquissa un sourire ironique.) Et elle non plus, la pauvre chérie. Mais j'aime me dire que je l'ai aidée à se trouver. »

Il y a un post-scriptum à cette histoire. Il concerne les suites de la carrière amoureuse de la fille du sénateur.

Un an peut-être après le mariage des Geary, qui vit-on apparaître en couverture du magazine *People*, pour annoncer publiquement son appartenance à la tribu de Sapho ? La radieuse Meredith Bryson.

À l'intérieur, il y avait une interview de cinq pages, accompagnée de plusieurs photographies de la jeune femme qui venait de faire son « outing ». On la voyait assise sur une banquette devant la fenêtre de sa maison de Charleston ; dans son jardin avec deux chats ; en compagnie de ses parents lors de l'investiture du président, avec, en médaillon, un gros plan de Meredith qui semblait s'ennuyer mortellement.

« Je me suis toujours intéressée à la politique », affirmait-elle dans l'article.

Mais l'intervieweur s'empressait de l'entraîner vers un sujet plus croustillant. *Quand avait-elle pris conscience qu'elle était lesbienne ?*

« Je sais qu'un tas de femmes disent qu'elles l'ont toujours su, quelque part au fond d'elle-même, répondait-elle. Mais sincèrement, je ne m'étais jamais douté de rien, jusqu'à ce que je rencontre la personne idéale. »

Pouvait-elle dévoiler aux lecteurs l'identité de cette heureuse personne ?

« Non, je préfère ne pas en parler pour l'instant », disait Meredith.

« L'avez-vous amenée à la Maison-Blanche ? »

« Pas encore. Mais j'en ai l'intention, un de ces jours. La First Lady et moi avons eu une longue conversation à ce sujet, et elle m'a dit que ma compagne serait la bienvenue. »

L'article continuait ainsi, de manière insipide, pendant plusieurs pages, sans rien dévoiler d'important. Mais après cette allusion à la Maison-Blanche, je ne pus m'empêcher d'imaginer Marietta et Meredith dans la chambre à coucher de Lincoln, en train de faire l'amour sous le portrait d'Abe. Voilà une photo que les paparazzi auraient achetée à prix d'or.

Quant à Marietta, elle refusa d'évoquer plus en détail le sujet de la fille du sénateur. Néanmoins, je ne peux que me demander si, à un moment donné, le destin de *L'Enfant* et les vies secrètes de Capitol Hill ne vont pas se croiser de nouveau. Après tout, cette maison a été construite par un président. Je ne dirai pas que *L'Enfant* fut son chef-d'œuvre – il s'agit sans nul doute de la Déclaration d'indépendance – mais ses racines sont trop proches de celles de l'arbre de la démocratie pour que les unes et les autres ne s'entremêlent pas. Et si, comme l'affirmait jadis Zelim le Prophète, le destin de toute chose ressemble à la Roue des Étoiles, et si tout ce qui semble avoir disparu revient un jour, tôt ou tard, est-il déraisonnable de penser que la disparition de *L'Enfant* sera peut-être provoquée ou accélérée par cette même force qui l'a fait naître ?

Chapitre neuf

Voilà, vous savez maintenant comment Rachel Pallenberg et Mitchell Geary devinrent mari et femme, depuis leur première rencontre jusqu'aux serments échangés devant l'autel. Vous savez combien était puissante, et possessive, la famille dans laquelle venait d'entrer Rachel ; vous savez à quel point elle était amoureuse de Mitchell, passionnément, et vous savez que ces sentiments étaient réciproques.

Comment alors, vous demandez-vous, une si belle histoire d'amour peut-elle péricliter ? Comment se fait-il que, deux ans plus tard, à la fin d'un mois d'octobre pluvieux, on retrouve cette même Rachel roulant dans les rues de la petite ville arriérée de Dansky, dans l'Ohio, maudissant le jour où elle avait entendu prononcer pour la première fois le nom de Mitchell Geary ?

Si nous étions dans une œuvre de fiction, je pourrais inventer un scénario dramatique pour expliquer cette situation. En rentrant chez elle, un jour, elle aurait découvert son mari au lit avec une autre femme ; ou bien une dispute aurait dégénéré en gestes violents, ou alors, emporté par la colère, Mitchell lui aurait avoué qu'il l'avait épousée à la suite d'un pari avec son frère. Mais non, il n'y eut jamais rien de tel dans leur vie : ni adultères, ni violences, ni même des éclats de voix. Ce n'était pas dans les manières de Mitchell. Il aimait qu'on l'aime, même si cela signifiait éviter à tout prix une confrontation qui aurait pourtant été bénéfique pour tout le monde. Même si cela signifiait fermer les yeux devant le malaise de Rachel, de peur de faire remonter à la surface des choses déplaisantes. L'empathie qu'il exprimait autrefois, et qui avait joué un grand rôle dans l'envoûtement de Rachel, avait disparu. Mitchell avait toujours un tas d'affaires familiales à régler pour justifier son manque d'attention ; et bien évidemment, le luxe était là pour adoucir la solitude de Rachel quand son mari la délaissait.

Il serait faux d'affirmer que Rachel n'était pas, d'une certain façon, complice de cette situation. Très vite, elle comprit que l'existence de Mme Mitchell Geary ne lui procurerait pas toutes les satisfactions sentimentales qu'elle avait espérées. Mitchell se consacrait entièrement à la gestion des affaires familiales, et, comme Rachel ne jouait aucun rôle dans ce domaine (et elle s'en réjouissait), elle se retrouvait seule plus souvent qu'elle ne l'aurait souhaité. Mais au lieu de prendre son mari entre quatre yeux pour évoquer franchement le problème – lui expliquer, en l'occurrence, qu'elle ne voulait pas être uniquement une épouse qu'on exhibe en société –, elle se conformait au modèle imposé par Mitchell, et très rapidement, cela se transforma en cercle vicieux. Moins elle se plaignait, plus il devenait difficile pour elle de parler.

D'ailleurs, comment aurait-elle pu prétendre que son mariage était un échec alors que, aux yeux du monde extérieur, on lui avait offert le paradis sur un plateau d'argent ? Y avait-il un seul endroit où elle ne pouvait se rendre si l'envie lui en prenait ? Un seul magasin où elle ne pouvait pas acheter tout ce qui lui plaisait, jusqu'à ce qu'elle se lasse de dire « Je prends » ? Ils partaient faire du ski à Aspen, ils passaient des week-ends dans le Vermont en automne pour voir les feuilles changer de couleur. Elle se rendait à Los Angeles pour la cérémonie des Oscars, à Paris pour les collections de printemps, à Londres pour les premières théâtrales et à Rio ou Bali pour des vacances improvisées. Comment pouvait-elle se plaindre ?

La seule personne à qui elle pouvait confier son désespoir grandissant était Margie, qui se montrait moins compatissante que fataliste.

— C'est un compromis, disait celle-ci. C'est comme ça depuis le commencement des temps. Ou du moins, depuis que le premier homme riche a épousé une fille pauvre.

Cette remarque fit tressaillir Rachel.

— Je ne suis pas...

— Allons, ma chérie...

— Ce n'est pas pour cette raison que j'ai épousé Mitch.

— Non, bien sûr que non. Tu vivrais avec lui s'il était laid et pauvre ; et moi, je serais avec Garrison s'il faisait des claquettes au coin d'une rue à Soho.

— J'aime Mitch.

— À cet instant ?

— Comment ça ?

— Après tout ce que tu viens de me dire, après m'avoir expliqué qu'il te négligeait, qu'il refusait de parler de tes sentiments et ainsi de suite, tu peux affirmer, à cet instant, assise là devant moi, que tu l'aimes ?

— Oh, Seigneur...

— Est-ce un « peut-être » ?

Il y eut un moment de silence, pendant lequel Rachel essaya d'analyser ses sentiments actuels.

— Je ne sais pas ce que j'éprouve, avoua-t-elle. Simplement, il n'est plus...

— L'homme que tu as épousé ?

Rachel acquiesça d'un hochement de tête. Margie se versa une nouvelle dose de whisky et se pencha en avant, comme pour murmurer un secret, bien que les deux femmes soient seules dans la pièce.

— Ma chérie, Mitch n'a jamais été l'homme que tu as épousé. Il t'offrait simplement le Mitch que tu voulais voir.

Elle se renversa dans son siège en agitant sa main libre, comme si elle chassait un essaim de Geary fantômes.

— Ils sont tous pareils. (Elle but une gorgée de whisky.) Crois-le si tu veux, mais Garrison est le charme personnifié quand il veut. Ils doivent tenir ça de leur grand-père.

Rachel revit l'image de Cadmus le jour du mariage : assis dans son grand fauteuil en osier, dispensant son charme comme une bénédiction.

— Si tout cela n'est qu'une comédie, dit-elle, où est le véritable Mitch ?

— Il ne le sait plus lui-même. À supposer qu'il l'ait jamais su, ce dont je doute. C'est assez triste quand on y réfléchit. Tout ce pouvoir, tout cet argent, et personne pour en profiter.

— Ils en profitent en permanence, dit Rachel.

— Non. C'est l'argent qui profite d'eux. Les Geary ne vivent pas. Aucun de nous. On se contente de suivre le mouvement. (Margie plongea le nez dans son verre.) Je sais que je bois trop. L'alcool me détruit le foie, et j'en mourrai certainement. Mais au moins, quand j'ai bu quelques whiskies, je ne me sens plus prisonnière dans la peau de Mme Garrison Geary. Quand je suis ivre, je cesse d'être son épouse, je deviens une personne qu'il préférerait ne pas connaître. Ça me plaît.

Rachel secoua la tête d'un air désespéré.

— Si c'est aussi affreux, dit-elle, pourquoi ne pas le quitter ?

— J'ai essayé. Je l'ai quitté à trois reprises. Une fois, je suis même partie cinq mois. Mais... on s'habitue à un certain mode de vie. C'est plus confortable. (Rachel paraissait mal à l'aise.) Il ne faut pas longtemps pour s'habituer. C'est vrai, je n'aime pas vivre dans l'ombre de Garrison, mais j'aime encore moins vivre sans ses cartes de crédit.

— Tu pourrais divorcer et obtenir une jolie pension, Margie. Tu pourrais vivre où tu veux ensuite, de la manière que tu veux.

Cette fois, ce fut Margie qui secoua la tête.

— Je sais, dit-elle à voix basse. Je m'invente des excuses, voilà tout. (Elle prit la bouteille de whisky pour remplir de nouveau son verre, jusqu'à la moitié.) En vérité, je ne pars pas parce que, tout au fond de moi, je n'en ai pas envie. Peut-être que mes derniers restes d'amour-propre sont enfouis dans le fait d'appartenir à cette dynastie. Pathétique, hein ? (Elle avala une gorgée de whisky.) Ne fais pas cette tête d'enterrement, ma chérie. Ce n'est pas parce que je suis trop lâche pour partir que tu dois suivre mon exemple. Ça te fait quel âge maintenant ?

— Vingt-sept ans.

— C'est rien. Tu as encore toute la vie devant toi. Tu sais ce que tu devrais faire ? Dis à Mitchell que tu réclames le divorce. Tu empoches plusieurs millions et tu pars visiter le monde.

— Ce n'est pas en faisant le tour du monde que je serai plus heureuse.

— D'accord. Qu'est-ce qui pourrait te rendre heureuse, alors ?

Rachel prit le temps de réfléchir avant de répondre :

— Retrouver le Mitch que j'ai connu avant qu'on se marie.

— Oh, mon Dieu, soupira Margie. Veux-tu que je te dise ? Tu as un gros problème.

Chapitre dix

Mitchell retrouva une partie de son charme d'autrefois, mais de manière brève, quand il évoqua avec Rachel son désir d'avoir des enfants. À plusieurs reprises, il trouva des accents lyriques pour lui expliquer combien leurs enfants seraient bénis des dieux : les filles seraient belles, les garçons de beaux spécimens de mâles. Il désirait fonder une famille le plus vite possible et souhaitait une progéniture abondante. À vrai dire, Rachel avait la désagréable impression que Mitch voulait compenser le manque relatif de productivité de Garrison (Margie n'avait donné naissance qu'à un seul enfant : une fille prénommée Alexia et âgée maintenant de huit ans).

Peu importe, elle était heureuse de faire l'amour avec lui, même si le but recherché n'était pas le plaisir mais la pérennité du clan Geary. Quand Mitchell était tout près d'elle, quand il posait ses mains sur son corps, ses lèvres sur les siennes, Rachel revivait leurs premières étreintes, leurs premiers baisers. Elle se souvenait combien elle se sentait privilégiée, différente de toutes les autres femmes.

Mitch n'était pourtant pas un amant très inspiré. Rachel avait même été étonnée de le découvrir si maladroit au lit, presque timide à vrai dire. En tout cas, il ne se comportait pas comme un homme ayant, paraît-il, couché avec les plus belles femmes de son époque. Mais elle aimait cette absence de sophistication sur le plan sexuel. Tout d'abord, cela plaçait Mitch à son niveau et c'était si agréable de pouvoir apprendre ensemble à se donner du plaisir mutuellement. Malgré tout, même quand il faisait des efforts, Mitch la laissait toujours insatisfaite. Il semblait ne pas comprendre les rythmes de son corps, son envie de tendresse parfois, ou au contraire son envie d'une étreinte plus sauvage. Quand elle essayait d'exprimer son attente par des mots, Mitch ne cachait pas sa gêne.

— Je n'aime pas quand tu dis des grossièretés, lui confia-t-il un jour, alors qu'ils venaient de faire l'amour. Je suis peut-être vieux jeu, mais je n'aime pas les femmes qui parlent de cette façon. Ce n'est pas...

— Distingué ?

Debout dans l'encadrement de la porte de la salle de bains, il nouait la ceinture de son peignoir. Il fit semblant de ne pas y arriver pour éviter de la regarder.

— Exactement, dit-il. Ce n'est pas distingué.

— Je veux juste pouvoir dire ce dont j'ai envie, Mitch.

— Quand on est au lit, tu veux dire ?

— C'est interdit ?

Il poussa un soupir d'exaspération.

— Rachel... On en a déjà parlé. Tu es libre de dire tout ce que tu veux.

— Non, c'est faux. Tu dis ça, mais tu ne le penses pas. Tu es prêt à me faire taire si je dis une chose qui te déplaît.

— Ce n'est pas vrai.

— Comme en ce moment.

— Absolument pas ! Je t'explique simplement que je n'ai pas été élevé de la même manière que toi. Quand je couche avec une femme, je n'aime pas recevoir d'ordres.

Il commençait à l'énerver sérieusement et elle n'était pas d'humeur à dissimuler son agacement.

— Si, quand je te demande de me baiser plus fort...
— Et voilà, tu recommences.
— ... tu considères ça comme un ordre, tu as un problème parce que...
— Je ne veux pas parler de ça.
— Ça fait partie de ton problème, justement.
— Non, le problème c'est que tu es vulgaire.
Rachel se leva. Elle était nue et encore brillante de sueur après leurs ébats. (Mitch était toujours le premier à prendre sa douche et à se récurer.) La nudité de sa femme l'intimidait. Il avait fait l'amour à ce corps dix minutes auparavant, et maintenant, il n'osait même plus laisser descendre son regard plus bas que le cou. Rachel ne l'avait jamais trouvé ridicule jusqu'à cet instant. Arrogant parfois, puéril également, mais jamais ridicule... jusqu'à maintenant. Cet adulte détournait la tête devant sa nudité comme un collégien intimidé. Elle aurait éclaté de rire si ça n'avait pas été aussi pathétique.
— Que les choses soient bien claires, Mitchell, dit-elle d'une voix qui trahissait à peine la fureur qui l'habitait. Je ne suis pas vulgaire. Si ça te pose un problème de parler de sexe...
— Ne rejette pas la faute sur moi.
— Laisse-moi finir.
— J'en ai suffisamment entendu.
— J'ai encore des choses à dire.
— Je n'ai pas envie de les entendre, dit-il en se dirigeant vers la porte de la chambre.
Elle se dressa sur son chemin. Sa nudité lui conférait un étrange sentiment de pouvoir. Elle le sentait effrayé par son absence de pudeur et cela éveillait en elle un penchant exhibitionniste. S'il la considérait comme une femme vulgaire, eh bien, elle se comporterait comme telle, et elle prendrait plaisir à le voir mal à l'aise.
— Pas d'autre tentative de fécondation pour ce soir ? demanda-t-elle.
— Je n'ai pas l'intention de dormir dans ce lit avec toi cette nuit, si c'est ce que tu veux savoir.

— Tu sais, plus on fait l'amour, plus on a de chances que je ponde un petit Geary, fit-elle remarquer.

— Ce soir, je m'en fous, dit-il et il quitta la chambre.

C'est seulement après avoir pris sa douche, pendant qu'elle se séchait, qu'elle sentit venir les larmes. Des larmes relativement insignifiantes, compte tenu de ce qui venait de se passer. Elle les chassa rapidement, puis se rinça le visage et se coucha.

Elle avait dormi seule pendant des années, sans jamais en souffrir, se dit-elle. Si elle devait recommencer, jusqu'à la fin de ses jours, tant pis. Pas question de supplier qui que ce soit de lui tenir compagnie entre les draps, pas même Mitchell Geary.

Chapitre onze

1

Paradoxalement, ils avaient conçu un enfant le soir même où Rachel avait fini par dormir seule. Sept semaines plus tard, elle était assise dans le cabinet du Dr Lloyd Waxman, le médecin de famille des Geary, et celui-ci lui annonçait la bonne nouvelle.

— Vous êtes en parfaite santé, madame Geary. Je suis certain que tout va très bien se passer. Votre mère a-t-elle eu des grossesses difficiles ?

— Non, pas que je sache.

— Encore un excellent point. (Il ajouta cette information à ses notes.) Je vous suggère de revenir me voir dans quelque temps, dans un mois, disons.

— Et d'ici là, quelles sont vos recommandations ?

— Ne faites pas d'excès, répondit le Dr Waxman avec un petit haussement d'épaules. C'est ce que je dis à toutes mes patientes. Vous êtes en pleine forme, je ne vois aucune raison pour qu'il y ait des complications. Évitez simplement de sortir avec Margie. Ou alors, laissez-la boire toute seule. Ça ne lui fait pas peur. Ah, Seigneur, l'alcool va la tuer un de ces jours.

Rachel signa une paix timide avec Mitchell une dizaine de jours après leur dispute dans la chambre à coucher, mais tout n'était pas entièrement réglé entre eux. En vérité, elle se sentait moins blessée qu'insultée par cette dispute et elle refusait de se bercer d'illusions en se persuadant que les efforts consentis par Mitchell pour se montrer conciliant remettaient en cause ses opinions. Comme il l'avait avoué ce soir-là, ces idées faisaient partie de son éducation. Des sentiments ancrés si profondément ne pouvaient pas disparaître du jour au lendemain.

Mais la nouvelle annoncée par le Dr Waxman fut accueillie avec une telle jubilation de tous les côtés que Rachel en oublia cette dispute, pendant au moins quelques semaines. Tout le monde était si heureux, on aurait dit qu'un miracle venait d'avoir lieu.

— Ce n'est qu'un enfant, dit-elle à Deborah un jour.

— Allons, Rachel, répondit celle-ci d'un ton légèrement réprobateur. Vous savez bien que c'est faux.

— Bon, d'accord. C'est un petit Geary. Mais quand même, tout ce battage ! Et il y a encore sept mois à attendre.

— Quand j'étais enceinte de Garrison, dit Deborah, Cadmus m'a envoyé des fleurs chaque jour durant les deux derniers mois de ma grossesse, accompagnées d'une petite carte indiquant le nombre de jours restant.

— Comme un compte à rebours ?

— Exactement.

— Plus je connais cette famille, plus je la trouve étrange.

Deborah sourit et son regard se perdit dans le vague.

— Qu'est-ce que ça veut dire ? demanda Rachel.

— Quoi donc ?

— Ce sourire.

Deborah haussa les épaules.

— Oh. Ça veut dire que plus je vieillis, et plus *tout* me paraît étrange. (Elle était assise sur le canapé près de la fenêtre, et le soleil éclatant masquait ses traits.) On croit toujours que tout deviendra évident quand on sera plus vieux, n'est-ce pas ? Mais bien sûr, c'est faux. Parfois, je me surprends à regarder les visages de personnes que je connais depuis des années et ces visages sont un mystère complet pour moi. Comme une chose venue d'une autre planète.

Elle s'interrompit pour boire une gorgée de son thé à la menthe, en regardant par la fenêtre.

— De quoi parlions-nous ? demanda-t-elle.

— On disait que les Geary étaient des gens étranges.

— Hmmm. Et vous pensez sans doute que je suis la plus étrange du lot.

— Non ! protesta Rachel. Je n'ai pas voulu dire...

— Dites ce que vous avez envie de dire, déclara Deborah d'une voix encore lointaine. Ne faites pas attention à Mitchell. (Elle se tourna vers Rachel, mais son regard était vague.) Il m'a dit que vous étiez furieuse contre lui. Sincèrement, je ne vous blâme pas. Il est très autoritaire, parfois. Il ne tient pas ça de George ; Garrison a déteint sur lui. Et Garrison le tient de Cadmus. (Rachel ne fit aucun commentaire.) Il m'a dit que vous aviez eu une grosse dispute.

— C'est oublié, dit Rachel.

— Il a fallu que je lui tire les vers du nez. Mais il sait bien qu'il ne peut rien cacher à sa mère.

Plusieurs réflexions se bousculèrent dans la tête de Rachel, rivalisant pour réclamer son attention. Premièrement, si Deborah ne trouvait pas étrange que son fils partage avec elle ses conversations intimes, ça signifiait qu'elle était aussi bizarre que le reste de la famille, en effet. Deuxièmement, Mitchell n'était pas capable de garder pour lui leurs secrets intimes. Et troisièmement, elle prendrait sa belle-mère au mot désormais : elle dirait tout ce qui lui passait par la tête, même si ce n'était pas agréable à entendre. Ils ne pouvaient plus se débarrasser d'elle désormais. Elle allait donner un enfant au clan Geary. Cela lui conférait un certain pouvoir.

Margie résuma parfaitement la situation, en disant : « Ce gosse va te donner un moyen de pression. » C'était une triste vision des choses, assurément, mais Rachel avait déjà relégué au second plan toutes ses illusions romantiques. Si l'enfant qu'elle portait était un passage obligé pour se faire entendre, eh bien tant pis.

À la fin du mois de janvier, par une de ces journées cristallines qui rendent supportables les hivers new-yorkais les plus polaires, Mitchell rentra à la maison vers midi et annonça à Rachel qu'il avait quelque chose à lui montrer ; voulait-elle bien l'accompagner ? Tout de suite ? demanda-t-elle. Oui, dit-il. Tout de suite.

La circulation était anormalement embouteillée, même pour New York. Le ciel de plomb avait commencé à déverser des flocons de neige sur la ville ; on attendait une tempête de neige dans les prochaines heures. Rachel repensa à ce premier après-midi, à Boston. La neige sur les trottoirs et un prince à la porte. Tout cela paraissait si loin.

Leur destination était la 5e Avenue, au niveau de la 81e Rue : une tour d'habitation que Rachel connaissait seulement de réputation.

— Je t'ai fait un petit cadeau, déclara Mitchell au moment où ils montaient dans l'ascenseur. J'ai pensé qu'il te fallait un endroit à toi. Un endroit où tu puisses fuir tous les Geary. (Il sourit.) Sauf moi, évidemment.

Son cadeau les attendait tout en haut de la tour : le duplex en terrasse. L'appartement avait été aménagé de manière exquise : les murs étaient ornés de tableaux de grands peintres modernes, les meubles étaient chic, mais confortables.

— Il y a quatre chambres, six salles de bains et, bien évidemment... (Il l'entraîna vers la baie vitrée.) ... la plus belle vue d'Amérique.

— Oh, mon Dieu...

Ce fut tout ce que Rachel put dire.

— Ça te plaît ?

Comment cela aurait-il pu ne pas lui plaire ? C'était magnifique, le rêve absolu. Elle ne pouvait même pas imaginer combien coûtait un tel luxe.

— Tout est à toi, ma chérie. Entièrement. L'appartement et tout ce qu'il contient ; tout est à ton nom. (Il vint se placer derrière elle pour contempler le rectangle enneigé de Central Park.) Je sais bien que c'est dur pour toi, parfois, de vivre au milieu de cette foutue dynastie.

C'est déjà pénible pour moi, alors Dieu sait ce que tu dois éprouver. (Il l'enlaça par-derrière ; ses mains se posèrent sur le ventre gonflé de Rachel.) Je veux que tu aies ton petit royaume en haut de cette tour. Si tu n'aimes pas les tableaux sur les murs, vends-les. J'ai essayé de choisir les objets en fonction de tes goûts, mais si tu ne les aimes pas, tu peux les vendre et acheter ce qui te plaît. J'ai versé deux millions de dollars sur un compte bancaire à ton nom, pour changer tout ce que tu veux. Tu peux installer une table de billard. Ou une salle de cinéma. C'est toi qui décides. (Il approcha sa bouche de son oreille.) Évidemment, j'espère que tu me donneras une clé pour que je puisse venir jouer avec toi de temps en temps.

Il avait dit cela d'une voix grave et son bassin frottait doucement, mais avec insistance, contre les fesses de Rachel.

— Dis, ma chérie ?

— Quoi ?

— Je peux venir jouer ?

— Tu as besoin de demander la permission ? répondit-elle en se retournant dans ses bras pour lui faire face. Évidemment que tu peux jouer.

— Même dans ton état ?

— Je ne suis pas en sucre, dit-elle en se collant contre lui. Je me sens très bien. Mieux que ça, même. (Elle l'embrassa.) Cet endroit est merveilleux.

— C'est toi qui es merveilleuse, dit Mitchell en lui rendant son baiser. Plus je te connais, plus je suis amoureux de toi. Je ne suis pas très doué pour dire ce genre de choses. Tu me déstabilises, tu sais. J'ai la réputation d'être un type supercool, mais quand je suis devant toi, je deviens idiot, un vrai gamin. (Il appuya sa bouche sur son front.) Un gamin très, très excité.

Il n'avait pas besoin de le dire ; Rachel le sentait tout dur contre elle. Son visage d'habitude si pâle était empourpré, il avait des rougeurs dans le cou.

— Je peux la mettre ? demanda-t-il.

C'était toujours son entrée en matière : « Je peux la

mettre ? » À l'époque où elle était en colère contre lui, et quand elle repensait à cette phrase, elle trouvait cela complètement ridicule. Mais aujourd'hui, elle se laissa charmer par cette simplicité idiote. Elle avait *envie* qu'il *la* mette, cette chose qu'il n'osait pas nommer.

— Dans quelle chambre ? demanda-t-elle.

Ils firent l'amour sans se déshabiller entièrement, sur un lit si gigantesque qu'elle aurait pu y organiser des orgies, au milieu des innombrables oreillers. Elle ne se souvenait pas d'avoir connu Mitchell aussi passionné ; ses mains et sa bouche revenaient sans cesse se poser sur son ventre bombé et soyeux. C'était comme si cette preuve de sa fécondité l'excitait ; la joue collée contre son corps, il murmurait des paroles d'adoration. Les ébats ne durèrent qu'un quart d'heure, il ne put se retenir davantage. Dès que ce fut terminé, il se leva et prit une douche. Il était en retard pour son rendez-vous, expliqua-t-il. Garrison allait le maudire.

— Je vais prendre un taxi, je te laisse la limousine en bas, dit-il en se penchant vers Rachel pour l'embrasser sur le front.

Il avait encore les cheveux mouillés.

— N'attrape pas froid, lui dit-elle. Il y a du blizzard dehors.

Il jeta un coup d'œil par la fenêtre. Le rideau de neige était si dense qu'il masquait presque Central Park.

— Je ne risque pas de me refroidir, murmura-t-il. Je penserai à vous deux, dans ce grand lit, et j'aurai chaud au cœur.

Après le départ de Mitchell, le corps de Rachel conserva le souvenir des mouvements de l'érection de son mari, comme si un phallus invisible continuait à aller et venir en elle. Elle repensait également à ce qu'il lui disait quand il était excité. Souvent, dans le feu de l'action, il l'appelait *baby, oh baby, baby*... comme cet après-midi. *Baby, oh baby, baby,* avait-il murmuré en la pénétrant. Mais maintenant, alors qu'elle entendait encore résonner sa voix, c'était comme si Mitchell s'adressait à l'enfant qui était en elle, comme s'il l'appelait dans son ventre. *Baby, oh baby, baby.*

Ne sachant si elle devait se sentir émue ou inquiète, elle choisit de ne plus y penser. Elle s'enroula dans les draps, sous l'édredon, et s'endormit, pendant qu'au-dehors la neige étalait sa grosse couette blanche sur le parc tout en bas.

2

Depuis que j'ai écrit le passage précité – c'est-à-dire, hier après-midi – j'ai reçu pas moins de trois fois la visite de Luman, et cela m'a tellement déconcentré que je n'ai pas réussi à me remettre dans l'ambiance pour rédiger la suite de mon histoire. Alors, j'ai décidé de vous raconter la cause de mon trouble ; peut-être que cela m'aidera à ne plus y penser.

Plus je fréquente Luman, plus je le trouve encombrant. À la suite de notre dernière conversation, et après toutes ces années d'indifférence, il avait décidé que j'étais son meilleur copain : un compagnon de tabagie (il avait déjà consommé une demi-douzaine de mes havanes), un confident et, bien entendu, un confrère écrivain. Comme je l'avais expliqué à Zabrina, il s'était mis dans la tête que j'allais collaborer avec lui à l'écriture de la somme définitive sur les asiles d'aliénés. Je n'ai jamais promis une telle chose, mais je n'ai pas eu le courage de gâcher son rêve, cela semble si important pour lui. Il vient me voir dans mon bureau avec d'étranges petits gribouillages sur des feuilles de papier (à vrai dire, il ne fait pas irruption dans la pièce comme le ferait Marietta ; il attend sur la véranda jusqu'à ce que je lève la tête par hasard, que je l'aperçoive et l'invite à entrer) et il me donne ce qu'il a écrit en m'expliquant à quel endroit il pense l'incorporer dans son grand projet littéraire. Apparemment, il a tout planifié de A à Z, car il me dit : « Cette partie s'insère dans le chapitre 7 » ou bien « Ça ira avec toutes les histoires sur Bedlam », comme si je partageais sa vision. Ce n'est pas le cas. Je ne peux pas. Premièrement, il ne m'a pas raconté ce que serait son livre (même s'il semble être convaincu du contraire), et deuxièmement, je dois penser à mon propre livre. Il n'y a pas assez de place dans ma tête pour en accueillir deux. À vrai dire, il y en a tout juste assez pour celui-ci.

Sans doute aurait-il été préférable pour tout le monde que je lui dise simplement que je n'avais aucune intention de collaborer avec lui. Il m'aurait fichu la paix et j'aurais pu continuer à vous raconter ce qui était arrivé à Rachel. Mais il était tellement enthousiasmé par son projet que je craignais de le détruire en faisant cela.

Toutefois, ce n'est pas la seule raison pour laquelle je ne lui ai pas dit la vérité, je l'avoue. Même si ses visites impromptues pour solliciter mes lumières me dérangent dans mon travail, je trouve sa présence étrangement stimulante. Plus il se sent à l'aise devant moi, moins il fait d'efforts pour maintenir la conversation sur des chemins cohérents. Alors qu'il évoque quelque passage insensé de son livre, voilà qu'il dévie tout à coup vers un sujet totalement différent, puis il dérive de nouveau vers autre chose, comme s'il y avait plusieurs Luman dans sa tête, qui livraient bataille pour s'approprier l'usage de sa bouche. Il y a Luman le cancanier au caractère ouvert, presque efféminé. Il y a Luman le métaphysicien qui contemple le plafond pendant qu'il pontifie. Il y a Luman l'encyclopédiste qui vous parle soudain de la loi romaine, sans raison, ou des secrets de l'art topiaire. Il m'a fourni dans ces moments-là certaines informations fascinantes. Ainsi, j'ignorais que chez certaines espèces de hyènes, la femelle ne peut être différenciée du mâle : son clitoris a la taille d'un pénis et ses lèvres vaginales gonflées pendent comme un scrotum. Pas étonnant que Marietta en soit folle. De même, j'ignorais que les temples où l'on adorait Cesaria faisaient souvent office de tombeaux également, et qu'on y célébrait des mariages secrets, les *heiros gamos*, au milieu des morts.

Et enfin, il y a Luman l'imitateur, capable de prendre soudain une voix si différente de la sienne qu'on le croirait possédé. Hier soir, par exemple, il a si bien imité Dwight que si j'avais fermé les yeux, je n'aurais pas été capable de faire la différence avec le vrai. Un peu plus tard, juste avant de s'en aller, il a parlé avec la voix de Chiyojo, en récitant un passage d'un poème qu'avait écrit ma mère :

> Mon Sauveur est très appliqué :
> Il m'a inscrite dans son livre
> Où tous mes défauts sont énumérés,
> Mais j'en suis certaine
> Seul le Déchu
> Nous veut parfaits
> Car alors, nous n'aurons plus besoin de
> l'aide d'un ange.

Vous pouvez imaginer combien c'était étrange d'entendre ça : la voix de mon épouse, avec ses intonations japonaises encore perceptibles, exprimant une pensée sortie du cœur de ma mère. Les deux grandes femmes de ma vie, jaillissant de la gorge de cet individu au visage marqué par la vie et au regard fou. Comment pouvais-je, dès lors, poursuivre le fil de mon histoire ?

Mais les passages les plus étranges de ces conversations sont ceux teintés de métaphysique, sans aucun doute. De toute évidence, Luman a longuement et durement réfléchi aux paradoxes de notre état : une famille de divinités (de demi-divinité dans mon cas) obligées de fuir un monde qui ne veut plus et n'a plus besoin de nous.

— Être divin, ça veut rien dire du tout, me dit-il. Ça sert qu'à nous rendre dingues.

Je lui demandai pour quelle raison, d'après lui. (Je ne

remettais pas en cause son postulat de départ. Je pense qu'il a raison : tous les Barbarossa sont un peu fous.) À son avis, me répondit-il, c'était parce que nous n'étions que des dieux de second ordre.

— Quand on y réfléchit, dit-il, on n'est pas tellement supérieurs à tous les autres. D'accord, on vit plus longtemps. Et on peut réaliser quelques tours. Mais c'est de la rigolade tout ça. On ne peut pas bâtir des étoiles. Ni les détruire.

— Pas même Nicodemus ? demandai-je.

— Non. Pas même Nicodemus. Et pourtant, c'était un des Premiers Créés. Comme elle.

Il pointa le doigt vers les appartements de Cesaria.

— *« Deux âmes aussi vieilles que les cieux... »*

— Qui a dit ça ?

— Moi, dis-je. C'est dans mon livre.

— Très joli.

— Merci.

Il resta muet un instant. Je croyais qu'il retournait dans sa tête la beauté de cette formulation, mais non, son esprit bondissant avait déjà sauté sur un autre sujet, ou plutôt, il était revenu à notre problème de divinité.

— Je pense, dit-il, que nous sommes trop lucides, ça nous nuit. C'est comme si on était incapables de vivre l'instant présent. Il faut toujours qu'on regarde au-delà de la limite des choses. Malheureusement, on n'est pas assez puissants pour voir quoi que ce soit. (Il grogna comme un chien de mauvaise humeur.) Putain, c'est frustrant. Être ni l'un ni l'autre.

— C'est-à-dire ?

— Si on ressemblait à de *vrais* dieux... à ce que sont censés être des dieux, on serait pas en train de glander ici. On serait ailleurs, là-bas, où il y a encore des trucs à faire.

— Tu ne parles pas du monde.

— Non, je parle pas du monde. Je l'emmerde, le monde. Je parle d'un endroit situé au-delà de tout ce que n'importe qui sur cette planète a jamais vu ou rêvé de voir.

Je pensais à Galilée pendant que Luman parlait. Était-ce ce même désir que décrivait Luman – exprimé maladroitement, sans doute, mais brûlant de la même flamme – qui avait expédié Galilée sur les océans à bord de son petit bateau pour défier tout ce qu'il pouvait défier, avec le sentiment de n'être jamais assez loin de la terre, ou assez loin de chez lui ?

Ces ruminations avaient plongé Luman dans un état mélancolique ; il me dit qu'il ne voulait plus parler de tout ça et il prit congé. Mais il était de retour à l'aube, ou juste un peu après, pour sa troisième visite. Je pense qu'il n'avait pas dormi de la nuit. Depuis qu'il avait quitté mon bureau, il avait marché, pour réfléchir.

— J'ai jeté sur le papier quelques notes supplémentaires, dit-il. Pour le chapitre sur le Christ.

— Tu parles du Christ dans ton livre ?

— Forcément. C'est obligé, dit Luman. À cause des puissants liens familiaux.

— Nous n'appartenons pas à la même famille que Jésus, Luman.

Mais soudain, je me mis à douter de mes paroles.

— Si ?

— Non, non, répondit-il. Mais il était fou, comme nous. Simplement, il les aimait plus que nous.

— Qui ça ?

— Les autres. L'humanité. Les ouailles. En vérité, on n'a jamais été des bergers, nous. On était des *chasseurs*. Elle, du moins. Je crois que Nicodemus avait un penchant pour la vie de famille. Il élevait des chevaux. C'était un éleveur dans l'âme.

Je souris en entendant cette remarque perspicace. C'était juste. Notre père, le bâtisseur de clôtures.

— Peut-être qu'on aurait dû se montrer un peu plus attentionnés, reprit Luman. On aurait dû essayer de les aimer, même si eux ne nous ont jamais aimés.

— Nicodemus les a aimés, fis-je remarquer. Certaines femmes, du moins.

— J'ai essayé, dit Luman. Mais elles meurent avant

toi, juste au moment où tu commences à t'habituer à leur présence.

— Tu as des enfants à l'extérieur ? demandai-je.

— Oui, bien sûr, des bâtards.

Je n'avais jamais songé, avant cet instant, que notre arbre généalogique pût posséder des branches cachées. J'avais toujours pensé que je connaissais l'ensemble du clan Barbarossa. Apparemment, j'avais tort.

— Sais-tu où ils sont ? lui demandai-je.

— Non.

— Mais tu pourrais les retrouver ?

— Sans doute...

— S'ils sont comme moi, ils sont toujours en vie. Ils vieillissent lentement, mais...

— Oh, oui, ils sont toujours en vie.

— Et tu n'as pas envie d'en savoir plus ?

— Bien sûr que si, répondit-il un peu sèchement. Mais j'ai déjà du mal à demeurer sain d'esprit en restant enfermé dans le Fumoir. Si je partais à la recherche de mes enfants, si j'évoquais le souvenirs des femmes avec lesquelles j'ai couché, je perdrais le peu de raison qu'il me reste.

Il secoua violemment la tête, comme pour chasser cette tentation logée entre ses oreilles.

— Peut-être que... si je sors un jour... dis-je.

Il arrêta de secouer la tête et leva les yeux vers moi. Son regard s'était mis à briller tout à coup : sous l'effet des larmes, mais aussi, pensai-je, d'une petite flamme d'espoir.

— ... Je pourrais peut-être les rechercher à ta place... ajoutai-je.

— Tu rechercherais mes enfants ?

— Oui.

— Tu ferais ça ?

— Oui. Bien sûr. Je serais... honoré.

Les larmes avaient envahi ses yeux.

— Oh, *mon frère*, dit-il. Imagine... Mes enfants. (Sa voix n'était plus qu'un murmure rauque.) Mes enfants...

Il me prit la main ; je sentais sa paume râpeuse contre ma peau ; son excitation exsudait par tous les pores.

— Et tu ferais ça quand ?
— Oh... eh bien... Pas avant d'avoir terminé le livre.
— Mon livre ou le tien ?
— Le mien. Le tien devra attendre.
— Pas de problème. Pas de problème. Je m'en remettrai. Si je sais que tu vas me ramener...
Il ne put achever sa phrase, cette pensée était trop écrasante. Il me lâcha et plaqua sa main sur ses yeux. Les larmes roulèrent sur ses joues et il se mit à sangloter si bruyamment que toute la maison dut l'entendre, je suis prêt à le jurer. Finalement, il se ressaisit, suffisamment pour dire :
— On en reparlera une autre fois.
— Quand tu veux.
— Je savais bien qu'on redeviendrait amis, pour une raison ou une autre, me dit-il. Tu es un sacré type, Maddox. Et je pèse mes mots. Un sacré type.
Sur ce, il ressortit sur la véranda, en s'arrêtant au passage pour prendre un cigare dans mon humidificateur. Arrivé dehors, il se retourna.
— Je ne sais pas ce que vaut cette information, dit-il, mais maintenant que je te fais confiance, je pense que je devrais te le dire...
— Quoi ?
Soudain déconcerté, il se gratta la barbe fiévreusement.
— Tu vas penser que je suis vraiment dingue, dit-il.
— Vas-y, je t'écoute.
— Eh bien... J'ai une théorie. Au sujet de Nicodemus.
— Ah ?
— Je crois que sa mort n'était pas un accident. Je crois qu'il a tout organisé.
— Pourquoi aurait-il fait ça ?
— Pour pouvoir *lui* échapper, à elle. Pour fuir ses responsabilités. Je sais que c'est pas agréable à entendre, frangin, mais je pense que la compagnie de ta femme lui a donné des envies sur ses vieux jours. Il voulait de la chatte humaine. Pour ça, il devait foutre le camp.

— Tu l'as enterré, Luman. Et je l'ai vu se faire piétiner, devant moi. J'étais couché par terre, sous les mêmes sabots.

— Un cadavre, ça prouve rien, répliqua Luman. Tu le sais bien. Il existe des moyens de disparaître, quand on les connaît. Et si quelqu'un les connaissait...

— ... c'était lui.

— Un sacré truqueur, notre père. Truqueur et obsédé sexuel. (Il arrêta de se gratter la barbe et m'adressa un petit haussement d'épaules, comme pour s'excuser.) Je suis désolé si ça te fait mal de m'entendre dire ça, mais...

— Non, non. C'est rien.

— Il faut qu'on commence à être francs dans cette maison, il me semble. Cesse donc de faire comme si c'était un saint.

— Je n'ai jamais prétendu ça. Crois-moi. Il m'a volé ma femme.

— Ah, tu vois. Tu te mens à toi-même. Il ne t'a pas volé Chiyojo. Tu la lui as donnée, Maddox.

Voyant la lueur farouche dans mes yeux, il hésita un instant. Mais il décida de suivre son conseil et de dire la vérité telle qu'il la voyait, aussi déplaisante soit-elle.

— Tu aurais pu l'emmener ailleurs dès que tu as vu ce qui se passait entre eux. Tu aurais pu faire tes bagages en pleine nuit et le laisser se calmer. Mais non, tu es resté. Tu voyais bien qu'il avait des visées sur elle, mais tu es resté, en sachant qu'elle ne pourrait pas lui dire non. Tu la lui as donnée, Maddox, car tu voulais te faire aimer de lui. (Il regarda fixement ses pieds.) Je ne te jette pas la pierre. À ta place, j'aurais sans doute fait la même chose. Mais ne va pas t'imaginer que tu peux te placer en retrait et faire semblant d'observer tout ça de l'extérieur. C'est faux. Tu es dans la merde jusqu'au cou, comme nous tous.

— Tu ferais mieux de t'en aller, dis-je sans élever la voix.

— Je m'en vais, je m'en vais. Mais réfléchis à ce que je t'ai dit, et tu verras que c'est la vérité.

— Ne reviens pas avant un long moment, ajoutai-je. Tu ne seras pas le bienvenu.

— Écoute, Maddox...

— Va-t'en, veux-tu ? Ne rends pas les choses plus pénibles encore.

Il me regarda d'un air peiné. Visiblement, il regrettait tout ce qu'il avait dit : il avait détruit en quelques phrases la confiance mutuelle que nous avions bâtie récemment. Mais il savait qu'il serait vain d'essayer de s'expliquer davantage. Il détourna son regard triste, pivota sur lui-même et s'éloigna dans le jardin.

Que puis-je dire concernant cette terrible accusation ? Peu de chose, me semble-t-il. J'ai rapporté de manière aussi honnête que possible les points essentiels de nos conversations et je reviendrai sur ce sujet ultérieurement, quand j'aurai plus de recul. Il va sans dire que je n'aurais pas été autant perturbé dans mon travail, et je n'aurais pas éprouvé le besoin de m'étendre comme je l'ai fait, si je n'avais pas pensé qu'il y avait une part de vérité dans ce que disait Luman. Mais comme vous l'imaginez, ce n'est pas une chose facile à admettre, aussi grand soit mon désir d'être honnête vis-à-vis de moi-même, et de vous. Si je crois l'interprétation de Luman, alors je suis responsable de la disparition de Chiyojo, ainsi que de mes propres blessures, et par conséquent, responsable des années de solitude et de souffrance que j'ai vécues, assis dans cette pièce. C'est difficile à accepter. Je ne suis même pas certain d'en être capable. Mais soyez assurés que si je parviens à assumer ce soupçon, ces pages seront les premières informées.

Ça suffit. Il est temps de reprendre l'histoire de Rachel et Mitchell Geary. La tristesse se profile à l'horizon. J'ai promis, au départ, de vous montrer le désespoir des autres pour vous rendre un peu plus heureux de votre sort. C'est moi, maintenant, qui ai besoin du réconfort des larmes de quelqu'un d'autre.

Chapitre douze

1

Quelques jours après que Mitchell lui eut fait cadeau de l'appartement, Rachel se réveilla avec la plus affreuse migraine de toute sa vie, au point de voir trouble. Elle avala quelques cachets d'aspirine et retourna se coucher ; mais comme la douleur persistait, elle appela Margie qui promit d'arriver dans quelques minutes pour la conduire chez le Dr Waxman. Quand elles arrivèrent au cabinet, Rachel était toute tremblante de douleur : ce n'était plus uniquement la migraine, son ventre était assailli par des spasmes fulgurants. Waxman semblait très inquiet.

— Je vais vous faire admettre immédiatement à l'hôpital du Mont-Sinaï, déclara-t-il. Je connais là-bas un excellent médecin, le Dr Hendrick. Je veux qu'il vous examine.

— Qu'est-ce que j'ai, docteur ?

— Rien de grave, espérons-le. Mais je tiens quand même à vous faire examiner.

Malgré le voile de douleur qui troublait ses sens, Rachel percevait la note d'angoisse dans la voix de Waxman.

— Je ne risque pas de perdre le bébé, hein ?

— Nous ferons tout ce que nous pourrons...

— *Je ne peux pas perdre le bébé.*

— Pour l'instant, ce qui compte c'est votre santé, Rachel. Je ne connais pas de meilleur médecin que Gary Hendrick. Vous êtes entre de très bonnes mains, croyez-moi.

Une heure plus tard, Rachel était dans une chambre particulière à l'hôpital du Mont-Sinaï. Le Dr Hendrick vint l'examiner et lui annonça, très calmement, qu'elle présentait quelques signes inquiétants – sa tension était très élevée et elle faisait une petite hémorragie – qui méritaient une surveillance particulière. Par ailleurs, il lui avait donné des médicaments contre la douleur qui commençaient à faire effet. Elle devait se reposer, lui dit-il. Une infirmière resterait en permanence à son côté, si elle avait besoin de quoi que ce soit, il lui suffisait de demander.

Entre-temps, Margie avait appelé à droite et à gauche pour essayer de joindre Mitchell et, après le départ du Dr Hendrick, elle revint auprès de Rachel pour lui annoncer que son mari demeurait introuvable, mais sa secrétaire pensait qu'il était certainement entre deux rendez-vous et il ne tarderait pas à prendre contact avec elle.

— Tout va s'arranger, ma chérie, dit Margie. Waxman aime prendre des airs mélodramatiques parfois. Ça lui donne de l'importance.

Rachel sourit. Les antalgiques que lui avait administrés le Dr Hendrick alourdissaient ses membres et ses paupières. Toutefois, elle résistait à l'envie de dormir ; elle se méfiait du comportement de son corps en son absence.

— Bon sang, dit Margie, ce n'est pas souvent que ça m'arrive.

— Quoi donc ?

— C'est l'heure de l'apéritif et je n'ai rien à boire.

Rachel grimaça.

— Waxman pense que tu devrais arrêter.

— Qu'il essaye donc de vivre avec Garrison en étant à jeun, répliqua Margie.

Rachel ouvrit la bouche pour répondre, mais à cet

instant elle éprouva une étrange sensation dans la gorge, comme si elle avalait une chose très dure. Elle porta la main à son cou et un couinement de panique jaillit entre ses lèvres.

— Que se passe-t-il, ma chérie ?

Rachel n'entendit pas le dernier mot de Margie ; sa tête fut envahie par un torrent de bruit, comme si un barrage venait de céder entre ses oreilles. Du coin de l'œil, elle vit l'infirmière se lever de sa chaise, l'air inquiet. Puis tout son corps fut saisi de convulsions si violentes qu'elle se trouva presque projetée hors du lit. Quand les spasmes cessèrent enfin, elle s'était évanouie.

Mitchell arriva à l'hôpital du Mont-Sinaï à dix-neuf heures quarante-cinq. Rachel avait perdu l'enfant un quart d'heure plus tôt.

2

Dès que Rachel fut en état de s'asseoir dans son lit et de parler – c'est-à-dire huit ou neuf jours plus tard –, Waxman vint lui rendre visite et, avec sa gentillesse et sa bienveillance habituelles, il lui expliqua ce qui s'était passé. C'était une maladie assez rare baptisée éclampsie ; ses causes n'étaient pas encore très bien connues, mais les conséquences étaient généralement fatales pour la mère et le bébé. Elle avait eu de la chance. Certes, la perte de l'enfant était une tragédie et il était terriblement désolé, mais il avait discuté avec le Dr Hendrick qui lui avait dit qu'elle reprenait des forces de jour en jour et serait bientôt rétablie. Si elle souhaitait des détails supplémentaires sur ce qui lui était arrivé, il se ferait un plaisir de lui donner de plus amples informations quand elle se sentirait prête. Entre-temps, elle ne devait avoir qu'une seule préoccupation : oublier au plus vite cette triste histoire.

Voilà pour les explications médicales. Ça ne signifiait pas grand-chose, et, à vrai dire, Rachel n'était pas totalement convaincue. Quoi que disent les comptes rendus des médecins, elle avait sa propre théorie concernant ce qui lui était arrivé : son corps avait tout simplement refusé de créer un Geary. Son être secret avait envoyé un message à son ventre et son ventre avait envoyé un message à son cœur, et à eux deux, ils avaient comploté pour se débarrasser de l'enfant. En d'autres termes, c'était sa faute à elle si le bébé était mort avant de venir au monde. Si elle avait été capable de l'aimer, son corps l'aurait mieux traité. C'était sa faute, uniquement sa faute.

Elle ne fit part de cette conviction à personne. Quand elle sortit de l'hôpital après deux semaines de convalescence, Mitch lui suggéra d'aller consulter un psychologue pour surmonter ce moment difficile.

— Waxman a dit que tu allais vivre une période de deuil. Perdre un enfant, c'est comme perdre quelqu'un, même si tu ne l'as pas connu vraiment. Tu as besoin d'en parler. Ça t'aidera à franchir le cap.

Elle ne put s'empêcher de remarquer que dans l'esprit de Mitchell, c'était *sa* douleur, *son* bébé, à elle, pas à lui. Ce qui confirmait, de manière irrationnelle, sa thèse. Il savait ce qu'elle avait fait, et sans doute la haïssait-il.

Elle refusa néanmoins d'aller voir un psychologue : c'était sa douleur, elle voulait la garder pour elle toute seule. Peut-être le chagrin pourrait-il combler le vide laissé en elle par l'enfant.

Elle eut de nombreuses visites. Sherrie arriva de l'Ohio dès le lendemain de la mort du bébé et demeura quasiment en permanence à l'hôpital. Deborah fit de nombreux allers et retours, comme Margie. Garrison lui-même lui rendit visite, mais il était visiblement si mal à l'aise que Rachel lui demanda finalement de s'en aller ; il ne se fit pas prier et promit de revenir la voir le lendemain quand il serait moins préoccupé. Il ne revint pas, et Rachel s'en réjouit.

— Où as-tu envie d'aller quand tu sortiras d'ici ? lui demanda Mitchell au bout d'une dizaine de jours. Tu veux retourner à l'appartement ou bien rester avec Margie quelque temps ?

— Tu sais où j'aimerais vraiment aller ?

— Tes désirs sont des ordres.

— Dans la maison de George.

— À Caleb's Creek ? (Il semblait abasourdi qu'elle ait choisi cet endroit.) C'est loin de tout !

— Justement, répondit Rachel. Je n'ai pas envie de recevoir de la visite pour l'instant. J'ai juste envie de... me cacher. Pour réfléchir.

— Ne réfléchis pas trop, dit Mitch. Ce n'est pas bon. L'enfant n'est plus là, ce n'est pas en ressassant cette histoire que ça va le faire revenir.

— C'était un garçon... ?

Elle s'était empêchée de poser la question jusqu'à maintenant, bien que Waxman se soit dit disposé à lui transmettre toutes les informations qu'elle souhaitait, si cela pouvait l'aider à surmonter cette perte.

— Oui, dit Mitchell, c'était un garçon. Je pensais que tu le savais.

— On avait trouvé de plus jolis prénoms pour un garçon, dit-elle en sentant monter les larmes. Toi, tu aimais bien Harry, hein ?

— Arrête, Rachel...

— Moi, je préférais Mackenzie...

— Pour l'amour du ciel, Rachel.

— Le problème avec Mackenzie... c'est que tout le monde... (Les larmes étaient trop près, plus moyen de les retenir.) ... l'aurait appelé Mac...

Elle plaqua la main sur sa bouche pour refouler les sanglots, mais en vain.

— Il n'aurait pas aimé Mac, dit-elle en prenant un mouchoir en papier pour essuyer son nez qui coulait.

Levant les yeux, elle constata que Mitch lui tournait à moitié le dos, mais à travers ses larmes, elle voyait son visage crispé et son corps secoué de petits soubresauts. Lui aussi sanglotait. À cet instant, un gigantesque flot d'amour la submergea.

— Oh, mon pauvre chéri.

— Je suis désolé. Je ne devrais pas...

— Non, mon amour. Non. Viens, dit-elle en lui ouvrant ses bras.

Mitchell secoua la tête, sans se retourner.

— N'aie pas honte, lui dit-elle. C'est bon de pleurer.

— Non. Je ne veux pas... Je ne veux pas pleurer. Je veux être assez fort pour tous les deux.

— Viens ici. S'il te plaît...

À contrecœur, il se retourna vers elle. Son visage était empourpré et mouillé de larmes, sa bouche tombante et son menton plissé par un rictus.

— Oh, Seigneur, Seigneur... Pourquoi a-t-il fallu que ça nous arrive ? Nous n'avons rien fait pour mériter ça.

Il était comme un enfant que l'on punit, sans qu'il sache pourquoi. Il se lamentait autant sur l'injustice de cette souffrance que sur la souffrance elle-même.

— Laisse-moi te serrer dans mes bras, dit Rachel. J'ai besoin de te serrer contre moi.

Il s'approcha du lit et elle l'enlaça. Il sentait la transpiration ; la sueur rance avait imprégné sa chemise enfilée le matin. Même son eau de toilette avait des relents âcres.

— Pourquoi ? demanda-t-il du fond de son désespoir. Pourquoi ? Pourquoi ?

— Je ne sais pas, dit Rachel.

À cet instant, son sentiment de culpabilité lui paraissait affreusement complaisant. Son mari souffrait en silence depuis le début ; elle avait simplement choisi de ne pas s'en apercevoir. Mais maintenant qu'elle l'observait à travers ses propres larmes, elle le voyait plus clairement qu'elle ne l'avait vu depuis des semaines : les mèches grisonnantes sur les tempes, les cernes autour des yeux, le bouton de fièvre sur la lèvre.

— Mon pauvre mari... murmura-t-elle en embrassant ses cheveux.

Il enfonça son visage dans sa poitrine en continuant à sangloter et tous les deux laissèrent échapper leurs larmes en se berçant mutuellement.

Après cet épisode, les choses s'arrangèrent. Rachel savait qu'elle n'était pas seule avec sa douleur, finalement. Mitchell éprouvait la même souffrance, à sa manière, et cette découverte était pour elle un réconfort. Ce ne fut pas l'unique fois où ils pleurèrent en chœur : parfois, quelqu'un disait une chose qui faisait du mal à l'un des deux, et les yeux de l'autre se remplissaient de larmes de compassion. Mais au moins, Rachel ne se débattait plus dans une totale obscurité ; elle envisageait la possibilité que son deuil s'achève un jour et qu'elle recommence à vivre.

Il n'y aurait plus jamais d'autre grossesse ; le Dr Waxman avait été formel sur ce point. Si à la suite d'un accident malencontreux elle se retrouvait enceinte, il faudrait interrompre cette grossesse le plus rapidement possible pour éviter d'infliger à son corps des épreuves inutiles.

— Suis-je donc aussi fragile ? demanda-t-elle le jour où Waxman lui annonça cette nouvelle. Je ne me sens pas fragile.

— Disons que vous êtes vulnérable. Sur tous les autres plans, vous pouvez mener une vie parfaitement normale. Mais pour ce qui est des enfants... Évidemment, vous pouvez toujours en adopter.

— Je ne sais pas si les Geary seraient d'accord.

Waxman haussa les sourcils.

— Peut-être êtes-vous trop susceptible. Ce qui est tout à fait normal dans votre état, soit dit en passant. Mais je pense que si vous en parliez à Mitch ou à sa mère, ou même au patriarche, vous seriez surprise de voir combien ils sont favorables à l'idée de l'adoption. Mais nous n'en sommes pas encore là. Pour le moment, vous devez prendre soin de vous, c'est le plus important. Mitch m'a dit que vous partiez dans la maison de son père pendant quelque temps.

— Je l'espère.
— C'est une région magnifique. Je pensais m'y installer pour ma retraite. Ma femme n'était pas d'accord, mais maintenant qu'elle est morte...
— Oh, je suis désolée. Vous l'avez perdue récemment ?
Le sourire bonhomme de Waxman s'effaça.
— À Thanksgiving dernier. Elle avait un cancer.
— Toutes mes condoléances.
Il poussa un soupir débordant de tristesse.
— Je suppose que vous n'avez pas envie d'entendre un vieux médecin gâteux débiter des banalités, mais je vous dirai juste ceci : on n'a qu'une seule vie, Rachel, et personne ne peut la vivre à votre place. Ça veut dire que vous devez bien réfléchir à ce que vous voulez. (Il la regardait avec gravité en disant cela.) Une porte vient de se refermer brutalement et c'est un choc affreux. Mais il y aura beaucoup d'autres occasions, surtout pour une femme dans votre situation.
Il se pencha en avant, faisant craquer son fauteuil en cuir, et il ajouta :
— Je vous demande juste une chose.
— Laquelle ?
— Ne finissez pas comme Margie. Ça fait je ne sais pas combien d'années que je la regarde creuser sa tombe prématurément en buvant. (Il laissa échapper le même soupir accablé.) Pardonnez-moi, il vaut mieux que je me taise.
— Non... murmura Rachel. Ça me fait du bien d'entendre ça.
— Je n'ai pas toujours été aussi mélancolique. Mais depuis la mort de Faith, je vois les choses différemment. Je la connaissais depuis quarante-neuf ans, voyez-vous. Je l'ai connue quand elle avait seize ans. J'ai vu disparaître presque toute ma vie d'un seul coup. Ça vous fait voir les choses sous un autre angle.
— Oui...
— Après la mort de Faith, j'ai dit à un collègue que j'avais l'impression d'avoir été projeté dans l'espace ;

je regardais derrière moi tout ce qui m'avait paru éternel et je ne voyais que cette pierre bleue fragile au milieu de... tout ce néant.

Le regard de Waxman était totalement vide désormais, et, quand il leva les yeux vers Rachel, elle crut voir à l'intérieur de lui, au plus profond d'une solitude qui lui donnait envie de sortir de la pièce en courant.

— Soyez heureuse, tout simplement, ajouta-t-il d'une voix faible. Vous êtes une femme bien, Rachel. Je le vois. Vous méritez d'être heureuse. Faites ce que vous dicte votre instinct et si les Geary ne sont pas contents, allez-vous-en.

En entendant ces mots, Rachel retint son souffle.

— Bien entendu, reprit Waxman, si vous répétez ce que je viens de dire, je nierai tout. J'espère bien que Cadmus va m'offrir un bout de terrain quand je prendrai ma retraite, pour me remercier d'avoir supporté son sale caractère durant des années.

— Je glisserai un mot en votre faveur, dit Rachel.

Chapitre treize

1

Il arrive parfois que les responsabilités d'un conteur et celles d'un simple témoin s'opposent. Par exemple : si je vous avais révélé dès le début que le principal catalyseur de la séparation entre Mitch et Rachel serait la perte de leur enfant, j'aurais éventé la dose de suspense contenue dans les chapitres précédents. Pourtant, je ne pense pas avoir déformé les faits. J'ai commencé cette partie de mon récit en vous disant que les prémices de la destruction de ce mariage n'étaient pas dus à un seul drame, et je le maintiens. Si l'enfant avait survécu, peut-être Rachel serait-elle restée un peu plus longtemps avec Mitchell, mais elle l'aurait quand même quitté, tôt ou tard. Leur union était en danger bien avant la grossesse ; le décès du bébé n'avait fait que précipiter sa fin.

À la demande de Rachel, Mitchell l'emmena dans la « ferme » de Caleb's Creek et resta avec elle pendant presque dix jours. À trois ou quatre reprises, il retourna en ville pour des rendez-vous, mais il rentrait le soir pour être avec elle. Bien que les Rylander soient là en son absence pour veiller au bien-être de Rachel, Barbara raconta à Mitch que Rachel avait pris en main la plupart des tâches domestiques. C'était la vérité. La simplicité accueillante de cette maison, l'absence d'œuvres d'art de grande valeur, ses dimensions modestes, avaient réveillé son côté fée du logis. Ayant pris la place de Barbara dans la cuisine, elle entreprit de préparer à manger, faisant remarquer à Mitch, un jour, qu'elle n'avait même pas fait bouillir de l'eau depuis qu'ils étaient mariés. Rachel n'était pas un fin cordon bleu, mais elle savait préparer un copieux repas. La simplicité des rites de la cuisine possédait des vertus curatives : les légumes frais cueillis dans le jardin, le bon vin venant de la cave, la vaisselle lavée et soigneusement rangée après le repas.

Au bout de deux semaines, Mitch lui demanda comment elle se sentait et Rachel répondit :

— Je peux très bien me débrouiller seule, si c'est ce qui t'inquiète. Tu as envie de passer quelques soirées en ville ?

— Je pensais m'absenter jusqu'au week-end simplement. Je reviendrai vendredi soir, et peut-être que si tu te sens mieux, on pourra rentrer à New York dimanche.

— Quelqu'un doit venir ici ?

— Non. Plus personne ne vient dans cette maison.

— Dans ce cas, qu'est-ce qui m'empêche de rester ?

— Tu peux rester, ma chérie. Mais je me disais que tu aurais envie de retrouver tes amis.

— Je n'ai pas d'amis à New York.

— Ne sois pas bête, Rachel. Tu as un tas de...

Voyant la lueur de tristesse dans les yeux de sa femme, il leva les mains en signe de reddition.

— D'accord. Si tu dis que tu n'as pas d'amis, tu n'as pas d'amis. Simplement, si tu commences à remonter la pente, il serait bon que tu montres à tout le monde que tu vas bien.

— Oh, je comprends. Tu veux m'exhiber devant toute la famille pour qu'ils ne pensent pas que je suis devenue folle.

— Ce n'est pas du tout ça, voyons. Pourquoi es-tu si paranoïaque ?

— Parce que je connais votre façon de penser. À toi et aux autres. Toujours en train de protéger la réputation de la famille. Eh bien moi, je me contrefous de la réputation de la famille, tu entends ? Je ne veux voir personne. Je ne veux parler à personne. Et je n'ai surtout pas envie de rentrer à New York.

— Calme-toi, veux-tu ? Je voulais juste savoir à quoi m'en tenir. Maintenant, je sais.

Mitch sortit de la cuisine sans rien ajouter, mais il revint dix minutes plus tard.

— Je ne reviens pas pour me disputer avec toi, dit-il. Je veux juste te signaler que tu ne peux pas rester ici éternellement. Ce n'est pas une vie digne de mon épouse ; je ne veux pas la voir suivre son petit train-train comme une vieille femme, passer ses journées à cueillir des roses ou éplucher des pommes de terre.

— J'aime éplucher les pommes de terre.

— Tu es perverse.

— Non, je suis honnête.

— Bref, c'est tout ce que je voulais te dire. Je vais loger chez Garrison pendant quelques jours ; il faut qu'on règle cette histoire de Bangkok.

Elle ignorait totalement à quoi il faisait allusion, et elle n'avait pas envie de le savoir.

— Alors, si tu as besoin de moi... dit-il.

— Je sais où te trouver, conclut Rachel en sachant, depuis quelques secondes déjà, qu'elle ne ferait pas appel à lui.

2

Où pouvait-elle aller ? Telle était la question qui l'obséda au cours des jours suivants. À supposer qu'elle fasse ce qui lui aurait semblé inimaginable autrefois, et qu'elle quitte son mari, où irait-elle ? Elle ne pouvait pas rester ici à la « ferme », même si c'était son souhait le plus cher. Cette maison était la propriété des Geary. Elle pouvait retourner vivre dans son duplex new-yorkais, bien évidemment, il lui appartenait, mais elle ne s'y sentirait pas à l'aise, pas avant d'avoir tout réaménagé selon ses propres goûts et c'était une tâche démesurée. Peut-être ferait-elle mieux de vendre cet appartement, même si elle n'en tirait pas un très bon prix, et acheter quelque chose de plus petit, une maison située dans un coin reculé comme Caleb's Creek.

Ces réflexions l'accompagnèrent dans son sommeil, un sommeil troublé. Elle passa la nuit dans une sorte d'état intermédiaire et désagréable entre le sommeil et la conscience, et dans tous ses rêves apparaissait cette chambre dans laquelle elle était couchée, mais totalement privée de couleur, semblable à ces photos qui étaient restées trop longtemps au soleil dans le bureau de George. Des gens traversaient la pièce, certains lui jetaient un regard au passage, mais leurs visages demeuraient impassibles. Elle ne les connaissait pas, mais elle avait le sentiment de les avoir connus autrefois, et d'avoir oublié leurs noms.

Le lendemain, elle appela Margie et l'invita à venir lui rendre visite.

— Je ne supporte pas la campagne, dit Margie. Mais si tu n'as pas l'intention de rentrer à New York avant un petit moment...

— Non, je n'en ai pas l'intention.

— Je vais venir te voir.

Elle arriva le lendemain. Sa limousine débordait de cartons remplis de tous ses péchés mignons : pâté d'anguille fumée, caviar Beluga, bien évidemment, café viennois, une boîte de palets au chocolat amer, sans oublier une caisse de bouteilles de whisky pour les libations.

— Ce n'est pas le bout du monde ici, souligna Rachel en voyant Samuel, le chauffeur de Margie, décharger toutes ces provisions. Nous avons un très beau marché à dix minutes en voiture.

— Je sais, je sais, dit Margie, mais j'aime bien prévoir. (Elle sortit d'une des caisses une bouteille de scotch pur malt.) Où sont les glaçons ?

Margie avait un tas de ragots à raconter. Loretta s'était transformée en mégère au cours de ces dernières semaines, dit-elle. La semaine dernière, une dispute acrimonieuse avait éclaté avec Garrison, Loretta lui reprochant la manière dont il avait dilapidé pour plusieurs millions de dollars d'avoirs appartenant à la famille.

— Je croyais que Loretta ne s'intéressait pas aux affaires familiales, dit Rachel.

— Oh, détrompe-toi. Elle aime faire croire qu'elle est au-dessus de tout ça.. Mais en réalité, elle surveille son empire. À vrai dire, plus je la vois faire, plus j'ai l'impression qu'elle a toujours œuvré en coulisses. Même du temps où George était encore vivant. C'était lui qui parlait, mais c'était elle qui lui soufflait ce qu'il devait dire. Et maintenant qu'elle voit des choses qui lui déplaisent, elle se fait entendre.

— Alors, que s'est-il passé avec Garrison ?

— Ça a chauffé. Il lui a répliqué qu'elle ne savait pas de quoi elle parlait, ce qui n'était absolument pas la chose à dire. Apparemment, elle est allée au siège dès le lendemain et elle a renvoyé sur-le-champ cinq membres du conseil d'administration.

— Elle a le droit de faire ça ?

— Elle l'a fait, répondit Margie. Elle leur a ordonné de faire leurs valises et de décamper. Ensuite, elle a accordé une interview au *Wall Street Journal* pour expliquer que ces individus étaient incompétents. Évidemment, ils l'attaquent en justice. Je m'étonne que Mitchell ne t'en ait pas parlé.

— Il ne me parle pas de ses affaires. Jamais.

— Il ne s'agit pas des affaires. C'est la guerre civile. Je n'avais pas vu Garrison aussi furieux depuis longtemps. C'était un vrai bonheur.

Les deux femmes échangèrent un sourire, unies par le plaisir que leur procurait cette agitation.

— À l'entendre parler, reprit Margie, je ne serais pas étonnée qu'il lui pose une sorte d'ultimatum. Dans le genre : soit elle s'en va, soit c'est moi.

— Et qui va prendre la décision ?

— Je ne sais pas, dit Margie en riant. Surtout maintenant que Loretta a fichu à la porte la moitié du conseil d'administration. Je suppose qu'à l'arrivée, la question sera de savoir si Mitchell se range du côté de Garrison ou de sa grand-mère.

— Tout cela me paraît tellement d'une autre époque.

— C'est carrément féodal ! dit Margie. Mais le vieux en a décidé ainsi quand il a pris sa retraite. Il a voulu que tout le pouvoir reste à l'intérieur de la famille.

— Cadmus a encore voix au chapitre ?

— Oh que oui. Crois-le si tu veux, il continue d'envoyer des mémos à Garrison.

— Ils ont un sens ?

— Ça dépend de la quantité de médicaments qu'il a ingurgitée dans la journée. La dernière fois où je suis allée le voir, il planait littéralement. Il parlait d'une chose qui s'était passée il y a cinquante ans. Je crois qu'il ne savait même pas qui j'étais. Mais certains jours, il est parfaitement lucide, d'après Garrison. (Margie prit un air pensif.) Je trouve ça un peu triste, personnellement. Ne pas être capable de renoncer à son empire à son âge.

— C'est ce qui le maintient en vie, non ? dit Rachel.

— C'est pitoyable. Mais ils sont tous comme ça. Des obsédés du pouvoir.

— Même Loretta ?

— Surtout Loretta. Elle n'a rien de mieux à faire.

— Elle n'est pas trop vieille pour se remarier, quand Cadmus sera mort.

— Elle ferait mieux de prendre un amant, dit Margie avec un petit air sournois. C'est très agréable.

— Tu veux dire que...

L'air sournois se transforma en sourire.

— ... Tu as un amant ?

— Comme tout le monde, non ? répondit Margie en riant. Il s'appelle Danny. Il n'a pas inventé la poudre, mais c'est une formidable distraction au milieu d'un après-midi sinistre.

— Garrison est au courant ?

— Nous n'avons pas évoqué la question ouvertement, si c'est ce que tu veux savoir, mais il est au courant. Tu sais, Garrison et moi nous n'avons pas fait l'amour depuis six ans, sauf un malheureux soir après cette foutue fête d'anniversaire de Cadmus, où on s'est laissés aller à la mièvrerie. Mais généralement, il vit sa vie et moi la mienne. C'est mieux comme ça.

— Je vois.

— Tu es choquée ? Oh, je t'en prie, dis-moi que tu es choquée.

— Non. Je réfléchis, c'est tout...

— À quoi ?

— Euh... Si je t'ai demandé de venir, c'est parce que je vais quitter Mitchell.

Il fallait se lever de bonne heure pour couper le sifflet à Margie, mais Rachel y était parvenue.

— C'est préférable, ajouta-t-elle.

— Mitchell est d'accord ?

— Il ne sait pas.

— Quand as-tu l'intention de lui en parler ?

— Quand j'aurai fait le point dans ma tête.

— Tu ne crois pas qu'il serait plus sage de faire comme moi ? Il y a un tas de jolis barmen à New York.

— Je ne veux pas d'un barman, dit Rachel. Sans vouloir manquer de respect à... comment s'appelle-t-il ?

— Daniel. (Margie eut un large sourire.) En fait, ce serait plutôt Danny le Baiseur.

— Sans vouloir manquer de respect à Danny le Baiseur, ce n'est pas ce que je cherche.

— Mitchell était doué au lit ?

— Je manque de points de comparaison.

— Formulons les choses autrement : ce n'était pas une expérience unique et inoubliable ?

— Non.

— Donc, il ne te faut pas un barman. Que cherches-tu exactement ?

— Bonne question.

Rachel ferma les yeux pour ne pas se laisser distraire par le regard interrogateur de Margie.

— Disons que... j'ai envie d'éprouver davantage de passion.

— Pour Mitchell ?

— Non... pour me lever le matin.

Rachel rouvrit les yeux. Margie la dévisagea, comme si elle essayait de prendre une décision.

— À quoi penses-tu ? demanda Rachel.

— Je me dis que c'est bien beau de parler de passion, ma chérie. Mais quand elle se présente... je parle d'une véritable passion, attention, pas d'une bluette idiote comme dans les soap operas, ça peut tout chambouler dans ta vie. Tu le sais ? *Absolument tout.*

— Je suis prête.

— Tu as définitivement renoncé à Mitchell ?

— Oui.

— Il ne te laissera pas divorcer sans se battre.

— Sans doute. Mais je suis sûre qu'il n'a pas envie de nous retrouver à la une des magazines à scandale. Et moi non plus. Je veux juste vivre ma vie, le plus loin possible des Geary.

— Et si tu pouvais avoir les deux ?

— Je ne comprends pas.

— Supposons que tu puisses avoir toute la passion dont tu rêves, tout en conservant le style de vie des Geary ? Pas de procédure de divorce, pas de juge qui fouille dans le linge sale.

— Je ne vois pas comment c'est possible.

— Ça ne peut se faire que si tu promets de rester avec Mitchell. Il vise un siège au Congrès et il veut que sa vie privée soit d'une blancheur immaculée. Si tu l'aides à passer pour un saint, peut-être qu'il regardera ailleurs pendant que tu t'offres une aventure.

— À t'entendre, tout cela se déroule de manière très civilisée.

— Et pourquoi pas ? À moins qu'il décide de se montrer jaloux. Dans ce cas... tu seras peut-être obligée de lui faire entendre raison. Mais tu es suffisamment intelligente pour ça.

— Et où vais-je trouver cette aventure ?

— On verra ça plus tard, dit Margie avec un petit sourire. Pour l'instant, on a une décision à prendre, ma chérie. Mais laisse-moi te rappeler une chose. J'ai essayé de partir. J'ai essayé plusieurs fois. Crois-moi, la vie est dure au-dehors.

3

Paradoxalement, ce fut cette dernière remarque qui convainquit Rachel qu'elle devait partir. Le monde était dur au-dehors ? Et alors ? Elle avait bien survécu sans les Geary pendant les vingt-quatre premières années de sa vie. Elle pouvait recommencer.

Quand Margie fut enfin levée, un peu après midi, et tandis qu'elle buvait son premier bloody mary de la journée (avec une branche de céleri pour l'apport en fibres), Rachel lui expliqua qu'elle avait longuement réfléchi et avait décidé de faire le long trajet jusque dans l'Ohio. Cela lui donnerait le temps de faire le point, dit-elle, pour savoir ce qu'elle voulait réellement.

— Mitchell doit-il savoir où tu es allée ? demanda Margie.

— J'aimerais mieux pas.

— Dans ce cas, je ne lui dirai rien, déclara Margie, très simplement. Quand penses-tu partir ?

— J'ai déjà fait mes bagages. Je voulais juste te dire au revoir.

— Eh bien, on peut dire que tu perds pas de temps. Mais c'est peut-être mieux. (Margie lui ouvrit les bras.) Tu sais que je tiens beaucoup à toi, hein ?

— Oui, je sais, dit Rachel en la serrant fort contre elle.

— Alors, sois prudente. Ne prends pas des auto-stoppeurs parce qu'ils ont un beau petit cul. Et ne t'arrête pas dans des motels pouilleux. Il y a un tas de gens bizarres dans ces endroits.

Rachel prit donc le chemin du retour. Le voyage dura quatre jours et trois nuits, qu'elle passa, en dépit des mises en garde de Margie, dans des motels insalubres au bord de la route. Elle avait cru que ce voyage lui donnerait largement le temps de réfléchir, mais elle s'aperçut que son esprit refusait de se laisser embêter par des problèmes. Il vagabondait, préférant se concentrer sur des préoccupations plus immédiates : trouver un endroit pour manger et choisir entre deux routes. Chaque fois qu'il fallait faire un choix entre une autoroute insipide et un itinéraire plus pittoresque (et inévitablement plus long), elle optait pour le second. C'était bon de reprendre le volant après deux années passées à se faire conduire, d'écouter la radio à fond et d'accompagner ses chansons préférées.

Mais dès qu'elle pénétra dans l'Ohio, quand Dansky ne fut plus qu'à deux ou trois heures de route, Rachel sentit son moral retomber. Des moments difficiles l'attendaient. Que répondrait-elle aux gens qui lui demanderaient de décrire sa vie dans le grand luxe ? Que leur dirait-elle quand ils l'interrogeraient au sujet de Mitchell, son séduisant mari qui avait renoncé au célibat pour elle ? Oh, mon Dieu, que leur dirait-elle ? Que son mariage était devenu un enfer et qu'elle revenait chez elle pour fuir ? Qu'elle n'aimait plus Mitchell ? Que cet homme était en réalité un imposteur, que son foutu monde n'était qu'un décor vide qui ne valait pas un clou ? Ils ne la croiraient pas. Comment osait-elle se plaindre, diraient-ils, alors qu'elle était comblée ? Alors qu'elle se vautrait dans le luxe, alors qu'eux vivaient encore dans leurs mobile homes minables, à se ronger les sangs à cause des traites et du prix d'une nouvelle paire de baskets pour les enfants ?

Mais il était trop tard pour faire demi-tour maintenant. Elle venait de traverser la voie ferrée qui marquait les limites de la ville quand elle était enfant, l'endroit où s'achevait le monde qu'elle connaissait et où débutait l'autre monde, immense. Elle se retrouvait dans ces rues dont elle rêvait encore certaines nuits ; elle errait comme elle avait erré durant ses années difficiles d'avant la puberté, quand elle ne savait pas quoi faire de sa peau (quand elle doutait d'arriver à quoi que ce soit un jour). Il y avait le drugstore, tenu autrefois par Albert McNealy, et maintenant par son fils, Lance, avec qui elle avait eu une brève et innocente liaison l'année de ses quinze ans. Il y avait l'école où elle avait appris un peu de tout et rien en particulier, avec sa cour de récréation toujours entourée du même grillage, semblable à une prison miteuse. Il y avait aussi le petit parc (ainsi que l'avaient nommé les notables de la ville, avec beaucoup de prétention). Il y avait la statue d'Irwin Heckler, maculée de fientes d'oiseaux, baptisé le père fondateur de la ville, car il avait créé en 1903 une petite usine de bougies affreusement parfumées qui avaient connu un énorme succès. Il y avait la mairie et l'église (seule construction qui avait conservé un peu de sa grandeur d'autrefois) et le petit centre commercial où il y avait toujours le salon de coiffure, le cabinet du seul avocat de la ville, Marion Klaus, et le toilettage pour chiens, plus une demi-douzaine d'autres établissements au service de la communauté.

Ils étaient tous fermés à cette heure : il était déjà plus de neuf heures. Le seul endroit qui serait encore ouvert, c'était le bar de McCloskey Road, à côté du salon funéraire. Rachel fut tentée de s'y rendre pour boire un whisky avant d'appeler sa mère, mais les chances d'entrer dans ce bar sans rencontrer quelqu'un qu'elle connaissait avoisinaient le zéro, aussi continua-t-elle en direction de la maison de Sullivan Street. Elle n'arrivait pas à l'improviste ; elle avait déjà appelé sa mère aux abords de Youngstown pour lui annoncer sa venue. La lumière de la véranda était allumée et la porte était entrouverte.

Il y eut un petit moment sublime quand, après avoir crié le nom de Sherrie et avant d'entendre la réponse, elle resta sur le pas de la porte à écouter les bruits de la nuit. Il n'y avait aucune circulation : uniquement le doux sifflement des feuilles du houx qui avait poussé en toute liberté sur le côté de la maison, le bruit de ferraille d'un morceau de gouttière décroché, le tintement du carillon éolien suspendu à l'avant-toit. Tous ces sons familiers, rassurants. Elle inspira à fond. Tout se passerait bien. Les gens d'ici l'aimaient ; ils l'aimaient et la comprenaient. Peut-être se trouverait-il une ou deux personnes en ville pour la regarder de travers et répandre des ragots, mais elle était à l'abri. Elle était chez elle ici, là où rien n'avait changé.

Et voici qu'apparaissait Sherrie, un peu énervée sans doute, mais souriante, heureuse de voir sa fille sur le perron.

— En voilà une surprise !

Chapitre quatorze

1

Le soir qui suivit le départ de Rachel pour l'Ohio, Garrison invita Mitchell à dîner au restaurant. Voilà bien longtemps qu'ils n'avaient pas parlé à cœur ouvert, dit-il, et le moment était bien choisi.

Quand Ralph le déposa devant le restaurant choisi par Garrison, Mitchell aurait parié que le chauffeur s'était trompé d'adresse. Il s'agissait d'un petit restaurant chinois miteux de Canal Street, à la hauteur de Mott ; un quartier peu accueillant. Mais non, Ralph ne s'était pas trompé. Garrison était bien là, assis au fond de la salle étroite, à une table où auraient pu prendre place six personnes, mais dressée pour deux. Une bouteille de vin était posée devant lui et il fumait un havane. Il offrit à Mitchell un verre de vin et un cigare, mais Mitchell n'avait envie que d'une chose : un verre de lait pour calmer son estomac.

— Ça marche avec toi ? demanda Garrison. Moi, le lait ça me file des gaz.

— Tout te donne des gaz.

— C'est vrai.

— Tu te souviens de ce gars, Mario, qui te surnommait Geary le Putois.

— Mario Giovanninni.

— Exact, Giovanninni. Bon Dieu, je me demande ce qu'il est devenu.

— On s'en fout, dit Garrison en se renversant au fond de son siège. Hé, monsieur Ko !

Le patron du restaurant, un homme à la mise soignée, avec des cheveux si impeccablement plaqués sur son crâne qu'ils semblaient peints mèche par mèche, apparut.

— Peut-on avoir du lait pour mon frère ? Et des menus ?

— J'ai pas faim, dit Mitchell.

— Tu mangeras quand même. Il faut que tu prennes des forces. On a une longue nuit devant nous.

— Impossible, Gar. J'ai deux petits déjeuners professionnels demain.

— J'ai pris la liberté de les annuler.

— Pourquoi donc ?

— Il faut qu'on parle. (Il sortit une boîte d'allumettes de sa poche et ralluma soigneusement son cigare.) De nos femmes essentiellement. Alors... dit-il en tirant sur son cigare, parle-moi de Rachel.

— Il n'y a pas grand-chose à dire. Elle était là-bas à la ferme...

— Avec Margie.

— Exact. Et elle a décidé de faire une virée en voiture. Personne ne sait dans quel endroit.

— Margie le sait, dit Garrison. Cette salope lui a sûrement soufflé l'idée.

— Je ne vois pas pourquoi elle ferait ça.

— Pour foutre la merde. C'est son occupation préférée. Tu la connais.

— Tu veux bien essayer de lui tirer les vers du nez ?

— Tu aurais plus de chances que moi d'y arriver. Si je lui pose une question, je suis sûr de ne pas obtenir de réponse.

— Où est Margie ?

Garrison haussa les épaules.

— Je ne lui ai pas demandé, parce que je m'en fous. Sans doute en train de picoler quelque part. Elle a l'habitude de sortir avec deux ou trois autres bonnes femmes pour se murger. Il y a cette nana qui était mariée à Lenny Bryant...

— Marilyn.

— Ouais. Elle fait partie de la bande. Avec celle qui tenait des restaurants.

— Je ne vois pas de qui tu parles.

— Une nana maigre. Avec des grandes dents et pas de seins.

— Lucy Cheever.

— Je vois que tu te souviens bien de toutes ces femmes.

— J'ai eu une aventure avec Lucy Cheever, voilà pourquoi.

— Tu plaisantes ! Tu t'es tapé Lucy Cheever ?

— Je l'ai emmenée à La Nouvelle-Orléans et je l'ai baisée à mort pendant une semaine.

— Grandes dents et petits seins.

— Elle a des jolis seins !

— Minuscules ! Et elle est toujours bourrée.

— Pas à La Nouvelle-Orléans. Enfin, pas tout le temps.

Garrison secoua la tête.

— Franchement, je te comprends pas. Elle a au moins cinquante ans !

— C'était il y a cinq ou six ans.

— Même. Tu pourrais te taper n'importe quelle gonzesse et tu passes une semaine avec une bonne femme qui a dix ou quinze ans de plus que toi ! Mais pourquoi, bordel ?

— Elle me plaisait.

— Elle te plaisait ? (M. Ko réapparut avec le verre de lait et les menus.) Apportez-moi un cognac, dit Garrison. On commandera plus tard.

Dès que M. Ko se fut éloigné, Garrison s'empressa d'en revenir au mystère de la liaison entre son frère et Lucy Cheever.

— C'était une affaire au plumard ?

— Si on parlait d'autre chose, hein ? J'ai des préoccupations plus importantes que cette Lucy Cheever. (Il vida d'un trait la moitié de son verre de lait.) Je veux savoir où est Rachel.

— Elle reviendra. Ne t'en fais pas.

— Et si elle ne revient pas ?

— Elle reviendra. Elle n'a pas le choix.

— Bien sûr que si, elle a le choix ! Elle peut décider de divorcer.

— Oui, sans doute. Ce serait stupide, mais elle peut le faire. (Garrison tira sur son cigare.) Sait-elle des choses qu'elle ne devrait pas savoir ?

— Pas par moi en tout cas.

— Ce qui veut dire ?

— Ça veut dire qu'elle parle beaucoup avec Margie. Qui sait ce qu'elles ont pu se raconter.

— Margie n'est pas idiote.

— Quand elle n'est pas ivre.

— De toute façon, tu as fait signer un contrat prénuptial à Rachel ?

— Non.

— Pourquoi, nom de Dieu ?

— Ne parle pas si fort.

— J'avais chargé Cecil de le lui faire signer.

— Je l'ai convaincu que ce n'était pas nécessaire, dit Mitchell. (Garrison émit un ricanement de mépris devant tant de stupidité.) Je ne voulais pas qu'elle ait l'impression de participer à une négociation commerciale. J'étais amoureux d'elle, nom de Dieu. Je le suis toujours.

— Dans ce cas, tu ferais bien de veiller à ce qu'elle la boucle.

— Je sais.

— Si tu sais, pourquoi tu ne lui as pas fait signer ce contrat, bordel ? (Garrison se pencha au-dessus de la table et prit Mitchell par le bras.) Je n'irai pas par quatre chemins. Si jamais elle essaye de raconter quoi que ce soit sur nos affaires, sur notre famille, à n'importe qui, je serai obligé de m'arranger pour la faire taire.

— Ce ne sera pas nécessaire.

— Comment le sais-tu ? Tu ne sais même pas où elle

est en ce moment. Si ça se trouve, elle est en train de tout raconter à un connard de journaliste. (Mitchell fit non de la tête.) Je ne plaisante pas en menaçant de la faire taire, répéta Garrison. Ça ne me gêne pas de jouer les méchants, si tu penses que tu as une chance de recoller les morceaux.

— Il ne s'agit pas de recoller les morceaux. On a traversé une mauvaise passe, ça ne va pas durer.

— Oui, oui, bien sûr... dit Garrison d'un ton sceptique comme s'il avait déjà entendu d'innombrables fois ces fadaises. Tu te dis ce que tu as envie d'entendre.

— J'ai épousé Rachel parce que j'éprouvais quelque chose pour elle. Ce sentiment n'est pas mort.

— Ça ne va pas tarder, répondit Garrison en faisant signe à M. Ko d'approcher. Crois-moi, ça ne va pas tarder.

2

Mitchell s'aperçut qu'il avait plus d'appétit qu'il ne l'avait cru. La nourriture était excellente, même si Garrison était capable d'avaler des plats bien plus épicés que lui. À deux reprises, il exhorta Mitchell à goûter ce qu'il mangeait et Mitchell en eut le souffle coupé, au grand amusement de Garrison.

— Il va falloir que je commence à éduquer ton palais, dit-il.

— C'est un peu tard.

Garrison leva le nez de son assiette ; ses lunettes étaient légèrement embuées.

— Il n'est jamais trop tard.

— Qu'est-ce que ça signifie ?

— Tu as toujours eu un estomac plus délicat que le mien. Mais il faut que ça change. Dans notre intérêt à tous. (Garrison posa sa fourchette et prit son verre de vin.) Tu savais que Loretta était allée voir un astrologue ?

— Oui. Cadmus l'a laissé échapper l'autre jour. Mais quel est le rapport ?

— Dimanche dernier, Loretta m'a téléphoné. Elle voulait que je vienne la voir. D'urgence. Elle revenait de chez son astrologue, qui lui avait annoncé un tas de mauvaises nouvelles.

— À quel sujet ?

— À notre sujet. Notre famille.

— Que lui a-t-il dit ?

— Que nos vies allaient changer, et que ce changement ne nous plairait pas beaucoup. (Garrison faisait tourner son verre de vin entre ses mains ; son regard fixait un point dans le vide, au-delà de son frère.) En fait, ça ne va pas nous plaire du tout.

Mitchell leva les yeux au ciel.

— Pourquoi Loretta dépense-t-elle son argent pour ces conneries...

— Attends. Ce n'est pas tout. Le premier signe de ce... (Garrison cherchait le mot approprié.) ... grand *chambardement*, c'est que l'un de nous va perdre sa femme.

Son regard vint se poser sur Mitchell.

— Ce qui vient de t'arriver, ajouta-t-il.

— Elle reviendra.

— C'est ce que tu veux croire. Mais qu'elle revienne ou pas, le fait est qu'elle est partie.

— Es-tu en train de me dire que tu *crois* au baratin de ce type ?

— Je n'ai pas terminé. Il a dit que le deuxième signe aurait un rapport avec un homme de la mer.

Mitchell poussa un soupir.

— C'est pathétique. Loretta lui a certainement parlé de la situation... et il lui a ressorti tout ce qu'elle avait dit.

— Oui, peut-être.

— Tu vois une autre explication ? demanda Mitchell,

un peu agacé. Ce charlatan a raison et on fonce tous vers notre perte ?

— Oui, c'est l'autre explication, dit Garrison.

— Je préfère ma version.

Garrison but une gorgée de vin.

— C'est bien ce que je disais, murmura-t-il, tu as toujours eu l'estomac fragile.

— Qu'est-ce que ça signifie ?

Garrison esquissa un sourire.

— Tu ne veux même pas envisager qu'il pourrait se passer des choses graves, dignes d'être prises au sérieux. Que tout est peut-être en train de s'écrouler.

Mitchell leva les mains au ciel.

— Je ne peux même pas croire que je suis en train de parler de ça ! Avec toi, par-dessus le marché. Tu es censé être l'élément rationnel de la famille.

— Regarde où ça m'a conduit, grommela Garrison.

— Tu ne m'as pas l'air à plaindre.

— Bon Dieu, dit Garrison en secouant la tête. Ça montre bien à quel point on se comprend, hein ? Je m'enfile des antidépresseurs comme si c'étaient des bonbons, Mitch. Je vais chez le psy quatre fois par semaine. Quand je vois ma femme à poil j'ai envie de vomir. Ça te donne une idée du tableau ? (Il regarda son verre.) Je ne devrais pas boire d'alcool. À cause des antidépresseurs. Mais franchement, je m'en fous.

Il marqua un temps d'arrêt, puis demanda :

— Tu veux manger autre chose ?

— Non, merci.

— Tu as encore de la place pour une glace. Offre-toi un petit plaisir d'enfant pour une fois. C'est très thérapeutique.

— Je commence à avoir des poignées d'amour.

— Aucune femme sur cette putain de terre ne te jettera de son lit parce que tu as un gros cul. Allez, mange une glace.

— Ne change pas de sujet. On parlait du mélange des médicaments et de l'alcool.

— Non, on ne parlait pas de ça. On disait que je

devenais un peu dingue, parce que ça ne m'avait pas réussi de rester sain d'esprit.

— Vas-y, pète les plombs, dit Mitchell. Je m'en branle. Pointe-toi au prochain conseil d'administration à poil. Vire tout le monde. Engage des sourds-muets à la place. Fais tout ce que tu veux, mais ne commence pas à écouter les conneries d'un astrologue de mes deux !

— Il parlait de Galilée, Mitch.

— *Un homme de la mer ! ?* Ça pourrait être n'importe qui.

— Mais ce n'était pas *n'importe qui.* C'était lui. C'était Galilée.

— Écoute, dit Mitchell. Parlons d'autre chose.

— Pourquoi ?

— Parce que cette conversation tourne en rond. Et j'en ai marre.

Garrison le dévisagea, puis laissa échapper un long soupir, rempli d'un étrange contentement.

— Comment comptes-tu finir la soirée ? demanda-t-il.

Mitch regarda sa montre.

— Je vais rentrer me coucher.

— Seul ?

— Oui. Seul.

— Pas de sexe. Pas de glace. Tu vas mourir comme un homme triste, mon vieux. Je peux te procurer de la compagnie, si tu veux.

— Non merci.

— Tu es sûr ?

Mitchell ne put s'empêcher de rire.

— Oui, certain.

— Qu'y a-t-il de si amusant ?

— Toi. Tu essayes de m'arranger un coup, comme si j'avais encore dix-sept ans. Tu te souviens de la pute que tu avais ramenée à la maison, pour moi ?

— Juanita.

— Oui, Juanita ! Quelle mémoire !

— Tout ce qu'elle voulait...

— Non, ne me rappelle pas ça...

— ... c'était s'asseoir sur ton visage ! Tu aurais dû l'épouser, dit Garrison en repoussant sa chaise pour se lever. Tu aurais vingt gamins aujourd'hui. (Le visage de Mitchell se ferma.) Allons, ne le prends pas mal. Tu sais bien que j'ai raison. On a merdé tous les deux. On aurait dû épouser deux salopes complètement stupides, taillées pour pondre des gamins. Mais non. J'ai choisi une poivrote et toi, tu as choisi une vendeuse. (Il prit son verre de vin et le vida d'un trait.) Bon... eh bien, bonne nuit.

— Où tu vas maintenant ?

— J'ai un rendez-vous.

— Avec une personne que je connais ?

— Même *moi* je ne la connais pas, répondit Garrison en s'éloignant vers la sortie. Tu verras. C'est beaucoup plus simple de cette façon.

Chapitre quinze

1

Fut un temps – il y a de cela de nombreuses années, si nombreuses que je n'ose les compter – où rien ne me procurait plus de plaisir que d'écouter des chansons d'amour. Il m'arrivait même d'en chanter quelques-unes, à condition d'être suffisamment ivre. Parfois, avant que je perde l'usage de mes jambes, nous nous aventurions jusqu'à Raleigh, ma femme Chiyojo, Marietta et moi, pour aller voir des comédiens ambulants. Il y avait toujours un moment ou deux dans le spectacle où l'atmosphère se teintait d'une douce mélancolie ; alors, un crooner, ou un quatuor de crooners, ou encore l'actrice principale, avec un mouchoir plaqué sur son sein, interprétait une mélodie qui nous brisait le cœur. *I'll Remember You*, *Love*, *In My Prayer* ou *White Wings* ; plus la chanson était sentimentale et grotesque, plus j'étais heureux. Hélas, j'ai perdu le goût de ces distractions quand Chiyojo est morte. On peut s'offrir le plaisir d'écouter une ballade plaintive évoquant la perte irrémédiable d'un amour quand l'objet de votre affection est assis à côté de vous, quand il vous tient la main. Mais quand Chiyojo me fut volée – dans des circonstances si tragiques qu'elles défient tout ce que pourrait imaginer un auteur de chansons – je me mis à pleurer dès que résonnait un accord mineur.

Et pourtant, malgré ma résistance face à ce sujet, il se rapproche de ces pages à chaque seconde. Phrase après phrase, paragraphe après paragraphe, ce récit se dirige vers l'instant où l'amour devra apparaître, transformant les vies des personnages que je vous ai présentés. Très peu seront épargnés par les conséquences, bien que, sans doute, ils se croient immunisés.

Et je fais partie du nombre, bien évidemment. Plus d'une fois je me suis demandé si ce n'était pas la peur de ma propre vulnérabilité qui m'avait empêché de prendre la plume plus tôt. L'amour des mots m'a toujours habité, grâce à ma mère, et je n'ai pas manqué de temps libre au cours de ce dernier siècle. Mais je n'arrivais pas à m'y mettre. J'avais peur – j'ai encore peur – qu'après avoir commencé à parler d'amour, je me retrouve moi-même consumé par ce feu que j'allume pour brûler d'autres cœurs.

Mais évidemment, au bout du compte, je n'ai pas le choix. L'amour approche, aussi inévitable que l'apocalypse dont Garrison parlait à son frère au restaurant : car, bien entendu, ils ne sont qu'une seule et même chose.

Après avoir quitté Mitchell devant le restaurant, Garrison renvoya son chauffeur et se rendit dans un appartement situé dans le nord de la ville, qu'il avait acheté sans que quiconque dans la famille soit au courant, uniquement pour l'usage qu'il comptait en faire ce soir. Il entra, ravi de constater que la température des lieux était bien plus basse que ne l'exigeait la notion de confort ; cela signifiait que le rituel érotique de la soirée avait déjà débuté. Bien que déjà excité, Garrison n'alla pas directement dans la chambre. Il se servit un verre dans le salon et demeura devant la fenêtre pour le siroter et savourer cette délicieuse attente. Ah, si seulement la vie était toujours aussi riche et réelle à ses yeux que ces instants, aussi chargée de sens et d'émotion. Demain, bien sûr, il se mépriserait un peu et se conduirait comme un vrai salopard avec tous ceux qui croisaient son chemin. Mais ce soir ? Ce soir, imprégné de la pensée de ce qui l'attendait, il était aussi proche du bonheur qu'on pouvait l'être, selon lui. Finalement, il reposa son verre, presque sans y avoir touché, et, tout en desserrant sa cravate, il se dirigea vers la chambre décorée avec élégance. La porte était entrouverte. Une lumière était allumée dans la pièce. Il entra.

La femme était allongée sur le lit. Elle s'appelait Mélodie, lui avait-on dit (mais il doutait qu'une femme qui vendait son corps pour ce genre de choses utilise le nom qu'on lui avait donné à son baptême). Elle était couchée là, sous un drap, parfaitement immobile, les yeux fermés. Une douzaine de lis blancs et jaunes étaient éparpillés sur l'oreiller autour de sa tête : une jolie touche funèbre, fournie par l'homme qui organisait ces mises en scène pour Garrison, Fred Platt. Hélas, le parfum des fleurs n'était pas assez puissant pour combattre l'autre odeur qui flottait dans la chambre, celle du désinfectant. Encore une trouvaille de Platt. Garrison avait été un peu déstabilisé la première fois par cette odeur de pin qui rapprochait encore un peu plus ses fantasmes de la réalité sordide. Mais Platt connaissait bien la psychologie de Garrison : ce désinfectant qui lui piquait les sinus avait été pour lui une révélation érotique. Désormais, cette odeur constituait un élément indispensable de son fantasme.

Il s'approcha du lit et s'arrêta au pied pour contempler la femme, guetter sur son corps le moindre frisson. Mais il ne percevait qu'un très léger frémissement, qu'elle essayait visiblement de maîtriser. Très bien, se dit-il. C'était une professionnelle. Garrison admirait le professionnalisme dans tous les domaines : dans les échanges boursiers, en cuisine et dans l'imitation de la mort. Comme aimait à le répéter Loretta, si quelque chose valait la peine qu'on le fasse, il fallait le faire bien.

Il tira délicatement sur le drap, coincé sous les mains de Mélodie croisées sur sa poitrine. Elle était nue sous le drap ; son corps avait été enduit de fond de teint pâle pour lui donner une teinte cadavérique.

— Adorable, commenta Garrison sans aucune trace d'ironie.

Elle était en effet très agréable à contempler. Elle avait des petits seins dont les pointes, très longues, étaient dressées par le froid. Sa toison pubienne était soigneusement taillée de façon à laisser entr'apercevoir les replis complexes de ses lèvres. Tout à l'heure, il lécherait cet endroit.

Mais d'abord, les pieds. Il tira complètement le drap et le laissa tomber sur le sol. Puis il s'agenouilla au bout du lit et appuya sa bouche sur la peau de la jeune femme. Elle avait froid, car elle était couchée sur un lit de glaçons enveloppés de plastique. Il embrassa ses orteils, puis la plante des pieds, en glissant ses mains sous les chevilles fines. Maintenant qu'il plaquait sa peau contre celle de la jeune femme, il sentait les tremblements à l'intérieur de sa chair, mais ils n'étaient pas assez violents pour briser l'illusion. Garrison n'avait pas trop de mal à s'imaginer qu'elle était morte. Morte, froide et passive.

Je n'irai pas plus loin dans cette description ; c'est inutile. Ceux d'entre vous qui souhaitent se représenter Garrison Geary se donnant du plaisir avec une femme qui joue la morte disposent de toutes les informations nécessaires pour imaginer la scène ; faites-le si le cœur vous en dit. Quant à nous autres, il nous suffit de savoir que c'était là son plaisir particulier, son délice tant attendu. Je ne peux pas vous expliquer pourquoi. J'ignore quelle étrange déformation de son psychisme rendait ce rituel si excitant à ses yeux, je ne sais pas qui en était responsable. Mais c'était comme ça, et je laisse Garrison alors qu'il couvre ce pseudo-cadavre de baisers, en guise de préliminaires à ce prétendu acte d'amour.

Mitchell, quant à lui, avait décidé de rentrer dormir à l'appartement. Rachel allait y revenir, ce soir, se disait-il, et tout serait pardonné. Il entendrait un bruit dans la chambre, il ouvrirait les yeux et verrait sa silhouette se découper sur le fond du ciel étoilé (il détestait dormir avec les rideaux fermés ; l'obscurité lui faisait faire des rêves étouffants) ; elle se déshabillerait, elle dirait qu'elle était *désolée*, *affreusement désolée*, puis elle se glisserait entre les draps, contre lui. Peut-être même feraient-ils l'amour, mais probablement pas. Sans doute poserait-elle simplement sa tête dans le creux de son bras et sa main sur son torse, et ils s'endormiraient dans cette position, comme lorsqu'ils avaient couché dans le même lit pour la première fois.

Mais ses espoirs romantiques furent déçus. Rachel ne rentra pas à la maison cette nuit-là. Mitchell dormit seul dans le lit immense ; ou plutôt, il dormit pendant environ une heure, avant d'être réveillé par une douleur fulgurante dans le bas de l'abdomen, une douleur aiguë qui lui donnait envie de pleurer comme un bébé. Maudissant Garrison et son satané M. Ko, il tituba jusqu'à la salle de bains, plié en deux, pour chercher parmi tous les médicaments quelque chose qui soulagerait la douleur. Il voyait flou et ses mains tremblaient. Il lui fallut au moins trois minutes pour trouver la bonne boîte de comprimés, et à peine en eut-il posé deux sur le bout de sa langue qu'un spasme violent lui vrilla les intestins et il eut juste le temps d'atteindre les toilettes avant d'expulser un flot liquide d'excréments malodorants. Quand le flot s'arrêta, Mitchell resta immobile, sachant que le répit n'était que temporaire. La douleur dans son ventre ne s'était pas atténuée ; il avait toujours l'impression qu'on lui enfonçait des aiguilles dans les intestins.

Assis sur les toilettes, il se mit à pleurer ; de manière saccadée tout d'abord, puis les larmes jaillirent comme un flot intarissable. Il plaqua ses mains sur son visage, qui était brûlant, et sanglota derrière ses paumes. Il ne pouvait imaginer un désespoir plus profond que celui qu'il éprouvait à cet instant : abandonné, malade, perdu. Qu'avait-il fait pour mériter ça ? Rien. Il avait vécu comme on le lui avait appris. Alors, pourquoi était-il assis là comme une âme damnée, étouffé par sa propre puanteur qui montait autour de lui, torturé par les prédictions que Garrison avait murmurées à son oreille ? Et pourquoi ne savait-il pas où était sa femme ? Pourquoi n'était-elle pas à son côté pour le réconforter, l'attendant dans leur lit pour le serrer dans ses bras une fois que les spasmes seraient passés, avec ses caresses fraîches, sa voix remplie d'amour ? Pourquoi était-il seul ?

Oh, Seigneur, pourquoi était-il seul ?

À l'autre bout de la ville, Garrison sortait de la chambre où il venait de cracher sa semence. La destinataire glacée de son amour était demeurée admirablement inerte pendant tout le temps où il l'avait baisée ; pas une fois elle n'avait gémi ni crié, même lorsque les soins qu'il lui dispensait étaient devenus moins courtois. Parfois, mécontent de ses explorations vaginales, il aimait retourner les « cadavres » pour les posséder par l'anus. Comme ce soir, par exemple ; et une fois de plus, M. Platt avait prévu cette éventualité. Quand Garrison avait retourné la fille et lui avait écarté les fesses, il avait découvert le passage déjà lubrifié à son attention. Il y était entré en négligeant la protection que beaucoup jugeraient indispensable quand on baisait avec ce type de femmes, et il s'était vidé en elle.

Après quoi, il s'était relevé, s'était essuyé avec le drap, avait remonté sa braguette de pantalon (qui était resté baissé à mi-cuisse durant toute l'opération) et avait pris congé. Avant de sortir, il avait lancé : « C'est terminé. Tu peux te lever », et curieusement, il avait été soulagé de voir, avant de sortir de la pièce, la jeune femme remuer et commencer à se lever. Tout cela n'était qu'un jeu, non ? Où était le mal ? Regardez, elle était ressuscitée ! Elle s'étirait, elle bâillait, elle cherchait l'enveloppe remplie de billets que Garrison avait déposée sur la table de chevet, comme toujours. Elle repartirait sans même savoir qui était son violeur. (Du moins, Garrison aimait le penser ; les femmes avaient pour instruction de garder les yeux fermés du début à la fin. Si jamais elles désobéissaient, Platt pouvait se montrer très cruel.)

Garrison ressortit directement de l'appartement, il récupéra sa voiture et repartit. En le voyant ainsi au volant, n'importe qui se serait dit : Voilà un homme heureux de son sort.

Comme je l'ai souligné précédemment, cette joie ne durerait pas. En se levant demain matin, il éprouverait du dégoût pour lui-même, mais ce dégoût persisterait vingt-quatre heures, quarante-huit tout au plus, puis le désir qu'il avait assouvi cette nuit se ranimerait ; il grossirait durant une semaine ou deux, jusqu'à ce que, finalement, il ne puisse plus résister, alors il téléphonerait à Platt, dans une sorte d'état second, il lui expliquerait qu'il avait besoin d'une « soirée spéciale », le plus tôt possible. Et le rituel se répéterait.

Comme c'était étrange, se disait-il, d'être Garrison Geary. Posséder un tel pouvoir et éprouver, pourtant, dans son âme torturée, si peu de respect pour soi-même qu'il ne pouvait faire l'amour qu'avec une femme qui se faisait passer pour morte. Quel spécimen particulier de l'humanité il représentait ! Malgré tout, il ne parvenait pas à se sentir totalement honteux de cette bizarrerie. Une partie de lui-même éprouvait ce soir une fierté perverse ; la fierté d'être capable de faire ce qu'il venait de faire ; la fierté de penser que même dans cette ville qui attirait comme un aimant les hommes et les femmes aux mœurs insolites, le fantasme qu'il avait réalisé serait considéré comme scandaleux. Que ne pourrait-il accomplir avec sa perversité, songeait-il, s'il décidait un jour de l'exprimer hors des frontières de sa vie sexuelle ? Quels changements pourrait-il imposer au monde s'il utilisait ses forces obscures dans un but plus ambitieux que de baiser une chatte gelée ?

Mais lesquels ? Lesquels ? S'il existait dans sa vie un but plus grand, pourquoi ne le voyait-il pas ? S'il y avait quelque part un chemin qu'il devait suivre, pourquoi ne l'avait-il toujours pas trouvé ? Parfois, il avait l'impression d'être un athlète qui s'est entraîné durement, jusqu'à la folie, en vue d'une course à laquelle personne ne lui a demandé de participer. Et chaque jour qui passait sans qu'il puisse entrer en compétition, ses chances de remporter cette course – quand il découvrirait enfin quel chemin elle empruntait – s'éloignaient de plus en plus.

Bientôt, se dit-il. Je dois découvrir quel est mon but très bientôt, ou sinon, je serai trop vieux pour agir. Je mourrai sans avoir réellement vécu, et dès que je serai enterré, on m'oubliera.

Le temps était compté.

Chapitre seize

Le soir où Rachel était revenue à la maison, elle avait dit à sa mère qu'elle ne voulait pas que tout le monde soit au courant de sa présence, mais, dans une communauté aussi réduite et aussi soudée que Dansky, aucun événement de cette ampleur ne pouvait demeurer secret bien longtemps. Le lendemain matin, alors que Rachel était allée poster quelques lettres pour sa mère, elle avait été aperçue par Mme Bedrosian, la veuve qui habitait la maison voisine.

— Mais... c'est bien toi, Rachel ? s'était exclamée Mme Bedrosian.

— Oui. C'est moi.

La conversation s'était limitée à ces quelques mots. Mais il n'en fallait pas plus. Une demi-heure plus tard, le téléphone commença à sonner : des gens de Dansky qui appelaient apparemment sans raison, juste pour prendre des nouvelles de la mère de Rachel, avant de lâcher, en passant, qu'ils avaient entendu dire que Rachel était revenue pour le week-end. Était-elle venue accompagnée de son mari, au fait ?

Sherrie mentit tout simplement. Elle ne se sentait pas très bien, expliqua-t-elle à tout le monde, et Rachel était venue passer quelques jours avec elle. « Non, ajoutait-elle invariablement. Mitchell n'est pas avec elle. Inutile de faire des pieds et des mains pour être invité à le rencontrer, si c'est ce que vous cherchez. »

Le mensonge porta ses fruits. Au bout d'une demi-douzaine d'appels, la nouvelle se répandit : même s'il y avait là matière à ragots, il ne fallait pas compter sur Sherrie Pallenberg pour les alimenter.

— Évidemment, ça ne les empêchera pas de cancaner, souligna Sherrie. Ils n'ont rien de mieux à faire. Saleté de bled.

— Je croyais que tu te plaisais ici, dit Rachel.

Elles étaient assises dans la cuisine à l'heure du déjeuner et mangeaient une tourte aux pêches.

— Si ton père était toujours de ce monde, ce serait peut-être différent. Mais maintenant, je suis seule. Et qui ai-je donc pour me tenir compagnie ? D'autres veuves. (Elle leva les yeux au ciel.) On se réunit pour le déjeuner et pour jouer au bridge, et ce sont des personnes adorables, vraiment, je ne veux pas passer pour une ingrate, mais bon sang, j'en ai marre au bout d'un moment d'entendre parler de rideaux et de feuilletons télé ou de les écouter se plaindre parce qu'elles ne voient jamais leurs enfants.

— Tu t'en plains, toi aussi ?

— Non, non. Tu as ta vie maintenant. Je ne te demande pas de venir sonner à la porte toutes les cinq minutes pour prendre de mes nouvelles.

— Tu risques de me voir beaucoup plus souvent à l'avenir, dit Rachel.

Sa mère secoua la tête.

— Allons, c'est juste un mauvais passage. Mitch et toi, vous verrez bientôt le bout du tunnel.

— Ce n'est pas aussi simple que ça, hélas. Nous ne sommes pas faits l'un pour l'autre.

— Personne, répondit sa mère d'un ton désinvolte.

— Tu ne penses pas ce que tu dis.

— Oh que si. Écoute-moi, ma chérie. Personne, je dis bien personne, n'est vraiment fait pour s'entendre avec quelqu'un d'autre. Il faut faire des compromis. D'énormes compromis. J'en ai fait avec Hank, et je suis sûre que s'il était toujours parmi nous, il dirait la même chose à mon sujet. Mais nous avions *décidé* que ça marcherait. Sans doute que... (Elle s'autorisa un petit sourire triste.) ... nous avions compris qu'on ne pourrait pas trouver mieux que ce que nous avions connu avant, chacun de notre côté. Je sais, ce n'est pas très romantique, mais c'est comme ça. Et je vais te dire, une fois que je me suis faite à l'idée que ce n'était pas le Prince charmant, que c'était un homme ordinaire qui pétait au lit et ne pouvait s'empêcher de reluquer une jolie serveuse, j'ai été heureuse.

— Justement, Mitch ne reluque pas les serveuses.

— Eh bien... tu as de la chance. Où est le problème, alors ?

Rachel posa sa fourchette et regarda sa part de tourte entamée.

— J'ai tellement de raisons de me réjouir de mon sort, dit-elle comme si elle récitait une prière. Je le sais bien. Seigneur, quand je pense à tout ce que Mitch m'a donné...

— Tu parles de *choses matérielles* ?

— Oui, évidemment.

Sherrie repoussa cet argument d'un geste.

— Ça ne compte pas. Il pourrait t'offrir la moitié de New York et être un mauvais mari malgré tout.

— Je ne pense pas que ce soit un mauvais mari. Je pense seulement qu'il ne sera jamais véritablement à moi, comme toi tu avais papa.

— À cause de sa famille ?

Rachel hocha la tête.

— Dieu sait pourtant que je ne cherche pas à entrer en compétition avec eux pour accaparer son attention, mais c'est l'impression que je ressens. (Elle soupira.) Je ne pourrais même pas te citer d'exemple concret. Je me sens exclue, voilà tout.

— Exclue de quoi, chérie ?

— Je ne sais pas vraiment. C'est juste un sentiment... Peut-être que tout le problème est là-dedans, dit-elle en se tapotant la poitrine du bout des doigts. À l'intérieur de moi. Je n'ai pas le droit de ne pas être heureuse. (Elle leva les yeux vers sa mère, ils étaient remplis de larmes.) N'est-ce pas ? Franchement, de quel droit pourrais-je ne pas être heureuse ? Quand je pense à Mme Bedrosian qui a perdu toute sa famille...

Judith Bedrosian avait perdu son mari et ses trois enfants dans un accident de voiture quand Rachel avait quatorze ans. Toutes les raisons de vivre de cette femme, ce qui donnait un sens à sa vie, lui avaient été volées en l'espace d'un instant tragique. Pourtant, elle avait continué à vivre, non ?

— Chacun réagit différemment, dit Sherrie. Je ne sais pas comment cette pauvre Judith a pu affronter ce qui lui est arrivé. D'ailleurs, je vais te dire, peut-être qu'elle ne s'en est jamais remise. L'image qu'offrent les gens ne ressemble jamais à ce qu'ils sont intérieurement. Jamais. Je peux te dire qu'elle continue à passer de sales moments, après toutes ces années. Parfois, je ne la vois pas pendant plusieurs jours, et quand elle réapparaît, il est évident qu'elle a pleuré des heures entières. À Noël, je sais qu'elle part dans le Wisconsin chez sa sœur, bien qu'elle ne l'aime pas, mais elle ne supporte pas de rester seule. Les souvenirs sont trop lourds à supporter. Alors... (Elle soupira à son tour, comme si le poids du chagrin de Rachel était trop lourd pour elle aussi.) Comment savoir ? Tout ce qu'on peut faire, c'est continuer à vivre, tant bien que mal. Personnellement, je suis une farouche partisane du valium, avec modération. Mais chacun son truc.

Rachel gloussa. Sa mère avait toujours été une femme pleine d'entrain, à sa manière. Mais au fil des ans, la maturité de Sherrie devenait plus apparente. Sous le vernis de piété de province se cachait un esprit indépendant, capable d'un entêtement et d'une liberté dont Rachel espérait avoir hérité.

— Et maintenant ? dit Sherrie. Tu vas demander le divorce ?

— Non, bien sûr que non.

— Cette idée te semble incongrue, on dirait ? Pourtant, si tu ne l'aimes pas...

— Je n'ai pas dit ça.

— Si tu ne peux plus vivre avec lui...

— Je n'ai pas dit ça, non plus. Oh, mon Dieu, je ne sais plus. Margie dit que je devrais divorcer. Et obtenir une confortable pension. Mais je ne veux pas me retrouver seule.

— Ce n'est pas une obligation.

— Oh, maman, on dirait que tu penses que je *devrais* le quitter.

— Non, je dis seulement que tu n'es pas obligée de rester seule. Pas longtemps en tout cas. Ce n'est donc pas une raison pour prolonger un mariage qui ne t'apporte pas ce que tu désires.

— Tu me surprends, dit Rachel. Vraiment. J'étais certaine que tu allais me faire la morale et me conseiller de retourner auprès de mon mari pour lui donner une nouvelle chance.

— La vie est trop courte. Je n'aurais sans doute pas dit ça il y a quelques années, mais avec le temps, on voit les choses différemment. (Elle caressa la joue de sa fille.) Je ne veux pas que ma belle Rachel soit malheureuse, ne serait-ce qu'un instant.

— Oh, maman...

— Si tu veux quitter cet homme, fais-le. Il y a un tas d'autres milliardaires séduisants dans le même vivier.

Chapitre dix-sept

Deanne les avait invitées toutes les deux à une barbecue-party ce soir-là, en promettant à Rachel que les invités étaient tous des gens qu'elle connaissait et appréciait ; en outre, elle avait fait passer le message pour que personne ne la harcèle en la questionnant sur son existence dorée. Malgré ces assurances, Rachel n'était pas très chaude pour y aller. Mais sa sœur lui fit comprendre qu'elle prendrait ce refus comme une insulte personnelle. Toutefois, dès qu'elles arrivèrent à la soirée, Rachel fut privée de ses boucliers. Les enfants partirent jouer et Deanne – bien qu'elle ait promis de rester près d'elle – lui faussa compagnie au bout de cinq minutes pour aller bavarder avec la maîtresse des lieux. Rachel se retrouva seule au milieu de gens qu'elle ne connaissait pas, mais qui tous semblaient très bien la connaître.

— Je vous ai vue à la télé avec votre mari il y a quelques semaines, dit une femme qui se présenta comme étant « Kimberly, la deuxième meilleure amie de Deanne ». C'était une grande soirée de gala. Tout le monde semblait beaucoup s'amuser. J'ai dit à Frankie – Frankie, c'est mon mari, celui qui est là-bas avec le hot-dog –, j'ai dit à Frankie : « Tu trouves pas qu'ils ont l'air d'être heureux ? Tout ce raffinement... Tout ce lustre... ».

La femme avait les yeux qui pétillaient au souvenir de ce spectacle. Rachel n'eut pas le cœur de lui avouer que ce gala avait été une soirée sinistre : la nourriture était épouvantable, les discours interminables et l'assemblée médiocre. Elle laissa la dénommée Kimberly délirer pendant encore quelques minutes, se contentant de hocher la tête et de sourire quand cela s'imposait. Elle fut sauvée de cette discussion déprimante par l'intervention d'un homme qui avait glissé sa serviette dans le col de sa chemise ; il tenait dans la main un énorme travers de porc et son visage était maculé de sauce barbecue.

— Tu permets que je m'incruste ? dit-il en s'adressant à la tortionnaire de Rachel. Ça fait une paye que j'ai pas revu cette jeune personne.

— Tu es sale comme un cochon, Neil Wilkens, déclara la femme.

— Ah bon ?

— Tu as de la sauce partout.

L'homme ôta sa serviette de sa chemise pour s'essuyer la bouche, et Rachel eut ainsi le temps de fouiller dans sa mémoire : il s'agissait de Neil Wilkens, le premier garçon qui l'avait séduite (et lui avait brisé le cœur). Il avait une barbe rousse, un début de calvitie et un commencement de bedaine de buveur de bière. Mais son sourire, lorsqu'il apparut derrière la serviette, était toujours aussi éclatant.

— Tu sais qui je suis ? demanda-t-il.

— Neil.

— En personne.

— Quelle joie de te revoir. Deanne m'avait dit que tu étais parti à Chicago.

— Il est revenu la queue entre les jambes, déclara Kimberly de manière peu charitable.

Neil ne se départit pas pour autant de son air jovial.

— Je ne suis pas fait pour vivre dans une grande ville, je crois. Au fond de moi, je suis un provincial. Alors, je suis rentré au bercail et j'ai monté une petite entreprise avec Frankie...

— Mon mari, précisa Kimberly, des fois que Rachel n'ait pas bien saisi.
— On fait des travaux d'entretien dans les maisons. Un peu de plomberie, un peu de boulot de couvreur...
— Ils se disputent tout le temps, dit Kimberly.
— C'est faux !
— Ils se battent comme des chiffonniers, et l'instant d'après, c'est les meilleurs amis du monde.
— Frankie est communiste, déclara Neil.
— Absolument pas ! protesta Kimberly.
— Allons, Kimberly, Jack avait sa carte du parti.
— Qui est Jack ? demanda Rachel.
— Le père de Frankie. Il est mort dernièrement.
— Cancer de la prostate, précisa Kimberly.
— En fouillant dans les affaires de son père, Frankie a trouvé une carte du parti communiste. Maintenant, il la trimbale sur lui et il dit qu'on devrait tous se révolter contre les forces du capitalisme.
— Il ne parle pas sérieusement, dit Kimberly.
— Qu'est-ce que tu en sais ?
— C'est son sens de l'humour idiot.
Neil capta le regard de Rachel et lui adressa un clin d'œil. Il s'amusait à faire marcher Kimberly.
— Tu as beau dire ce que tu veux, reprit-il, le type qui se promène avec une carte du parti, c'est un coco.
— Ah, ce que tu peux être énervant, parfois !
Sur ce, Kimberly s'éloigna à grands pas.
— C'est trop facile, dit Neil en ricanant. Elle monte sur ses grands chevaux dès qu'on critique son Frankie, et pourtant, elle le fait tourner en bourrique nuit et jour, le pauvre vieux. Il avait une sacré tignasse quand il l'a épousée. Remarque, je suis mal placé pour parler, dit-il en promenant sa main sur son crâne à moitié dégarni.
— Ça te va plutôt bien, je trouve, dit Rachel.
Le sourire de Neil s'élargit.
— Tu trouves ? Vraiment ? Lisa détestait ça.
— Lisa, c'est ta femme ?
— La mère de mes enfants, précisa Neil, non sans ironie.

— Vous n'êtes pas mariés.

— On l'était. Techniquement parlant, on l'est toujours d'ailleurs. Mais elle vit à Chicago avec les enfants, et moi... je vis ici. Ils devaient revenir ici pour vivre avec moi, une fois que je serais installé, mais ça ne se fera pas. Elle a trouvé quelqu'un d'autre, et les gamins sont heureux. Du moins, c'est ce qu'elle dit.

— Je suis navrée.

— Eh oui, dit-il avec un long soupir. Ce sont des choses qui arrivent tout le temps, je suppose, mais c'est dur quand on essaie de bâtir quelque chose et que ça se casse la gueule.

Il gardait les yeux fixés sur ses bottes maculées de taches de peinture, comme s'il était gêné par cet aveu.

— Cette Lisa, je la connaissais ? demanda Rachel.

— Oui, tu la connaissais, répondit Neil, sans lever le nez de ses bottes. Elle s'appelait Froman. Lisa Angela Froman. Elle a l'âge de ta sœur. D'ailleurs, elles sont allées ensemble au catéchisme pendant un an ou deux.

— Oui, je me souviens d'elle maintenant, dit Rachel en revoyant l'image d'une jolie blonde de quinze ou seize ans avec des lunettes. C'était une fille discrète.

— Elle n'a pas changé. Elle est très intelligente et les gamins ont hérité ça d'elle. Heureusement. Dieu sait que je ne suis pas le gars le plus futé du quartier.

— Tes enfants te manquent ?

— Affreusement. Tout le temps. Tout le temps. (Il disait cela comme s'il avait encore du mal à y croire.) On pourrait penser qu'au bout d'un moment, ça devient moins dur, mais... (Il secoua la tête.) Tu veux une bière ou autre chose ? J'ai un joint, si tu préfères, dit-il avec un petit rire sans joie.

— Tu fumes encore ?

— Moins qu'avant. Mais, tu vois, quand tout devient trop chiant, j'aime bien décrocher un peu. Ça m'évite de trop cogiter. C'est pas bon, c'est un truc à te briser le cœur...

Ils descendirent en flânant vers l'extrémité du jardin. Là, à l'instigation de Neil, ils escaladèrent un muret pour accéder à un terrain en friche qui servait de dépotoir pour toutes sortes de véhicules, dont un vieux car de ramassage scolaire. Il y avait dans cette escapade un délicieux parfum d'interdit qui donna un goût supplémentaire à la légère griserie de Rachel quand elle tira sur le joint de Neil.

— Ah, ça va mieux, commenta celui-ci. J'aurais dû fumer avant de venir. Je ne supporte plus ces fiestas. Surtout seul. (Il tira sa troisième bouffée et passa le joint à Rachel.) En fait, tu veux que je te dise ?

— Quoi ?

— J'aime plus grand-chose. Je vais finir comme mon père. Tu as connu mon père ?

— Everett.

— Tu te souviens ?

— Évidemment que je me souviens, dit Rachel avec un petit rire.

— Everett Hancock Wilkens.

— Hancock ?

— Ne te moque pas. Hancock est mon deuxième prénom.

Elle répéta ce prénom, en sentant monter un éclat de rire. Ces deux syllabes lui paraissaient tout à coup désopilantes.

— On t'a déjà appelé Hancock ? demanda-t-elle en gloussant.

— Uniquement ma mère, répondit Neil en pouffant à son tour. Quand j'étais gamin, je savais que ça allait chauffer pour mon matricule quand je l'entendais brailler...

— *Hancock !* hurlèrent-ils en chœur, et, avec une synchronisation parfaite, ils lancèrent des regards coupables vers le jardin, où plusieurs têtes s'étaient tournées dans leur direction.

— On se ridiculise, dit Rachel en s'efforçant de réprimer son fou rire.

— C'est le drame de ma vie, répliqua Neil.

Il y avait une note de souffrance derrière cette remarque désinvolte et humoristique.

— Mais je m'en fous maintenant.

Grâce à un effort de volonté, Rachel parvint à retrouver son sérieux.

— Je suis navrée que les choses aient tourné de cette façon.

Mais elle perdit totalement le contrôle de soi tout à coup et partit d'un grand éclat de rire qui la plia en deux.

— Qu'y a-t-il de si drôle ?

— Hancock... Quel prénom idiot. (Elle essuya ses larmes.) Oh, bon sang... Pardonne-moi. Tu disais ?

— Non, rien. Ce n'était pas important.

Neil continuait à sourire, mais il y avait autre chose dans son regard.

— Qu'y a-t-il ? s'enquit Rachel.

— Rien, rien. Je réfléchissais, c'est tout...

Soudain, elle comprit ce qu'il allait dire et elle essaya, par la pensée, de l'empêcher de gâcher cet instant. En vain.

— Je me disais que j'étais vraiment un idiot...

— Neil...

— ... de t'avoir laissée...

— Écoute, Neil, ne...

— Non, je t'en prie, laisse-moi parler. Je n'aurai peut-être plus jamais l'occasion de te dire tout ce que j'ai sur le cœur.

— Et si on fumait un autre joint, hein ?

— J'ai beaucoup pensé à toi durant toutes ces années.

— C'est gentil.

— C'est la vérité. J'ai tellement de regrets dans ma vie. Tellement de choses que j'aurais voulu faire différemment, que j'aurais voulu réussir. Et tu figures en tête de liste, Rachel. Combien de fois en te voyant dans un magazine ou à la télé, je me suis dit : elle aurait pu être à moi. J'aurais pu la rendre heureuse. (Il la regarda droit dans les yeux.) Tu le sais, hein ? J'aurais pu te rendre heureuse.

— Nous avons choisi des chemins différents, Neil.

— Non. Des mauvais chemins.

— Je ne crois pas que...

— Pas toi. Je parle de moi. Dieu sait que toi tu as décroché le gros lot en épousant Geary. Je parle de toutes mes conneries.

Il secoua la tête et Rachel s'aperçut que ses yeux étaient mouillés de larmes.

— Oh, Neil...

— Ne t'en fais pas pour moi. C'est ce putain de joint.

— Tu veux rejoindre les autres ?

— Non, pas particulièrement.

— Je crois qu'on devrait remonter. Ils vont se demander ce qu'on fait.

— Je m'en fous. Je les déteste de toute façon. Tous autant qu'ils sont.

— Tu disais que tu étais un vrai provincial dans l'âme, fit remarquer Rachel.

— Je sais pas ce que je suis. Je l'ai su dans le temps...

Le regard vague, il fixait un point invisible au milieu des carcasses de véhicules rouillés dans l'obscurité.

— J'avais un tas de rêves, Rachel...

— Tu peux encore en avoir.

— Non. C'est trop tard. Il faut savoir saisir l'occasion. Si tu ne la saisis pas quand elle se présente, c'est fichu. Elle ne revient pas. On n'a qu'une seule chance dans la vie. J'ai manqué la mienne. (Son regard revint se poser sur elle.) Tu étais cette chance.

— C'est adorable, mais...

— Tu n'as pas besoin de le dire, je sais. Tu ne m'as jamais aimé ; ça n'aurait jamais marché de toute façon. Mais je pense toujours à toi, Rachel. Je n'ai jamais cessé de penser à toi. Et je te jure que j'aurais réussi à me faire aimer de toi. Et à partir de là... (Il sourit, si tristement.) Tout aurait été différent.

Le lendemain du barbecue, Rachel eut droit à un sermon de la part de Deanne. Qu'est-ce qui lui avait pris de disparaître comme ça, avec Neil Wilkens, par-dessus le marché ? Neil *Wilkens* ! Ce genre de choses se faisait peut-être à New York, mais ici, c'était une petite communauté, on ne se comportait pas de cette façon. Rachel, qui avait l'impression de se faire gronder comme une sale gamine, pria Deanne de garder ses opinions pour elle. D'ailleurs, que reprochait-elle à Neil Wilkens ?

— C'est quasiment un alcoolique, dit Deanne. Et il a été violent avec sa femme.

— Je n'y crois pas.

— C'est pourtant vrai. Franchement, Rachel, tu devrais garder tes distances avec lui.

— Je n'avais pas l'intention de...

— Tu ne peux pas débarquer ici...

— Attends un peu...

— ... comme si tu étais en terrain conquis...

— De quoi parles-tu ?

Occupée à faire la vaisselle, Deanne leva la tête, le visage rouge de colère.

— Oh, tu le sais très bien !

— Désolée, je ne vois pas.

— Tu m'as fait honte.

— Hein ? Quand ça ?

— Hier soir ! Me planter au milieu de tous ces gens qui me demandaient où tu étais passée. Que pouvais-je leur dire ? Oh, elle est partie flirter avec Neil Wilkens comme une gamine de quinze ans...

— Absolument pas.

— Je t'ai vue ! On t'a tous vue, tu gloussais comme une collégienne. C'était très gênant.

— Dans ce cas, je suis désolée, dit froidement Rachel. Je ne te gênerai plus.

Rachel retourna chez sa mère et fit sa valise. En pleurant. Un peu sous l'effet de la colère, car elle était furieuse de la façon dont Deanne lui avait parlé ; mais surtout, à cause d'une étrange confusion de sentiments. Peut-être Neil Wilkens avait-il réellement battu sa femme. Malgré tout, elle l'aimait bien, sans pouvoir véritablement expliquer pourquoi. Était-ce parce qu'elle avait l'impression que sa place était ici ? La fille qui avait été énamourée de Neil, il y a si longtemps, n'avait-elle pas entièrement disparu, vivait-elle encore en elle, tremblante dans l'attente d'un premier baiser, avec ses rêves d'amour parfait toujours intacts ? Et aujourd'hui, cette fille pleurait, de chagrin, car Neil et elle avaient suivi des chemins séparés ?

Tout cela était parfaitement ridicule, et tellement prévisible, se dit Rachel. Elle alla dans la salle de bains, aspergea d'eau son visage marbré de larmes et se fit la leçon. Ce voyage était une erreur. Elle aurait dû rester à New York et affronter sans détours le problème de ses relations avec Mitch.

D'un autre côté, peut-être était-ce une bonne chose qu'on lui ait rappelé qu'elle était maintenant une exilée. Désormais, elle ne pourrait plus nourrir de tendres illusions en rêvant qu'elle retrouvait ses racines ; elle devait se préparer à continuer d'avancer sur la route qu'elle avait choisie. Elle allait retourner à New York, décida-t-elle, et faire le point avec Mitch. Elle n'avait rien à perdre en jouant la carte de la franchise. Et s'ils décidaient qu'ils n'étaient pas faits l'un pour l'autre, elle demanderait le divorce et ils entameraient la procédure. Peut-être Margie lui donnerait-elle quelques conseils concernant sa valeur sur le marché des ex-épouses. Et ensuite ? On verrait bien. Elle était certaine d'une seule chose : elle ne reviendrait pas vivre à Dansky. Quelle que soit sa véritable nature profonde (et présentement, elle n'en avait plus aucune idée), elle était sûre, au moins, de ne plus être une fille de la province.

Elle repartit le jour même, en dépit des protestations de sa mère.

— Reste encore une nuit ou deux, au moins, dit Sherrie. Tu as fait tout ce chemin.

— Il faut vraiment que je reparte.

— C'est Neil Wilkens, hein ?

— Non, ça n'a rien à voir avec Neil Wilkens.

— Il t'a fait des propositions ?

— Non, maman.
— Parce que dans ce cas...
— Non, maman, il s'est comporté en parfait gentleman.
— Cet homme ignore le sens du mot gentleman ! répliqua Sherrie en foudroyant Rachel du regard. Cent Neil Wilkens n'arrivent pas à la cheville d'un Mitchell Geary.

Cette dernière remarque accompagna Rachel durant le long trajet de retour vers New York, et elle se surprit à comparer les deux hommes, telle une princesse dans un livre de contes qui juge les mérites respectifs de ses prétendants. L'un était riche et ennuyeux ; l'autre était dégarni et bedonnant, mais il savait toujours la faire rire. Ils étaient différents sur tous les plans, sauf un seul : c'étaient des hommes tristes. Quand elle se les représentait, elle voyait des visages mornes, abattus. Elle savait où résidait la cause du désespoir de Neil ; il le lui avait avoué. Mais pourquoi Mitch, comblé par son héritage et la génétique, était-il aussi triste au bout du compte ? C'était un mystère, et plus Rachel y réfléchissait, plus il lui apparaissait qu'ils ne pourraient jamais panser les blessures qui les torturaient tant qu'elle n'aurait pas résolu ce mystère.

QUATRIÈME PARTIE

LA VAGUE DU FILS PRODIGUE

Chapitre un

Hier soir, j'ai eu la visite de Marietta. Elle m'a apporté de la cocaïne qu'elle avait achetée à Miami, me dit-elle, et qui était de première qualité. Elle m'a apporté également une bouteille de Bénédictine, en m'expliquant que je devais dissoudre la drogue dans l'alcool, afin de fabriquer, m'assura-t-elle, un mélange détonant. Il était temps qu'on s'aventure à l'extérieur tous les deux, ajouta-t-elle, et ce breuvage me plongerait dans un état d'esprit approprié. Je lui expliquai que je ne pouvais aller nulle part. J'avais trop d'idées dans la tête, tous les fils de mon récit que je devais empêcher de s'emmêler.

— Tu travailleras mieux après t'être amusé un peu, souligna-t-elle.

— Tu as certainement raison, mais je suis obligé de refuser.

— Quelle est la *vraie* raison ? demanda-t-elle.

— Eh bien, euh... en fait... Je vais commencer à parler de Galilée. Et j'ai peur que si je m'arrête maintenant... avant de m'attaquer à ce défi... je n'aurai plus le courage de recommencer.

— Je ne vois pas pourquoi. J'aurais pourtant cru que c'était merveilleux d'écrire son histoire.

— Je suis impressionné par la tâche.

— Pourquoi

— Il a été tellement de personnes dans sa vie. Il a fait tellement de choses. J'ai peur de ne pas réussir à faire son portrait. Il va apparaître comme un amoncellement de contradictions.

— C'est peut-être ce qu'il est réellement, fit remarquer Marietta de façon fort judicieuse.

Les gens penseront que l'erreur vient de moi.

— Allons, Eddie, c'est juste un livre.

— Non ! Ce n'est pas *juste un livre*. C'est mon livre. C'est l'occasion de raconter ce que personne d'autre n'a jamais raconté.

— D'accord, d'accord, dit-elle en levant les mains en signe de reddition. Ne monte pas sur tes grands chevaux. Je suis sûre que le résultat sera brillant.

— Ne me dis pas ça. Tu vas m'intimider.

— Oh, Seigneur. Qu'ai-je le droit de dire, alors ?

— Rien. Rien du tout. Tu peux juste me laisser travailler.

Mais je ne lui avais pas tout dit. C'est vrai, je redoutais le sujet qui m'attendait – *Galilée* – et je craignais, si je perdais le fil de mon récit, de ne plus pouvoir retrouver mon inspiration en le devinant sur le point d'apparaître. Mais j'étais encore plus effrayé à l'idée d'accompagner Marietta hors des limites de cette maison, de retourner dans le monde après toutes ces années ; j'avais peur, je suppose, d'être écrasé par toutes ces choses et de me sentir comme un enfant perdu. J'éclaterais en sanglots, je tremblerais comme une feuille, je mouillerais mon pantalon. Dieu sait combien ces pensées doivent vous paraître ridicules à vous tous qui vivez dans ce monde, au milieu de ces choses, vous qui croyez à la réalité de tout ce que vous voyez et connaissez, mais soyez sûrs que ces craintes étaient réelles pour moi. Souvenez-vous que j'avais été une sorte de prisonnier volontaire de *L'Enfant,* depuis si longtemps que j'étais comme un homme qui a passé presque toute sa vie enfermé dans une cellule minuscule ; le jour où enfin on le libère, bien qu'il ait rêvé du ciel immense pendant des dizaines d'années, il tremble en le découvrant, terrorisé de ne plus être protégé par les murs de sa prison.

Bref, Marietta m'avait déprimé ; j'avais l'impression qu'il m'était impossible de trouver un peu de réconfort ce soir. Si je restais ici, je devais affronter Galilée ; si je sortais, j'affrontais le monde. (Cela signifie, je m'en aperçois rétrospectivement, que Galilée incarne tout ce que n'est pas le monde, et inversement. Sans le vouloir, je viens peut-être de formuler une vérité à son sujet.)

Histoire de retarder encore un peu le moment où je devrais me replonger dans mon texte, je décidai d'expérimenter le cocktail aphrodisiaque que m'avait apporté Marietta. Conformément à ses instructions, je versai une mesure de Bénédictine dans un verre à cordial, puis j'ouvris le petit sachet de cocaïne, contenant un mélange de poudre et de grumeaux. Je choisis une petite pépite que je fis tomber dans le verre d'alcool et mélangeai le tout avec mon crayon. La drogue ne parvenait pas à se dissoudre totalement ; le résultat était un liquide légèrement trouble. Je portai un toast à mon texte, posé devant moi sur mon bureau, et vidai le verre d'un trait. Le mélange me brûla la gorge et je compris aussitôt que j'avais commis une erreur. Je m'enfonçai dans mon siège, les yeux larmoyants. Je sentis l'alcool couler dans mon œsophage, ou du moins je l'imaginai, puis se répandre sur les parois de mon estomac, toujours aussi brûlant.

— *Marietta...* dis-je d'une voix éraillée.

Pourquoi suivais-je toujours les conseils de cette sale gouine ? Cette femme était une calamité. Mais à peine eus-je fini de prononcer son nom que la drogue commença à faire effet. Je sentis avec bonheur mes membres s'animer ; mes pensées s'illuminèrent, s'accélérèrent.

Je me levai de mon bureau ; un flot d'énergie coulait dans mes membres inférieurs. Il fallait que je sorte de cette pièce quelques instants, dans la nuit parfumée. J'avais besoin de marcher à grandes enjambées sous les marronniers, d'emplir ma tête des parfums du crépuscule. Ensuite je pourrais regagner ma table de travail, régénéré, prêt à m'attaquer à Galilée.

Chapitre deux

Avant de sortir, je me préparai un second verre, plein à ras bord, en faisant dissoudre dans l'alcool un plus gros morceau de cocaïne. Mais plutôt que de le boire immédiatement, dans mon bureau, je l'emportai avec moi en descendant et m'éclipsai par une porte latérale donnant sur le jardin. C'était une magnifique soirée ; calme et douce. Les moustiques étaient sortis en force, mais la coke et l'alcool me rendaient indifférent à leurs assauts. Je marchai au milieu des arbres, jusqu'à l'endroit où le sol cultivé cède la place au désordre majestueux du marécage. À cet endroit, le parfum de miel des fleurs s'efface devant les odeurs fétides, les effluves de pourriture et d'eau stagnante.

Comprenez bien, je vous prie, que le plaisir que me procurait cette ambiance – les animaux nocturnes, les arbres pourris, les miasmes environnants – n'était pas dû à la cocaïne. J'ai toujours apprécié les spectacles et les créatures que la grande majorité des gens jugeraient répugnants, voire maléfiques. Une partie de ce plaisir est d'ordre esthétique, mais il est lié également aux affinités que j'éprouve vis-à-vis de la nature qui n'est pas enjolivée, et dont je suis moi-même un bon exemple. Mon odeur est plus fétide qu'agréable, mon apparence évoque davantage la dégénérescence que le bourgeonnement printanier.

Bref, je me promenais dans cet endroit, tout au fond du jardin, j'observais le marécage qui s'étendait devant moi, et ce décor me procurait un immense plaisir. J'avais emporté mon verre jusqu'ici sans en renverser une seule goutte (parfois, le plus grand plaisir de la drogue – comme dans beaucoup de choses – ne se trouve pas dans la consommation, mais dans l'attente de la consommation). Enfin, je bus une gorgée. Ce second mélange était bien plus fort que le premier. Tandis que le liquide coulait dans ma gorge, j'eus l'impression de sentir tout mon corps réagir à sa présence : la même agitation dans les membres comme précédemment, la même accélération de mes pensées. J'ai entendu dire que cette accélération était pure illusion, et que la cocaïne se contente de faire croire à l'esprit qu'il accomplit des prouesses mentales, alors qu'en réalité, il ne fait que trébucher. Je ne suis pas de cet avis. J'ai accompli de sacrés exploits intellectuels avec la poudre et j'ai gardé de ces exercices des cogitations qui résistent au test d'un examen lucide.

Mais ce soir, je n'aurais pas pu avoir d'échange intellectuel avec quiconque, même si ma vie en dépendait. Peut-être était-ce le puissant mélange de cocaïne et de Bénédictine, peut-être était-ce le fait de me retrouver seul en pleine nature, peut-être étais-je *prêt*, tout simplement ; toujours est-il que je me sentais excité. Un délicieux bourdonnement résonnait dans ma tête, mon cœur cognait dans ma poitrine, comme s'il s'échauffait pour je ne sais quoi, et ma queue qui, excepté lors de la visite de Cesaria, était restée calme pendant des mois, s'était dressée dans mon pantalon large ; elle frottait contre ma braguette dans l'espoir que je la libère.

Mon désir n'avait pas d'objet, je le précise, réel ou imaginaire. Le cocktail de Marietta avait simplement tiré mon corps de sa torpeur, et ses premières pensées, maintenant qu'il était réveillé, étaient d'ordre sexuel. J'éclatai de rire, heureux de mon sort à cet instant, ne désirant rien de plus que ce que j'avais : les étoiles, les marais, ce verre dans ma main, mon cœur et une érection. C'était merveilleux, c'était dérisoire.

Peut-être devrais-je retourner à ma table de travail maintenant, songeai-je, pendant que j'étais encore dans un état d'esprit optimiste. Si j'étais courageux, si je réussissais à écrire malgré mes doutes, peut-être pourrais-je jeter sur le papier les débuts de Galilée – son squelette, pourrait-on dire – avant que la confiance procurée par la cocaïne se dissipe. J'ajouterais la moelle plus tard. Le plus important, c'était de commencer. Et bien sûr, si j'avais encore besoin d'un peu de courage en chemin, je pourrais toujours me concocter un autre mélange.

Ce plan me plaisait. Je décidai de vider mon verre d'un trait séance tenante, ce que je fis (avant de jeter le verre vide dans l'eau saumâtre) et retournai vers la maison. Du moins le croyais-je. Au bout d'une cinquantaine de mètres, il s'avéra que mon esprit, amoureux de son état d'intense excitation, m'avait entraîné sur un mauvais chemin, et, au lieu de marcher sur le sol solide et sûr, je m'enfonçai dans les marécages. Ce n'était sans doute pas prudent, me chuchota un coin de mon esprit plus raisonnable, mais la majeure partie, sous l'influence de l'alcool et de la poudre sans doute, déclara que si mon instinct me conduisait dans cette direction, je devais lui obéir et goûter comme il convenait cette promenade. Le sol était mou sous mes pas ; il ne libérait mes pieds qu'à contrecœur, avec un bruit de succion comique ; le feuillage des arbres était devenu si dense au-dessus de ma tête que seule une fraction de la lumière des étoiles parvenait à le traverser pour éclairer mon chemin. Mais mon instinct me poussait à continuer, toujours plus profondément au milieu des fourrés. Même dans mon état second, j'avais conscience de risquer le pire. Cet endroit n'était pas fait pour la promenade, même en plein jour, et à plus forte raison à cette heure. La boue immonde que je sentais sous mes pieds risquait de s'enfoncer à tout moment et je me retrouverais plongé jusqu'au cou dans ces eaux putrides infestées d'alligators.

Mais tant pis ! J'avais une érection pour me réconforter *in extremis*, et j'accueillerais ma mort comme un message de Dieu me disant que je n'étais pas l'écrivain que je croyais être.

C'est alors qu'une chose étrange se produisit. Une certitude grandit en moi : je n'étais pas seul. Il y avait une autre présence humaine à proximité. Je sentais un regard intrigué frôler ma nuque. Je m'immobilisai et jetai un coup d'œil par-dessus mon épaule.

— Qui est là ? demandai-je à voix basse.

Je n'attendais pas de réponse (celui qui s'approche d'un voyageur dans l'obscurité quasi complète ne répond généralement pas à cette question), mais à ma grande surprise, j'en obtins une. Pas sous forme de langage, néanmoins. Pas tout de suite. Ce fut d'abord une sorte de battement dans la pénombre, comme si mon compagnon invisible transportait des oiseaux dans son manteau, tel un magicien. Je regardai fixement ce mouvement, essayant d'en comprendre le sens, et tout à coup, sans pouvoir expliquer pourquoi, je sus avec certitude qui était là. Après des décennies d'exil, le fils triste de *L'Enfant,* Galilée le voyageur, était revenu à la maison.

Chapitre trois

Je prononçai son nom, d'une voix à peine audible cette fois.

Je perçus le même battement dans le noir, et, parce que mon regard savait où se poser désormais, il me sembla l'apercevoir. Sa silhouette était faite d'obscurité et non de lumière d'étoiles ; une ombre parmi les ombres. Mais c'était bien lui, aucun doute. Il n'existe pas deux visages aussi beaux que le sien sur cette planète. Malheureusement. J'aurais préféré qu'il ne fût pas sans égal. Mais tel est le cas, maudit soit-il. Il est un ordre naturel à lui seul, et nous autres somme obligés de tirer quelque maigre réconfort de son désespoir.

— Es-tu vraiment là ? demandai-je.

Adressée à la plupart des gens, cette question paraîtrait bien étrange, songeai-je, mais Galilée avait hérité de sa mère le don de projeter son image là où il le souhaitait, et, après avoir cru pendant un instant qu'il se trouvait devant moi en chair et en os, je craignais maintenant que cette forme mouvante ne soit pas l'être en personne, mais un message qu'il m'envoyait par la pensée.

Cette fois, je captai des mots au milieu des ombres palpitantes.

— Non, dit-il. Je suis très loin d'ici.

— Toujours en mer ?

— Toujours en mer.

— Alors, que me vaut cet honneur ? Envisages-tu de revenir à la maison ?

Les battements se transformèrent en rire. Un rire amer.

— À la maison ? dit-il. Pourquoi rentrerais-je à la maison ? Je n'y suis pas le bienvenu.

— Je serais heureux de t'accueillir, dis-je. Et Marietta aussi.

Galilée émit un grognement. Pas convaincu, apparemment.

— Dommage que je ne te voie mieux, dis-je.

— C'est ta faute, pas la mienne, répondit l'ombre parmi les ombres.

— Que veux-tu dire ? répondis-je, un peu agacé.

— Frère, je t'apparais aussi nettement que tu peux le supporter, dit Galilée. Ni plus, ni moins.

Sans doute disait-il la vérité, pensai-je. Il n'avait aucun intérêt à me mentir.

— En tout cas, je ne m'approcherai pas plus près avant longtemps.

— Où es-tu ?

— Quelque part au large de Madagascar. La mer est calme ; il n'y a pas un souffle de vent. Les poissons volants sautent tout autour du bateau. Je n'ai qu'à tendre ma poêle par-dessus bord, ils sautent dedans...

Ses yeux scintillaient dans l'opacité de la nuit, comme s'ils me renvoyaient une infime parcelle de cet océan baigné de lumière qu'il contemplait.

— Est-ce une sensation étrange ? demandai-je.

— Quoi donc ?

— De se trouver à deux endroits en même temps ?

— C'est une habitude. Je laisse mon esprit vagabonder et je voyage autour du monde.

— Et s'il arrivait quelque chose à ton bateau pendant que ton esprit est parti en promenade ?

— Je le saurais. Mon *Samarkand* et moi, nous nous comprenons. Mais il n'y a aucun risque que ça arrive ce soir. La mer est aussi calme que le bain d'un bébé. Tu aimerais cet endroit, Maddox. Une fois que tu es venu jusqu'ici, tu as un point de vue différent sur les choses. Tu commences à laisser tes rêves prendre le dessus, tu commences à oublier le mal qu'on t'a fait, tu ne te soucies plus de la vie et de la mort, ni des énigmes de l'univers...

— Tu as oublié l'amour, dis-je.

— Ah, oui, évidemment... l'amour, c'est une autre histoire. (Il détourna le regard pour contempler la nuit.) Tu peux voguer au bout du monde, l'amour sera toujours là, n'est-ce pas ? Il te poursuit, où que tu ailles.

— Ça ne semble pas te rendre heureux.

— En vérité, frère, que je sois heureux ou pas ne change rien. Il n'y a aucune issue possible pour moi, voilà tout. (Il tendit la main.) As-tu une cigarette ?

— Non.

— Merde. Quand on parle d'amour, ça me donne toujours envie de fumer.

— Je suis un peu dubitatif, avouai-je. Supposons que j'aie eu une cigarette...

— Aurais-je pu la prendre et la fumer ? C'est ça que tu veux savoir ?

— Oui.

— Non. Je ne peux pas. Mais j'aurais pu te regarder la fumer, et j'aurais été *presque* aussi satisfait. Tu sais à quel point j'aime vivre des expériences par procuration. (Il rit de nouveau ; il n'y avait plus d'amertume dans son rire, uniquement de l'amusement.) En fait, plus je vieillis – et je me sens vieux, frère, très, très vieux – et plus j'ai l'impression que rien ne vaut les expériences de seconde main, voire de troisième main. Je préfère raconter une histoire d'amour, ou en écouter une, que d'être amoureux moi-même.

— Et tu préfères regarder quelqu'un fumer une cigarette, plutôt que de la fumer ?

— Euh... quand même pas, soupira-t-il. Mais presque. Bon, venons-en aux choses sérieuses. Pourquoi m'as-tu appelé ?

— Je ne t'ai pas appelé.

— Permets-moi de ne pas être de cet avis.

— Non, je t'assure. Je ne t'ai pas appelé. Je ne sais même pas comment faire.

— Allons, Maddox, dit-il avec une pointe de condescendance. Tu ne m'écoutes pas...

— Je t'écoute, bon sang !

— N'élève pas la voix.

— Je n'élève pas...

— Si. Tu me cries dessus.

— Tu m'accuses de ne pas t'écouter, dis-je en m'efforçant de garder un ton raisonnable, alors que je ne me sentais pas d'humeur particulièrement raisonnable.

Comme toujours en présence de Galilée, voilà la vérité. Même avant la guerre, en ces temps si doux, avant que Galilée ne s'enfuie pour tenter sa chance à travers le monde, avant les drames de son retour et la mort de mon épouse, et la déchéance de Nicodemus, même alors – quand nous vivions dans un endroit qui semble paradisiaque rétrospectivement – nous nous disputions souvent, avec hargne, pour les choses les plus futiles. Il suffisait que je perçoive un certain ton dans sa voix – ou qu'il perçoive dans la mienne quelque nuance malvenue – et une dispute éclatait. Le motif de cette querelle était généralement sans importance. Nous nous affrontions, car nous étions profondément antithétiques. Apparemment, les années n'avaient pas atténué cette animosité. Il suffisait qu'on échange quelques phrases et les vieilles défenses resurgissaient aussitôt, la colère ancienne se ravivait.

— Changeons de sujet, suggérai-je.

— D'accord. Comment va Luman ?

— Toujours aussi fou.

— Et Marietta ? Elle va bien ?

— Mieux que ça.

— Amoureuse ?

— Pas en ce moment.

— Dis-lui que j'ai demandé de ses nouvelles.

— Compte sur moi.

— J'ai toujours beaucoup aimé Marietta. Je vois sans cesse son visage dans mes rêves.

— Elle sera flattée.

— Le tien aussi, ajouta Galilée. Je vois ton visage.

— Et tu me maudis.

— Non, frère. Je rêve que nous sommes tous réunis à nouveau, comme dans le temps, avant cette bêtise.

Ce mot me semblait particulièrement inapproprié dans sa bouche, presque insultant dans son manque de gravité. Je ne pus m'empêcher de faire une remarque.

— Ça ressemble peut-être à une « bêtise » pour toi, mais pour nous autres, c'était bien plus que ça.

— Je ne voulais pas...

— Tu es parti vivre tes aventures, Galilée. Et je suis sûr que cela t'a procuré beaucoup de joie.

— Moins que tu l'imagines.

— Tu avais des responsabilités, soulignai-je. Tu étais l'aîné. Tu aurais dû montrer l'exemple, au lieu de satisfaire ton bon plaisir.

— Depuis quand est-ce un crime ? C'est une chose qu'on a dans le sang, frère. Nous sommes une famille hédoniste.

(On ne pouvait pas dire le contraire. Notre père avait été un fervent adepte du sensualisme dès sa plus tendre enfance. J'avais personnellement découvert dans un livre d'anthropologie le récit de ses premiers exploits sexuels rapportés par des cavaliers kurdes. Ceux-ci affirmaient avec fierté que les dix-sept pères fondateurs de leur tribu avaient été engendrés par mon père, alors qu'il n'était pas encore en âge de marcher. Faites-en ce que vous voulez.)

Mais Galilée était déjà passé à un autre sujet.

— Ma mère...

— Eh bien, quoi ?

— Comment va-t-elle ?

— Difficile à dire, répondis-je. Je la vois peu.

— Est-ce elle qui t'a guéri ? demanda Galilée en regardant mes jambes.

La dernière fois où il m'avait vu, j'étais un invalide et je pestais contre lui.

— Elle dirait sans doute que nous avons fait le travail tous les deux.

— Ça ne lui ressemble pas.

— Elle s'est adoucie.

— Au point de me pardonner ?

Je ne répondis pas.

— Dois-je considérer ce silence comme un non ?

— Tu devrais peut-être lui poser la question toi-même, suggérai-je. Si tu veux, je peux lui parler ? Je lui dirai que nous avons bavardé. Je la préparerai.

Pour la première fois depuis le début de cette discussion, je vis autre chose que l'ombre de Galilée. Une luminescence sembla irradier son enveloppe charnelle, projetant dans ma direction un éclat froid qui dessinait en même temps sa silhouette. Je crus voir les courbes de son torse s'illuminer de l'intérieur, de son cou palpitant jusqu'au fond de sa gorge.

— Tu serais prêt à m'aider ? demanda-t-il.

— Évidemment.

— Je croyais que tu me détestais. Tu avais suffisamment de raisons pour ça.

— Je ne t'ai jamais détesté, Galilée. Je te le jure.

La lumière illuminait ses yeux maintenant, et se déversait sur ses joues.

— Seigneur... murmura-t-il. Il y a bien longtemps que je n'ai pas pleuré.

— Est-ce donc si émouvant pour toi de revenir à la maison ?

— Je veux qu'elle me pardonne. Voilà ce que je veux, plus que tout au monde. Être pardonné, rien d'autre.

— Je ne peux intercéder en ta faveur, dis-je.

— Je sais.

— Je peux simplement lui dire que tu aimerais la voir, et te transmettre sa réponse.

— Je n'en espérais pas tant, dit Galilée en essuyant ses larmes avec le dos de sa main. Et je sais très bien que je dois réclamer ton pardon, à toi aussi. Ta douce Chiyojo...

Je levai la main pour l'empêcher de continuer.

— Je préfère qu'on ne...

— Désolé.

— D'ailleurs, ce n'est pas une question de pardon, dis-je. Nous avons commis des erreurs tous les deux. J'en ai fait autant que toi, crois-moi.

— J'en doute.

L'amertume qui teintait ses paroles au début de notre conversation était réapparue. Il se déteste, songeai-je. Mon Dieu, cet homme se déteste.

— À quoi penses-tu ? me demanda-t-il.

J'étais trop déconcerté pour avouer la vérité.

— Oh... Rien d'important.

— Tu me trouves ridicule.

— Quoi ?

— Tu as très bien entendu. Tu me trouves ridicule. Tu imagines que j'ai paradé à travers le monde durant Dieu sait combien d'années, en baisant à tire-larigot. Quoi d'autre ? Ah oui, tu penses que je n'ai jamais mûri. Que je n'ai pas de cœur. Et que je suis stupide, sans doute. (Il me regardait fixement avec ses yeux d'océan ensoleillé.) Allez, avoue. Je l'ai dit à ta place. Tu peux l'avouer.

— D'accord. Il y a du vrai dans ce que tu dis. J'ai pensé que tu t'en fichais. C'est ce que j'avais l'intention d'écrire, d'ailleurs : tu étais un être cruel et...

— *Écrire ?* dit-il. Où ça ?

— Dans un livre.

— Quel livre ?

— *Mon* livre, dis-je avec un petit frisson de fierté.

— Un livre qui parle de moi ?

— De nous tous. De toi, de moi, de Marietta, Luman, Zabrina...

— Mère et Père ?

— Évidemment.

— Ils savent tous que tu écris sur eux ? (Je répondis par un hochement de tête.) Et tu dis toute la vérité ?

— Ce n'est pas un roman, si c'est ce que tu veux dire. Je raconte la vérité autant que possible.

Il réfléchit un instant. Visiblement, il était déconcerté d'apprendre que j'écrivais un livre. Peut-être avait-il peur de ce que j'allais mettre au jour, ou de ce que j'avais déjà découvert.

— Avant que tu me poses la question, dis-je, je ne parle pas uniquement de *notre* famille.

À en juger par son expression, il était clair que c'était là le cœur de ses préoccupations.

— Seigneur, murmura-t-il. Voilà donc pourquoi je suis ici.

— Oui, sans doute. Je pensais à toi et...

— Comment ça s'appelle ? me demanda-t-il. (Je le regardai sans comprendre.) Ton livre, idiot. Comment s'appelle-t-il ?

— Oh... j'hésite encore entre plusieurs titres, répondis-je en prenant un ton pénétré. Il n'y a rien de définitif pour l'instant.

— Tu es conscient que je connais un tas de détails qui pourraient t'être utiles.

— J'en suis sûr.

— Des trucs indispensables. Si tu veux écrire un récit authentique.

— Par exemple ?

Il m'adressa un petit sourire en coin.

— En échange de quoi ?

C'était la première fois depuis ces retrouvailles que j'entr'apercevais le Galilée dont j'avais gardé le souvenir, l'être qui accordait à son charme une confiance qui n'avait jamais été démentie autrefois.

— Je vais parler de toi à maman, n'oublie pas.

— Et tu penses que ça mérite tous les renseignements que je pourrais te donner ? Oh, non, petit frère. Il faut faire un effort.

— Que veux-tu, alors ?

— Pour commencer, dit-il, tu dois être d'accord.

— D'accord pour quoi ?

— Sois d'accord, c'est tout.

— On tourne en rond.

Galilée haussa les épaules.

— Très bien, dit-il. Si tu ne veux pas savoir tout ce que je sais, tant pis. Ton livre sera beaucoup moins intéressant, je te préviens.

— Je pense qu'il est préférable d'arrêter là cette conversation, dis-je. Avant que ça dégénère.

Galilée m'observa avec gravité ; un froncement de sourcils plissait son front.

— Tu as raison. Je suis désolé.

— Moi aussi, dis-je.

— Tout allait bien et je me suis laissé emporter.

— Moi aussi.

— Non, non, c'est entièrement ma faute. J'ai perdu une bonne partie de mon savoir-vivre au fil des ans. Je suis trop souvent seul. C'est mon problème. Ce n'est pas une excuse, mais... (Il laissa sa phrase en suspens.) Est-ce qu'on pourra se revoir pour bavarder ?

— Avec plaisir.

— Demain, vers la même heure par exemple ? Ça te laisse assez de temps pour parler à maman ?

— Je ferai ce que je peux.

— Merci, murmura Galilée. Je pense à elle, tu sais. Ces derniers temps, je pense à elle en permanence. Et à la maison aussi. Je pense souvent à la maison.

— Tu l'as visitée ?

— Visitée ?

— Tu pourrais entrer jeter un coup d'œil, personne n'en saurait rien.

— *Elle* le saurait. (Évidemment, pensai-je.) La réponse est non, dit-il. Je n'ai pas osé.

— Tu ne verrais pas de changement.

— Tant mieux, dit-il avec un petit sourire timide. Il y a tellement de choses... En fait, partout où je vais... les choses changent. Et *jamais* dans le bon sens. Des endroits que j'aimais. Des endroits secrets, tu vois ? Des coins du monde où personne n'allait autrefois. Aujourd'hui, on y trouve des hôtels roses et on y organise des croisières. Plusieurs fois, j'ai essayé de faire fuir les gens en les effrayant.

Sa silhouette fut agitée de soubresauts alors qu'il prononçait ces mots, et dans toute sa beauté je distinguai une autre forme, beaucoup moins séduisante. Deux fentes argentées en guise d'yeux et des lèvres parcheminées laissant voir des dents pointues comme des aiguilles. Tout en sachant qu'il ne me voulait pas de mal, je ne pus m'empêcher d'éprouver un certain malaise. Je détournai le regard.

— Tu vois, ça marche, dit-il, non sans fierté. Mais dès que j'ai le dos tourné, la pourriture s'installe de nouveau.

Je levai les yeux ; sa rage refluait.

— Et avant même de t'en apercevoir...

— Des hôtels roses...

— ... et des croisières, dit-il dans un soupir. Tout est abîmé. (Il regarda le ciel.) Il faut que je parte. L'aube va bientôt se lever et tu as une dure journée de travail devant toi.

— Et toi ?

— Oh, je ne dors pas beaucoup. Comme toutes les divinités, je crois.

— Tu es une divinité ?

Il répondit par un haussement d'épaules, comme si la question de sa nature divine n'était pas digne d'intérêt.

— Je suppose, dit-il. Maman et papa sont la forme de divinité la plus pure que connaîtra jamais ce monde, non ? Ce qui fait de toi un demi-dieu, si ça peut te remonter le moral. (J'éclatai de rire.) Bonne nuit, frère, dit-il. À demain.

Il me tourna le dos et j'eus l'impression qu'il s'éclipsait.

— Attends ! m'exclamai-je.

Il se retourna.

— Quoi ?

— Je sais ce que tu allais réclamer, dis-je.

— Ah oui ? dit-il avec un petit rictus. Et quoi donc ?

— Si tu me donnes des renseignements pour mon

livre, tu exiges une sorte de contrôle sur tout ce que j'écrirai.

— *Erreur*, frère, dit-il en pivotant sur lui-même pour s'éclipser de nouveau. Je voulais juste te demander d'intituler ton livre « Galilée ». Mais tu l'appelleras comme ça de toute façon. N'est-ce pas ?

Sur ce, il disparut, pour regagner l'océan qui scintillait dans ses yeux.

Chapitre quatre

Ai-je besoin de vous dire que Galilée ne revint pas le lendemain soir, comme il l'avait promis ? Et ceci bien que j'aie passé presque toute la journée à chercher audience auprès de Cesaria pour plaider sa cause. En vérité, je ne parvins pas à la trouver (je soupçonne qu'elle connaissait mon projet et m'évitait délibérément). Quoi qu'il en soit, Galilée ne vint pas au rendez-vous, ce dont je ne devrais pas m'étonner, je suppose. On n'avait jamais pu compter sur lui, sauf dans les affaires de cœur, où pourtant personne n'est digne de confiance. Dans ce domaine, il était d'une constance divine.

Je racontai notre rencontre à Marietta, mais elle était déjà au courant. Par Luman qui m'avait aperçu par hasard dans les marais, en train de bavarder avec une ombre, semblait-il, et passant par différents états ; il en avait conclu que je ne pouvais parler qu'avec une seule personne.

— Il a deviné que c'était Galilée ? dis-je.

— Non, il n'a pas deviné, dit Marietta. Il savait, parce qu'il a déjà eu ce genre de conversations, lui aussi.

— Tu veux dire que Galilée est déjà venu ici ?

— Oui, apparemment. Plusieurs fois même.

— À l'invitation de Luman ?

— Je suppose. Il n'a pas voulu en dire plus. Tu sais comment il est dès qu'il a l'impression qu'on le questionne. Mais peu importe, en définitive, que Luman l'ait invité ou pas, hein ? Ce qui compte, c'est qu'il soit venu jusqu'ici.

— Mais pas dans la maison, dis-je. Il avait trop peur de maman pour approcher de la maison.

— C'est ce qu'il t'a dit ?

— Tu ne le crois pas ?

— Je pense qu'il est parfaitement capable de nous avoir espionnés pendant des années sans qu'on le sache. Le petit salopard.

— Je crois qu'il préfère le terme *divinité.*

— Pourquoi pas « divine petite merde » ? dit Marietta.

— Tu le détestes à ce point ?

— Je ne le déteste absolument pas. C'est loin d'être aussi simple. Mais nous savons bien tous les deux que nos vies auraient été sacrément plus heureuses s'il n'était pas revenu à la maison ce soir-là.

Ce soir-là. Il va falloir que je vous parle de ce soir-là, très bientôt. Ce n'est pas pour ménager mes effets, croyez-le bien. Mais ce n'est pas facile. D'abord, je ne suis pas absolument certain de *savoir* ce qui s'est passé lorsque Galilée est revenu à la maison. Il y eut ce soir-là plus de visions, de fièvres et de délires que ce continent n'en a connu depuis l'arrivée des Pèlerins. Je ne pourrais pas vous dire avec certitude ce qui était réel et ce qui était illusion.

Non, je mens. Il y a certaines choses dont je suis sûr. Tout d'abord, je sais qui est mort ce soir-là : ces hommes désespérés qui commirent l'erreur d'accompagner Galilée sur sa terre sacrée et qui payèrent le prix de leur intrusion. Je pourrais vous conduire à l'instant même sur leurs tombes, bien que je ne m'y sois pas aventuré depuis cent trente ans. (Alors même que j'écris ces lignes, le visage de l'un d'eux, un certain capitaine Holt, me revient en mémoire. Je le vois dans sa tombe, le corps totalement disloqué, comme si chacun de ses os, même le plus petit, avait été brisé.)

Quelles sont mes autres certitudes ? Celle d'avoir perdu l'amour de ma vie ce soir-là. De l'avoir vue dans les bras de mon père... Oh, Seigneur, j'ai si longtemps prié pour qu'on m'arrache cette vision ; mais qui écoute les prières d'un homme victime de Dieu ? – et je sais qu'elle m'a regardé durant ces derniers instants ; j'ai compris qu'elle m'aimait, et que plus jamais on ne m'aimerait avec une telle férocité. Tout cela est d'une vérité incontestable. C'est de l'histoire, en quelque sorte.

Mais tout le reste ? Je ne pourrais pas vous dire si c'était vrai ou pas. Tant d'émotions intenses se libérèrent ce soir-là ; et dans cet endroit, la fureur, l'amour et la tristesse ne peuvent demeurer invisibles. Ils existent comme ils existaient déjà au commencement du monde, ce sont ces forces primitives d'où nous autres, créatures inférieures, tirons notre détermination et notre apparence.

Ce soir-là – les sens exacerbés et la peau à nu – nous nous enfonçâmes dans un flot de sentiments visibles, qui se transforma en un millier de formes fantastiques. Je n'espère pas revoir pareil spectacle un jour, et d'ailleurs je n'y tiens pas particulièrement. Pour chaque partie de mon être qui me vient de mon père, et se réjouit du chaos par pur plaisir, il y a une autre partie qui fait de moi l'enfant de ma mère, et qui aspire à la tranquillité, à un endroit pour écrire, réfléchir et rêver au paradis. (Vous ai-je dit que ma mère était une poétesse ? Non, je ne crois pas. Il faudra que je vous cite des passages de son œuvre, plus tard.)

Bref, après avoir affirmé que je n'avais pas le courage de décrire cette nuit-là, voilà que je vous en donne un avant-goût. Il y a tellement de choses à raconter, évidemment, et je les raconterai au fur et à mesure. Mais pas pour l'instant. Ces choses-là doivent être progressives.

Croyez-moi, quand vous saurez tout ce qu'il faut savoir, vous serez stupéfaits que j'aie seulement pu commencer à en parler.

Chapitre cinq

1

Où avais-je donc laissé Rachel ? Sur la route, je crois ? Elle rentrait à Manhattan en comparant les mérites respectifs de Neil Wilkens et de son mari ?

Oui, c'est ça. Elle se disait que tous les deux étaient, au plus profond d'eux-mêmes, des hommes malheureux, et se demandait pourquoi. (Ma théorie, c'est que Neil et Mitch n'étaient nullement des exceptions ; ils étaient malheureux dans l'âme, car beaucoup d'hommes, la plupart même, sont malheureux dans l'âme. Nous nous consumons si intensément pour projeter une si faible lumière ; cela nous rend fous et tristes.)

Bref, Rachel revint à Manhattan bien décidée à annoncer à son mari qu'elle ne supportait plus d'être sa femme ; il était temps qu'ils se séparent. Elle n'avait pas préparé de discours ; elle préférait improviser le moment venu.

Ce moment fut retardé d'une journée. Mitchell avait pris l'avion pour Boston la veille au soir, lui expliqua Ellen, qui faisait partie de sa phalange de secrétaires. Rachel fut prise d'un accès de colère en apprenant qu'il avait fichu le camp ainsi ; réaction totalement irrationnelle, évidemment, si l'on pense qu'elle avait agi exactement de la même façon quelques jours plus tôt. Elle appela le Ritz-Carlton, l'hôtel où il descendait toujours à Boston. Oui, Mitchell avait bien loué une chambre dans cet établissement, lui apprit-on, mais il n'était pas là. Elle laissa un bref message pour lui annoncer qu'elle avait regagné l'appartement. Mitchell était obsédé par les messages, elle le savait, il se les faisait communiquer toutes les heures généralement. Le fait qu'il ne l'ait pas rappelée ne pouvait signifier qu'une chose : il avait décidé de ne pas lui parler ; en d'autres termes, il la punissait. Elle résista à la tentation de rappeler l'hôtel. Elle ne voulait pas lui donner la satisfaction de l'imaginer dans cette situation : assise près du téléphone et attendant qu'il l'appelle.

Vers deux heures du matin, alors qu'elle commençait à s'endormir, Mitchell la rappela enfin. Son ton était étrangement convivial.

— Tu as fait la fête ? demanda-t-elle.

— Juste avec quelques amis. Tu ne les connais pas. Des types de Harvard.

— Quand rentres-tu ?

— Je sais pas encore. Jeudi ou vendredi.

— Garrison est avec toi ?

— Non. Pourquoi ?

— Pour savoir.

— Je m'offre du bon temps si c'est ce que tu veux savoir, dit Mitch en abandonnant son ton chaleureux. J'en ai marre de me tuer au boulot pour que tout le monde continue à vivre dans le luxe.

— Ne te donne pas tout ce mal pour moi, dit Rachel.

— Oh, ne commence pas...

— Sincèrement. J'étais...

— ... J'étais très heureuse quand je n'avais rien, dit-il en prenant une voix aiguë pour l'imiter.

— C'est la vérité.

— Pour l'amour du ciel, Rachel. J'ai simplement dit que je travaillais trop...

— Pour qu'on puisse vivre dans le luxe.

— Ne sois donc pas si susceptible, bon Dieu !

— Ne jure pas devant moi.

— Oh, bordel.

— Tu es ivre, hein ?

— Je te l'ai dit, j'ai fait la fête. Je n'ai pas à m'excuser. Écoute, je n'ai pas envie de poursuivre cette conversation. On en parlera à mon retour.

— Rentre demain.

— Je t'ai dit que je rentrais jeudi ou vendredi.

— Il faut qu'on ait une vraie conversation, Mitch. Et le plus tôt sera le mieux.

— Une conversation ? À quel sujet ?

— Notre couple. On ne peut pas continuer comme ça.

Il y eut un long, long silence.

— Je rentrerai demain, dit-il finalement.

2

Pendant que Rachel et Mitchell jouaient leur drame conjugal mélancolique, d'autres événements se déroulaient, dont aucun n'était aussi remarquable que la séparation de deux amants, mais qui, à long terme, se révéleraient porteurs de conséquences bien plus tragiques.

Vous vous souvenez peut-être que j'ai fait allusion, en passant, à l'astrologue de Loretta ? J'ignore si cet individu était un charlatan ou non (mais je ne peux m'empêcher de penser que quiconque vend ses services de prophète à des femmes riches n'est pas motivé par une ambition visionnaire). Je sais, en revanche, que ses prédictions – à la suite de circonvolutions qui apparaîtront au cours des prochains chapitres – s'avérèrent. Auraient-elles été exactes s'il les avait gardées pour lui ? Ou alors, le simple fait d'en parler faisait-il partie intégrante du vaste complot que le destin ourdissait contre les Geary ? Là encore, je ne peux me prononcer. Je peux juste vous raconter ce qui s'est passé, et vous laisser seuls juges.

Permettez-moi de commencer par Cadmus. La semaine qui vit le retour de Rachel de Dansky fut bénéfique pour le vieillard. Il réussit à effectuer un court trajet en voiture jusqu'à Long Island, où il passa deux heures assis sur la plage, à contempler l'océan. Le surlendemain, un de ses vieux ennemis, un membre du Congrès nommé Ashfield, qui avait tenté de déclencher une enquête sur les pratiques commerciales des Geary dans les années quarante, mourait d'une pneumonie, ce qui égaya considérablement la journée de Cadmus. La maladie avait été douloureuse, lui rapportèrent ses informateurs, et les dernières heures d'Ashley une véritable torture. En apprenant cela, Cadmus avait éclaté de rire. Le lendemain, il annonça à Loretta son intention de dresser la liste de toutes les personnes qui avaient tenté de se dresser sur son chemin au fil des ans et auxquelles il avait survécu. Il voulait ensuite envoyer cette liste au journal *The Times*, pour leur rubrique nécrologique : un *in memoriam* collectif pour ceux qui ne croiseraient plus jamais sa route. Ce projet lui était sorti de la tête une heure plus tard, mais il resta d'humeur enjouée. Il veilla bien plus tard que ses vingt-deux heures habituelles et exigea une vodka Martini avant d'aller se coucher. C'est en la sirotant, assis dans son fauteuil roulant et contemplant la ville tout en bas, qu'il dit :

— J'ai entendu une rumeur...

— À quel sujet ? demanda Loretta.

— Tu es allée voir ton astrologue.

— Exact.

— Que t'a-t-il dit ?

— Es-tu sûr de vouloir finir cette vodka, Cadmus ? Tu sais que tu ne devrais pas boire d'alcool avec tous tes médicaments.

— C'est une sensation plutôt agréable, à vrai dire, répondit-il d'une voix légèrement inarticulée. Mais nous parlions de ton astrologue. Je crois savoir qu'il t'a dit des choses effroyables.

— Tu ne crois pas à ces choses-là, de toute manière, répondit Loretta. Qu'est-ce que ça peut bien te faire ?

— C'est vraiment si affreux ? demanda Cadmus. (Il observa le visage de sa femme avec des yeux vitreux.) Que t'a-t-il dit, nom de Dieu ?

Elle soupira.

— Je ne crois pas que...

— *Dis-le-moi !* rugit-il.

Loretta le regarda d'un air ébahi, stupéfaite d'entendre une voix si puissante sortir d'un corps si frêle.

— Il a dit que quelque chose était sur le point de changer dans nos vies, répondit-elle. Et que je devais me préparer au pire.

— Et de quoi s'agit-il ?

— De la mort, je suppose.

— La mienne ?

— Il ne l'a pas dit.

— Car s'il s'agit de ma mort... (Il tendit le bras pour prendre la main de Loretta.) ... ce n'est pas la fin du monde. Je suis prêt à partir vers un lieu paisible. (Sa main remonta vers le visage de sa femme.) La seule chose qui m'inquiète, c'est toi. Je sais combien tu détestes la solitude.

— Je ne tarderai pas à te suivre.

— Allons, tais-toi. Je ne veux pas entendre ça. Tu as encore de nombreuses années devant toi.

— Non, pas sans toi.

— Tu n'as pas de raison d'avoir peur. J'ai pris d'excellentes dispositions financières. Tu ne seras jamais dans le besoin.

— Ce n'est pas l'argent qui me tracasse.

— Quoi, alors ?

Loretta prit son paquet de cigarettes et joua avec quelques instants.

— Y a-t-il une chose que tu ne m'aies pas dite concernant cette famille ?

— Oh, des milliers de choses, je suppose, répondit Cadmus joyeusement.

— Je ne parle pas d'un millier de choses. Je parle d'une chose importante. Une chose que tu m'as cachée. Ne me mens pas, Cadmus. L'heure n'est plus aux mensonges.

— Je ne te mens pas. Je parlais sérieusement : il y a des milliers de choses que je ne t'ai jamais dites sur cette famille, mais il n'y a rien d'effroyable dans tout cela, je te le jure, mon amour.

Loretta paraissait apaisée. Cadmus lui sourit et lui caressa la main, s'empressant de tirer profit de sa victoire.

— Chaque famille possède son lot de drames. Nous ne faisons pas exception. Ma mère est morte dans la misère. Mais ça, tu le sais. Durant la Dépression, j'ai réalisé quelques affaires qui ne me font pas honneur, mais... (Il haussa les épaules.) ... le Seigneur semble m'avoir pardonné. Il m'a donné de beaux enfants et petits-enfants, et une vie plus longue, plus vigoureuse que je n'aurais osé l'espérer. Et surtout, Il m'a offert toi. (Il embrassa tendrement la main de Loretta.) Et crois-moi, ma chérie, si je te dis que pas un jour ne s'écoule sans que je Le remercie pour Sa générosité.

Cette dernière phrase marqua plus ou moins la fin de la conversation. Mais ce n'était que le point de départ des conséquences de la prédiction de l'astrologue.

Le lendemain, alors que Loretta assistait à son déjeuner mensuel avec plusieurs veuves philanthropes de Manhattan, le vieux Cadmus entra dans la bibliothèque en faisant rouler son fauteuil, verrouilla la porte et sortit d'une cachette, située derrière les rangées d'ouvrages reliés en cuir qu'aucun esprit curieux ne venait jamais déranger, une petite boîte en métal fermée par un fin lacet de cuir. Il n'avait plus assez de force dans les doigts pour défaire le nœud, aussi utilisa-t-il une paire de ciseaux pour en venir à bout et soulever le couvercle. Si quelqu'un l'avait observé à cet instant, il aurait supposé que cette boîte renfermait quelque trésor inestimable, tant ses gestes étaient révérencieux. Ce témoin aurait été déçu. Il n'y avait rien de prestigieux dans cette boîte. Uniquement un petit livre jauni à la couverture et aux pages tachées, dont les lignes manuscrites qui couvraient ces pages avaient presque disparu avec le temps. Entre les pages, étaient glissés ici et là des feuilles volantes ou un petit morceau de tissu bleu, le squelette d'une feuille d'arbre qui se désagrégea en particules de poussière grise quand Cadmus voulut la prendre.

Il parcourut le livre dans les deux sens une demi-douzaine de fois, s'arrêtant parfois pour lire une page, avant de continuer à le feuilleter.

C'est seulement après avoir examiné le livre de cette manière qu'il reporta son attention sur une des feuilles volantes qu'il sortit du livre et déplia avec une délicatesse extrême, comme s'il s'agissait d'une créature vivante, un papillon peut-être, dont il voulait admirer les ailes sans lui faire de mal.

C'était une lettre. Elle était rédigée d'une écriture élégante, mais l'esprit qui façonnait ces phrases était plus éloquent encore ; la densité des idées évoquait davantage la poésie que la prose.

Mon très cher frère, disait cette lettre. *Les grandes souffrances de la journée sont passées, et dans le crépuscule, tout de rose et d'or, j'entends la douce musique du sommeil.*

J'en suis venu à penser que les philosophes ont tort quand ils nous enseignent que le sommeil ressemble à la mort. Il s'agit davantage d'un voyage nocturne qui nous ramène dans les bras de notre mère, où nous aurons peut-être le bonheur d'entendre le rythme délicieux d'une berceuse.

Je l'entends, alors même que je t'écris ces mots. Et, bien que notre mère soit morte depuis dix ans maintenant, me voilà revenu vers elle, et elle vers moi ; le monde est beau comme avant.

Demain, nous livrons bataille à Bentonville et nos adversaires sont si nombreux que nous n'avons aucune chance de victoire. Alors, pardonne-moi si je ne te dis pas combien j'ai hâte de te serrer dans mes bras, car je ne nourris pas cet espoir. Sur cette terre, du moins.

Prie pour moi, mon frère, car le pire est encore à venir. Et si tes prières sont exaucées, le meilleur viendra aussi, peut-être.

Je t'ai toujours aimé.

La lettre était signée *Charles.*

Cadmus l'étudia un long moment, particulièrement l'avant-dernier paragraphe. Ces mots le faisaient trembler. *Prie pour moi, mon frère, car le pire est encore à venir.* Aucun ouvrage dans cette bibliothèque, parmi tous ces immenses et sinistres chefs-d'œuvre du monde entier, n'avait le pouvoir de l'ébranler autant que ces mots. Il n'avait pas connu personnellement l'auteur de cette lettre, évidemment – la bataille de Bentonville avait eu lieu en 1865 –, mais cela ne l'empêchait pas d'éprouver envers cet homme un fort sentiment d'empathie. Quand il lisait cette lettre, il avait l'impression de se trouver à côté de cet homme, assis sous sa tente avant la bataille désastreuse, à écouter la pluie frapper la toile et les chansons tristes des fantassins regroupés autour des feux qui fumaient, sachant que le lendemain une force éminemment supérieure allait s'abattre sur eux.

À l'époque où il avait découvert ce journal, et particulièrement cette lettre, Cadmus s'était mis en tête d'en apprendre le plus possible sur les circonstances dans lesquelles elle avait été écrite. Voici ce qu'il découvrit : au mois de mars 1865, les troupes décimées des États rebelles, conduites par les généraux Johnston et Bragg, avaient été repoussées à travers la Caroline du Nord ; épuisées, affamées et désespérées, elles s'étaient retranchées dans un endroit baptisé Bentonville pour affronter la puissance du Nord. Sherman avait flairé l'odeur de la victoire ; il savait que ses adversaires ne résisteraient pas longtemps. Durant le mois de novembre précédent, il avait supervisé l'incendie d'Atlanta, et la ville de Charleston – courageuse et assiégée – tomberait bientôt sous ses assauts. Le Sud n'avait plus aucune chance de l'emporter et tous les hommes qui composaient les troupes rassemblées à Bentonville le savaient, sans aucun doute.

La bataille devait durer trois jours, et, à l'aune de cette guerre meurtrière, les pertes humaines furent peu nombreuses. Un millier de soldats de l'Union trouvèrent la mort, contre deux mille soldats confédérés environ. Mais pour un soldat qui se bat ces chiffres ne veulent rien dire, car une seule mort est suffisante.

Cadmus avait souvent envisagé de visiter le champ de bataille, relativement épargné par le temps, lui avait-on dit. La maison Harper, une modeste demeure située à proximité et transformée en salle d'opération de fortune durant le combat, était toujours debout ; on pouvait encore s'allonger dans les tranchées où les soldats confédérés avaient attendu l'armée du Nord. En cherchant un peu, sans doute aurait-il pu découvrir l'emplacement où étaient plantées les tentes des officiers, et il aurait pu s'asseoir tout près de l'endroit où avait été écrite la lettre qu'il tenait présentement dans sa main.

Pourquoi n'y était-il jamais allé ? Avait-il eu peur, simplement, que les liens qui unissaient sa destinée à celle du mélancolique capitaine Charles Holt se trouvent renforcés par cette visite ? Dans ce cas, il s'était abstenu en vain : ces liens devenaient plus forts à chaque instant. Il les sentait qui s'enroulaient autour de lui en ce moment même, ils se resserraient, se resserraient... comme pour unir son sort et celui du capitaine dans une ultime étreinte. Sans doute Cadmus aurait-il été moins inquiet si sa vie avait été la seule à s'en trouver affectée, mais bien évidemment, ce n'était pas le cas. Le satané astrologue de Loretta en savait bien plus qu'il ne l'imaginait avec ses insinuations concernant les secrets de la famille Geary et ses prédictions d'apocalypse. L'intervention de presque cent quarante années ne pouvait leur offrir un abri contre ce qui se préparait ; son message se répandait comme une maladie contagieuse venue de ce lointain champ de bataille.

Prie pour moi, mon frère, avait écrit le capitaine, *car le pire est à venir.*

Nul doute que ces mots étaient exacts quand ils avaient été écrits, se disait Cadmus, mais le temps qui passe les avait rendus encore plus justes. Les crimes s'étaient ajoutés aux crimes, d'une génération à l'autre, les péchés s'étaient ajoutés aux péchés, et, que Dieu les protège – tous les Geary, tous les enfants des Geary, les femmes, les maîtresses et les serviteurs des Geary –, l'heure du jugement avait sonné pour les pécheurs.

Chapitre six

La discussion entre Rachel et Mitch fut étonnamment civilisée. Il n'y eut ni éclats de voix, ni larmes, ni d'un côté ni de l'autre, aucune accusation. Ils exprimèrent simplement leurs déceptions, à voix basse, et tombèrent d'accord, au bout d'une heure environ, pour dire qu'ils étaient incapables de se rendre heureux mutuellement ; il était préférable qu'ils se séparent. Leurs opinions divergeaient sur un seul point : Rachel en était parvenue à la conclusion qu'il n'y avait aucun espoir de sauver leur mariage, mieux valait entamer dès maintenant les procédures de divorce, mais Mitch la supplia pour qu'ils s'accordent un délai de quelques semaines pour laisser mûrir cette décision afin d'être sûrs de ne pas commettre une erreur. Malgré ses réticences, Rachel finit par se laisser convaincre. Après tout, quelques semaines, ce n'était rien. Entre-temps, ils convinrent de ne pas ébruiter cette affaire en dehors d'un cercle restreint et de ne pas contacter d'avocat. Car à l'instant même où un avocat entrerait en scène, tout espoir de réconciliation s'envolerait. Concernant les modalités pratiques, ils choisiraient la solution la plus simple. Rachel demeurerait dans l'appartement de Central Park ; Mitchell retournerait habiter dans la demeure familiale ou il louerait une suite dans un hôtel.

Ils se séparèrent avec une étreinte timide, comme deux êtres de verre.

Le lendemain, Rachel reçut un appel de Margie. Si elles se retrouvaient pour déjeuner ? lui proposa celle-ci. Dans un endroit ridiculement cher, où elles pourraient savourer si longuement leur dessert qu'elles pourraient enchaîner directement sur l'apéritif ?

— D'accord, du moment qu'on ne parle pas de Mitch, dit Rachel.

— Oh, non, non, dit Margie avec une note de mystère dans la voix. J'ai quelque chose de beaucoup plus intéressant à te dire.

Le restaurant choisi par Margie était ouvert depuis quelques mois seulement, mais il avait déjà récolté une série de critiques dithyrambiques, si bien que l'endroit était plein et les gens faisaient la queue dans le vain espoir d'avoir une table. Bien évidemment, Margie connaissait le maître d'hôtel (dans une vie très lointaine, expliqua-t-elle par la suite, il avait travaillé comme barman dans un petit bar louche de Soho qu'elle fréquentait). Il les traita de manière royale et les installa à une table qui offrait une vue d'ensemble sur toute la salle.

— De quoi alimenter les potins, commenta Margie en balayant du regard les visages rassemblés devant elles.

Rachel connaissait certaines de ces personnes, de vue pour la plupart, ou bien de nom.

— Souhaitez-vous boire quelque chose ? demanda le serveur.

— Combien de Martini avez-vous ?

— Nous en avons seize sur notre carte, répondit le serveur en tendant le document en question. Mais si vous avez un souhait particulier...

— Apportez-nous deux Martini très secs pour commencer. Sans olives. Pendant ce temps-là, on va jeter un œil à la liste.

— J'ignorais qu'on pouvait préparer autant de Martini, dit Rachel.

— Je suis sûre qu'au bout du troisième ou quatrième, on ne remarque plus la différence, dit Margie. Oh, regarde... la table près de la vitre... N'est-ce pas Cecil ?

— Si, c'est lui.

L'avocat des Geary, un homme d'une soixantaine d'années, était penché en avant au-dessus de la table, vers une blonde extrêmement décorative trois fois plus jeune que lui.

— Ce n'est pas son épouse, je suppose ? dit Rachel.

— Absolument pas. Son épouse... comment s'appelle-t-elle déjà ? Phyllis, je crois, ressemble au maître d'hôtel en travelo. Non, *elle*, c'est une de ses maîtresses.

— Il en a plusieurs ?

Margie roula des yeux.

— Le jour où Cecil montera au ciel, il y aura plus de femmes à son enterrement que de passantes dans la 5e Avenue en ce moment même.

— Comment ça se fait ? s'étonna Rachel. Enfin quoi, il est vilain.

Margie pencha la tête sur le côté.

— Ah bon ? fit-elle. Moi, je le trouve plutôt bien conservé pour son âge. Mais surtout, il est fabuleusement riche, et c'est la seule chose qui intéresse une femme. Je te parie que celle-ci va recevoir un petit cadeau qui brille avant la fin du repas. Regarde. Elle compte les minutes. Chaque fois qu'il approche la main de sa poche, elle salive.

— S'il est si riche que ça, pourquoi continue-t-il à travailler ? Il pourrait prendre sa retraite.

— Il n'a plus que notre famille comme clients maintenant. Et je crois qu'il s'occupe de nous par fidélité envers le vieux. Garrison affirme que c'est un type très intelligent. Il aurait pu devenir le meilleur, toujours d'après Garrison.

— Qu'est-ce qui lui est arrivé ?

— La même chose qu'à toi et à moi. La famille Geary l'a attiré dans ses filets. Et une fois que tu es pris, impossible de t'échapper.

— Tu avais promis, Margie. On ne devait pas parler de Mitchell.

— Je ne te parlerai pas de Mitchell, rassure-toi. Tu m'as demandé ce qui était arrivé à Cecil, je te réponds.

Le serveur revint avec leurs Martini. Margie était curieuse de savoir comment on préparait un « Martini cajun » – le numéro treize sur la carte. Le serveur commença à se lancer dans la description du cocktail, mais Margie l'arrêta au beau milieu d'une phrase fleurie.

— Apportez-nous-en deux.

— Je vais être soûle, dit Rachel.

— Je veux que tu sois un peu pompette, avoua Margie, pour écouter ce que j'ai à te dire.

— Oh, ça alors...

— Qu'y a-t-il ?

— Tu avais raison, dit Rachel avec un petit mouvement de tête en direction de la table de Cecil, à l'autre bout de la salle.

Comme l'avait prédit Margie, l'avocat avait sorti de sa poche une boîte étroite et il l'ouvrait pour montrer à la jeune femme blonde sa récompense.

— Qu'est-ce que je t'avais dit ? murmura Margie. Ça brille.

— J'ai bien connu ça à Boston, dit Rachel.

— Ah oui, c'est vrai, tu travaillais dans une bijouterie.

— Des hommes entraient et me demandaient de choisir quelque chose pour leur femme. Du moins, ils *disaient* que c'était pour leur femme, mais au bout de quelques semaines, j'ai compris. C'étaient des hommes d'un certain âge – quarante, cinquante ans – et ils voulaient toujours quelque chose pour une femme plus jeune. Voilà pourquoi ils me demandaient de choisir. C'était comme s'ils me disaient : « Si vous étiez ma maîtresse, qu'est-ce qui vous ferait plaisir ? » C'est de cette façon que j'ai fait la connaissance de Mitchell.

— Qui parle de Mitchell maintenant ? Je croyais que c'était *verboten.*

Rachel vida son Martini d'un trait.

— Ça m'est égal, en fait. En un sens, j'aimerais qu'on parle de lui.

— Vraiment ?

— Allons, Margie, ne prends pas cet air étonné.

— Qu'est-ce qu'on peut dire ? demanda Margie. C'est ton mari. Si tu l'aimes, c'est bien. Si tu ne l'aimes pas, c'est bien aussi. Simplement, ne sois pas dépendante de lui pour quoi que ce soit. Vis ta vie. Comme ça, il n'aura aucun moyen de pression sur toi. Oh, regarde, magnifique !

Le serveur qui venait d'apparaître avec leur deuxième tournée de Martini, persuadé que Margie parlait de lui, leur adressa un sourire éblouissant.

— Je parlais des cocktails, mon mignon, dit Margie. (Le sourire du serveur se lézarda quelque peu.) Mais tu es adorable. Comment t'appelles-tu ?

— Stefano.

— Que nous conseilles-tu, Stefano ? Rachel meurt de faim et moi, je suis au régime.

— La spécialité du chef, c'est le loup de mer. Légèrement revenu dans de l'huile d'olive extravierge avec un filet de...

— Ça me convient parfaitement. Et toi, Rachel ?

— J'ai envie de viande.

— Oh, oh, fit Margie en dressant un sourcil. Mon petit Stefano, madame a des envies carnassières. Des suggestions ?

Le serveur perdit momentanément toute contenance.

— Euh... nous avons...

— Un steak tout simplement, non ? suggéra Margie à Rachel.

Stefano semblait paniqué maintenant.

— Nous ne servons pas de steak. Ce n'est pas au menu.

— Seigneur, dit Margie, savourant l'embarras du jeune serveur. Nous sommes à New York et on ne peut pas manger un simple steak ?

— Je n'ai pas envie d'un steak, dit Rachel.

— La question n'est pas là, insista Margie. C'est pour le principe. Bon... Avez-vous quelque chose qui puisse se manger saignant ?

— Nous avons des côtelettes d'agneau que le chef sert avec des amandes et du gingembre.

— Parfait, dit Rachel.

Ravi d'avoir réglé le problème, Stefano battit précipitamment en retraite.

— Tu es cruelle, Margie, dit Rachel après le départ du serveur.

— Oh, il a adoré ça. Secrètement, les hommes aiment être humiliés. Du moment qu'il n'y a pas trop de témoins.

— As-tu déjà pensé à mettre tout ça dans un livre ?

— Quoi donc ?

— Tes remarques incisives.

— Elles ne résistent pas à un examen approfondi, ma chérie. C'est comme moi. Je suis très impressionnante, tant qu'on ne regarde pas de trop près. (Elle éclata de rire.) Allez, bois. Le Martini numéro treize est excellent.

Rachel déclina l'invitation.

— J'ai déjà la tête qui tourne. Allez, cesse de me faire languir et dis-moi ce que tu voulais me dire.

— En fait... c'est très simple. Tu as besoin de prendre des vacances, ma chérie.

— Je reviens de...

— Je ne parle pas d'un retour au foyer familial, pour l'amour du ciel ! Ce ne sont pas des vacances, c'est un châtiment. Tu as besoin d'aller dans un endroit où tu seras toi-même, et on ne peut pas être soi-même avec la famille.

— C'est bizarre, j'ai l'impression que tu as tout prévu.

— Es-tu déjà allée à Hawaï ?

— J'ai fait escale à Honolulu avec Mitch, en allant en Australie.

— Affreux, commenta Margie.

— L'Australie ou Honolulu ?

— Les deux, en fait. Mais je ne te parle pas de Honolulu. Je te parle de Kaua'i. Garden Island.

— Je ne connais pas.

— C'est le plus bel endroit du monde, ma chérie, tout simplement. C'est le paradis. Je te le jure. Le paradis ! (Margie but une gorgée de Martini.) Et il se trouve que je connais une petite maison située dans une petite baie sur la côte Nord, à cinquante mètres de la mer, figure-toi. Le rêve absolu. Oh, tu ne peux pas imaginer. Sincèrement, tu ne peux pas imaginer. Je pourrais te décrire l'endroit, ça te semblerait idyllique, mais... c'est plus que ça.

— C'est-à-dire ?

Margie avait pris une voix sensuelle pour parler de cette maison et Rachel dut se pencher en avant pour entendre ce qu'elle disait.

— Je sais que ça va te paraître idiot, mais c'est un endroit où il y a une chance que... oh, merde, je ne sais pas comment dire... où il peut se produire quelque chose de *magique*.

— Formidable.

Rachel n'avait jamais vu Margie sous cet aspect, et elle trouvait cela étrangement émouvant. Margie la cynique, Margie la poivrote, parlait comme une petite fille qui pense avoir découvert le pays des merveilles. Et Rachel n'était pas loin de la croire.

— À qui appartient cette maison ? demanda-t-elle.

— Ah, dit Margie en levant l'index au-dessus du bord de son verre, en regardant Rachel d'un air malicieux. Justement... Elle nous appartient.

— Nous ?

— Les femmes Geary.

— Sans blague ?

— Les hommes n'ont pas le droit d'approcher de cette maison. C'est une vieille tradition des Geary.

— Qui l'a instituée ?

— La mère de Cadmus, me semble-t-il. Elle était du genre féministe, pour son époque. Ou peut-être que ça remonte à la génération précédente, je ne sais pas. Toujours est-il que cette maison ne sert presque plus. Un couple d'indigènes s'y rend chaque mois pour tondre l'herbe, tailler les palmiers et faire un peu de ménage, mais le reste du temps, la maison est inoccupée.

— Loretta n'y va pas ?

— Elle y est allée juste après son mariage avec Cadmus. À ce qu'elle dit. Mais maintenant, elle reste avec lui, nuit et jour. Je crois qu'elle a peur qu'il ne modifie le testament si elle tourne le dos. Oh... en parlant de ça...

D'un mouvement de tête, elle indiqua l'autre bout de la salle. Cecil et la blonde s'étaient levés.

— Il va avoir un après-midi chargé, commenta-t-elle. Elle a l'air du genre acrobate.

— Peut-être va-t-elle simplement se coucher sur le dos en attendant que ça se passe, dit Rachel.

— Je sais ce que c'est.

— J'espère qu'il ne va pas regarder dans notre direction, dit Rachel, tandis que Cecil se dirigeait vers la sortie.

— Moi, j'espère que si, dit Margie, et, comme pour répondre à son vœu, Cecil tourna la tête au même moment et son regard se posa sur les deux femmes.

Rachel se figea, avec l'espoir que Cecil ne les reconnaîtrait pas. Mais Margie leva le bras, au bout duquel elle tenait son verre vide, en murmurant *excellent.*

— Ah, bravo, dit Rachel. Il vient nous parler maintenant.

— Pas un mot sur Kaua'i, dit Margie. C'est notre petit secret.

— Mesdames, dit Cecil. (Il avait laissé la blonde à la porte.) J'ai failli ne pas vous voir dans ce petit coin.

— Oh, vous nous connaissez, dit Margie. Nous sommes du genre timide et discret. Contrairement à... (Elle jeta un regard en direction de la petite amie de l'avocat.) ... Comment s'appelle-t-elle ?

— Ambrosina.

— En voilà un drôle de nom pour une petite créature si précieuse, commenta Margie.

Cecil se retourna vers sa conquête.

— Précieuse, en effet, dit-il avec une étonnante sincérité.

— Et extrêmement blonde, ajouta Margie sans trace d'ironie. Actrice, je suppose ?

— Mannequin.

— Évidemment. Vous l'aidez à débuter dans le métier. Comme c'est gentil.

Le sourire de Cecil s'était envolé.

— Il faut que je la rejoigne. (Il se tourna vers Rachel.) J'ai eu des nouvelles de Mitchell ce matin... Je suis navré que ça se passe ainsi. (Sa main se referma autour du poignet de Rachel, très délicatement.) Mais nous allons arranger tout ça, hein ?

Rachel posa les yeux sur les doigts qui entouraient son poignet. Cecil retira aussitôt sa main et, sans le moindre effort, il adopta une attitude paternelle.

— Si jamais je peux faire quelque chose pour vous, Rachel. N'importe quoi, pour faciliter les choses.

— Ça ira.

— Oh, j'en suis sûr, dit-il, comme un médecin qui rassure un patient à l'article de la mort. Tout se passera bien. Mais si vous avez besoin de quoi que ce soit...

— Je crois qu'elle a compris, Cecil, dit Margie.

— Oui... ravie de vous avoir vue, Rachel... et vous aussi, Margie, toujours aussi merveilleuse...

— Vraiment ?

— Sincèrement, dit Cecil, avant de rejoindre sa petite amie qui ne cachait pas sa moue.

— Je crois que l'alcool commence à me jouer des tours, dit Margie en suivant du regard l'avocat qui prenait la blonde par la taille pour l'escorter.

— Pourquoi ?

— Je regardais Cecil et je me disais : « Je me demande quelle tête il aura quand il sera mort. »

— Ce n'est pas très gentil.

— Et ensuite, j'ai pensé : « Pourvu que je sois là pour voir ça. »

Chapitre sept

1

Rachel appela Mitch le soir même pour lui dire qu'elle avait vu Cecil et lui faire remarquer qu'il avait violé les termes de leur accord en se confiant à un avocat. Mitch protesta en affirmant qu'il n'avait pas sollicité de conseils juridiques. Cecil était pour lui comme un second père, dit-il. Ils avaient parlé d'amour, pas de divorce ; et Rachel ne put s'empêcher de répliquer qu'elle doutait sincèrement que Cecil connaisse quoi que ce soit à l'amour.

— Ne sois pas en colère contre moi, supplia Mitchell. C'était une erreur, d'accord. Je suis désolé. Tu dois avoir l'impression que j'ai agi dans ton dos, je m'en doute, mais ce n'est pas du tout ce que tu crois. Je te le jure.

Ses jérémiades ne firent qu'accentuer l'exaspération de Rachel. Elle avait envie de lui répondre qu'il pouvait aller au diable avec ses excuses, son avocat et toute sa famille. Mais au lieu de cela, elle se surprit à dire une chose qu'elle n'avait pas prévue.

— Je vais m'absenter quelque temps.

Cette affirmation la surprit presque autant que Mitchell ; elle n'avait pas eu l'impression de prendre une décision concernant son séjour à Kaua'i, ni dans un sens ni dans l'autre.

Mitchell lui demanda si elle retournait chez elle. Non, lui dit-elle. Où alors ? voulut-il savoir. Quelque part. Tu me fuis, c'est ça ? demanda-t-il. Non, lui répondit-elle, je ne te fuis pas.

— Alors, où vas-tu, nom de Dieu ?

La réponse était là, juste au bout de sa langue, prête à sortir, mais cette fois, Rachel sut se contrôler et elle ne dit rien. C'est seulement quand sa conversation avec Mitch fut terminée, alors qu'elle était assise sur le balcon et contemplait le parc, sans penser à rien, que la réponse refoulée apparut sur ses lèvres.

— Je ne fuis pas, murmura-t-elle. Je cours vers quelque chose...

Elle ne partagea cette pensée avec personne, pas même avec Margie. C'était idiot, à première vue. Elle partait sur une île dont elle n'avait jamais entendu parler, sur les conseils d'une femme dont le sang se composait d'alcool à 70 %. Elle n'avait aucune raison d'aller là-bas, et encore moins de raison de trouver un sens à ce voyage. Et pourtant, elle sentait qu'il avait un but, indiscutablement, et cela l'emplissait de bonheur. Qu'importe si à l'origine de ce sentiment se cachait un mystère ? Elle se réjouissait de retrouver un peu de légèreté dans son cœur et se contentait de jouir de ce plaisir pendant qu'il s'offrait à elle. Elle savait par expérience qu'il pouvait disparaître à tout moment, sans prévenir, comme l'amour.

Margie se chargea de tous les détails. Rachel n'eut qu'à se préparer pour partir le jeudi suivant, après avoir mis de l'ordre dans toutes ses affaires à New York. Une fois sur l'île, prédit Margie, elle n'aurait aucune envie de parler au téléphone. Elle ne voudrait même plus penser à la ville, ni même à ses amies. Le rythme était différent là-bas, la vision des choses également.

— J'ai l'impression que je devrais dire adieu à l'ancienne Rachel, dit Margie. Car crois-moi, elle ne reviendra pas.

— Là, tu exagères.
— Pas du tout. Tu verras. Les deux premiers jours, tu vas tourner en rond, tu te diras qu'il n'y a rien à faire, personne pour alimenter les ragots. Et puis, petit à petit, tu vas t'apercevoir que tu n'as pas besoin de tout ça. Tu resteras assise sans rien faire, à regarder les nuages au-dessus des montagnes, ou une baleine dans la mer, tu écouteras la pluie sur le toit – oh, mon Dieu, Rachel, comme c'est beau quand il pleut ! – et tu te diras : « J'ai tout ce qu'il me faut, je n'ai besoin de rien d'autre. »

Rachel avait l'impression que chaque fois que Margie évoquait cet endroit, elle en parlait avec plus d'amour.
— Combien de fois y es-tu allée ? interrogea-t-elle.
— Deux fois seulement. Mais je n'aurais pas dû y retourner la seconde fois. C'était une erreur. J'y suis revenue pour de mauvaises raisons.
— Que veux-tu dire ?
— Oh, c'est une longue histoire, dit Margie. Et ça n'a pas d'importance. Tu vas aller là-bas pour la première fois, c'est ça qui compte.
— Comme si j'allais retrouver ma virginité, dit Rachel.
— C'est exactement ça ! Tu vas retrouver ta virginité.

2

Si Rachel avait nourri encore quelques doutes concernant le bien-fondé de ce voyage, ceux-ci se volatilisèrent dès qu'elle monta à bord de l'avion, s'installa sur son siège de première classe et but une gorgée de champagne. Même si cette île ne correspondait pas du tout à la publicité faite par Margie (à vrai dire, seul le paradis pourrait être à la hauteur des promesses évoquées), c'était bon de partir dans un endroit où on ne la connaissait pas, où elle pourrait être elle-même, de manière paisible ou excentrique.

La première partie du voyage, jusqu'à Los Angeles, fut tout à fait banale. Après deux ou trois verres d'alcool, elle fut envahie d'une agréable léthargie et somnola durant presque tout le vol. Durant l'escale de deux heures à Los Angeles, elle descendit de l'avion pour se dérouiller les jambes et boire un café. L'aéroport était une fourmilière et elle s'amusa à regarder défiler les gens – pressés, en sueur, en larmes, rageurs – comme une visiteuse d'un autre monde, curieuse, mais indifférente. Quand elle regagna l'avion, on annonça un léger retard. Dû à un problème technique, expliqua le commandant de bord ; toutefois, ils ne devraient pas rester immobilisés très longtemps. Pour une fois, les prévisions en provenance du poste de pilotage se révélèrent exactes. Après vingt ou vingt-cinq minutes, le commandant annonça solennellement que l'appareil était maintenant prêt à décoller. Rachel resta éveillée durant la seconde partie du trajet. Une légère excitation s'était emparée d'elle. Elle se surprit à ressasser toutes les choses que lui avait racontées Margie au sujet de cette île et de la maison. Qu'avait-elle dit lors du déjeuner ? Elle avait parlé d'un endroit où la magie était toujours présente, où des miracles se produisaient encore...

Si seulement c'était vrai, se disait Rachel. Si seulement elle pouvait revenir en arrière, redevenir la Rachel qu'elle était avant cette blessure, avant la déception. Mais quand était-ce, au juste ? La Rachel insouciante qui avait foi dans la bonté fondamentale des choses, où était-elle ? Voilà des années qu'elle n'avait pas vu dans son miroir cet être enthousiaste et heureux. La vie à Dansky – surtout après la mort de son père – avait jeté la jeune femme au tapis et l'avait empêchée de se relever. Elle avait perdu espoir peu à peu ; l'espoir d'être débarrassée un jour de ce fardeau, de retrouver sa joie de vivre, son énergie. Même quand Mitchell était entré dans sa vie et l'avait transformée en princesse, elle n'avait pu se débarrasser entièrement de ses doutes. À vrai dire, durant les deux ou trois premiers mois, même après qu'il lui avait déclaré son amour, elle s'était attendu à ce qu'il lui demande d'être plus gaie. Mais apparemment, il ne remarquait pas quelle triste compagne elle faisait. Ou peut-être l'avait-il remarqué, mais il pensait pouvoir l'arracher à ses doutes et à sa morosité grâce à la baguette magique des Geary.

Le fait de penser à son mari l'emplit de tristesse. Pauvre Mitchell, pauvre Mitchell si optimiste. En se séparant de lui, elle leur rendait service à tous les deux.

L'aéroport de Honolulu était comme dans son souvenir. Des boutiques vendaient des statuettes de danseuses polynésiennes sculptées grossièrement dans des noix de coco, des bars proposaient des cocktails tropicaux, des groupes de touristes avec des couronnes de fleurs autour du cou suivaient des animateurs brandissant des pancartes au bout d'un bâton. Et partout, ce symbole dominant du touriste américain vulgaire : la chemise hawaïenne. Se pouvait-il que ce paradis terrestre vanté par Margie se trouve seulement à vingt minutes d'avion de tout cela ? Difficile à imaginer.

Mais les doutes de Rachel commencèrent à se dissiper dès qu'elle sortit de l'aéroport pour prendre le minibus qui la transporta jusqu'au terminal d'où devait décoller son avion. L'air était doux et délicieusement parfumé. Bien qu'il vienne de la mer, il charriait l'odeur des fleurs.

L'avion était minuscule et pourtant, moins de la moitié des sièges étaient occupés. Bon signe, se dit-elle. Elle laissait derrière elle les vacanciers en chemise hawaïenne. L'avion grimpa plus rapidement et plus abruptement que son grand frère, et, quelques secondes plus tard, elle survolait l'océan turquoise ; les tours de Honolulu avaient disparu.

Chapitre huit

Le vol qui conduit le voyageur des tours de Honolulu à Garden Island est court : moins de vingt-cinq minutes. Mais pendant que Rachel est dans les airs, laissez-moi vous décrire une scène survenue presque quinze jours auparavant.

L'action se déroule dans une petite ville mal famée nommée Puerto Bueno et qui remporte certainement le prix du lieu le moins fréquenté de tous ceux qui apparaissent dans ce livre. Elle est située sur une des îles isolées de la province de Magallanes au Chili, à la pointe de l'Amérique du Sud. Ce n'est pas un endroit où les gens vont en vacances, pour se détendre ; ces îles sont balayées par des vents forts et n'ont aucun charme, la plupart sont tellement désolées que nul n'y habite. Dans une région comme celle-ci, une ville telle que Puerto Bueno, qui peut s'enorgueillir de sept cents habitants, représente une communauté non négligeable. Pourtant, personne dans les îles environnantes n'aime parler de cet endroit. Car voilà une ville où les lois sont appliquées de manière très laxiste ; ce qui a attiré là, au fil des ans, un mélange hétérogène d'hommes et de femmes ayant toujours vécu à la lisière, parfois même au-delà, de ce qui est toléré. Des gens qui ont échappé à la justice ou à la vengeance dans leurs propres pays, qui ont erré d'un endroit à l'autre à la recherche d'un refuge. Certains ont même connu une certaine notoriété dans le monde extérieur. Il y avait dans cette ville un homme qui avait blanchi des fortunes pour le compte du Vatican ; une femme qui avait assassiné son mari à Adélaïde, et qui conservait une photo du corps dans son sac à main. Mais la majorité des habitants étaient des criminels de petite envergure, des consommateurs de substances illicites ou des faussaires, et les personnes chargées de les arrêter ne faisaient pas grand cas de leur capture.

Aussi étrange que cela puisse paraître, compte tenu de sa population, Puerto Bueno est un endroit relativement civilisé. Il n'y a pas de criminalité, et le sujet n'apparaît jamais dans les conversations. Les habitants ont tourné le dos à leur passé ; ils n'aspirent qu'à vivre leurs dernières années en paix. Puerto Bueno n'est certainement pas le plus confortable des endroits pour prendre sa retraite (il n'y a que deux commerces et l'alimentation en électricité est capricieuse), mais c'est toujours mieux qu'une cellule de prison ou une tombe. Certains jours, on peut même s'asseoir sur la digue décrépite du port et se dire – en voyant ce ciel vierge de toute traînée de réacteurs d'avion – que même ce lieu dénué de charme est la preuve de la bonté de Dieu.

Rares sont les bateaux qui viennent jeter l'ancre ici. De temps à autre, un chalutier sillonnant la côte vient s'y abriter quand éclate un grain ; plus rarement encore, un yacht dont le capitaine est totalement perdu fait une brève apparition, avant de disparaître rapidement dès que les passagers découvrent la ville. En temps normal, le port sert d'hospice à une poignée de petites embarcations qui paraissent trop mal en point pour reprendre la mer. Quand viendra l'hiver, l'une d'entre elles, au moins, coulera sur place et pourrira au fond du port.

Mais il y avait un bateau qui n'entrait dans aucune de ces catégories ; un bateau baptisé le *Samarkand,* à la fois plus maniable que tous les bateaux de pêche et plus beau que n'importe quelle embarcation de plaisance.

C'était une sorte de yacht, dont la coque en bois n'était pas peinte, mais teintée et vernie. La cabine, la timonerie et les deux mâts étaient teintés de la même manière, si bien que, selon la lumière, les veines du bois apparaissaient parfois de manière incroyablement nette, comme si le bateau avait été gravé à l'eau-forte par un maître du dessin. Quant aux voiles, elles étaient blanches, bien évidemment, mais elles avaient été réparées de nombreuses fois au fil des ans, et on distinguait les pièces de toile qui traçaient des formes irrégulières, légèrement plus pâles ou plus foncées.

Peut-être ce bateau n'était-il pas, aux yeux de certains, aussi remarquable que je pourrais le laisser croire. Ancré dans une des marinas les plus chic du monde, en Floride ou à San Diego, il n'aurait sans doute pas provoqué l'admiration. Mais ici, à Puerto Bueno, son arrivée par une journée froide et grise évoqua une apparition venue d'un royaume imaginaire. Bien que son capitaine (qui faisait également office de second, de maître d'équipage et d'unique passager) jetât l'ancre à Puerto Bueno depuis si longtemps qu'aucun des habitants n'aurait su dire depuis quand, dès qu'il surgissait à l'horizon, tout le monde descendait sur le port pour le voir arriver. Il y avait dans cette venue une sorte de légitimité – semblable au retour des oiseaux migrateurs après une saison glaciale – qui savait émouvoir ces cœurs durs.

Toutefois, dès que le bateau était à l'abri entre les bras du port, les spectateurs s'empressaient de vider les lieux. Ils se gardaient bien d'assister à l'amarrage, ou, pis encore, d'espionner l'homme solitaire qui commandait ce bateau lorsqu'il débarquait. En vérité, une chose ressemblant fort à une superstition s'était développée avec le temps : quiconque posait les yeux sur le capitaine du *Samarkand* quand il mettait le pied sur la *terra firma* mourrait dans un délai d'un an, avant que le bateau ne revienne. Voilà pourquoi tous les regards se détournaient lorsque cet homme connu sous un nom unique gravissait la colline pour gagner la maison qu'il habitait tout en haut, au-dessus du port. Ce nom, évidemment, vous l'avez déjà deviné. C'était Galilée.

Comment, vous demandez-vous certainement, mon demi-frère en était-il venu à s'installer dans une communauté de criminels tout au bout du monde ? Par hasard, voilà la réponse. Il naviguait le long de la côte lorsque, comme un de ces bateaux de pêche dont je parlais précédemment, il fut pris dans une tempête et contraint de trouver un refuge pour ne pas sombrer. Croyez-le si vous voulez, ce ne fut pas une décision facile à prendre. Galilée traversait à ce moment-là une période de profonde dépression, et, quand la tempête éclata, il fut tenté de livrer le *Samarkand* aux éléments qui le mettraient en pièces. S'il avait finalement refusé cette éventualité, ce n'était pas pour sauver sa peau, mais par égard pour son bateau, qu'il considérait comme son seul et véritable ami. Une si noble embarcation ne méritait pas de finir ainsi, éventrée, les entrailles échouées sur les rivages de ces côtes et récupérées par des paysans. Il avait promis au *Samarkand* que, lorsque sonnerait l'heure, il lui offrirait une belle mort, quelque part au large, loin de la terre.

Aussi se réfugia-t-il à Puerto Bueno, qui à l'époque n'occupait qu'un quart, à peine, de sa superficie actuelle ; le port nouvellement construit était quasiment désert. L'homme qui avait fait bâtir cet ouvrage était un dénommé Arturo Higgins, un individu d'origine anglaise qui avait englouti tout son argent dans ce projet et s'était suicidé l'année précédente. Sa maison, abandonnée, se dressait au sommet de la colline et Galilée, mû par un désir pervers de visiter le lieu du suicide, était monté jusque là-haut. Personne n'y était entré depuis qu'on avait emmené le corps : des mouettes nichaient dans les chambres, des rats avaient établi domicile dans la cheminée, mais ce délabrement convenait parfaitement à l'intrus. Le lendemain même, il acheta la maison à la fille de Higgins, et y déposa quelques affaires. Par temps dégagé, la vue était paisible, et Galilée en vint à considérer cet endroit comme sa seconde maison ; la première étant, bien entendu, le bateau amarré dans le port.

Au bout d'une quinzaine de jours, il repartit, en prenant soin de refermer la maison derrière lui et de laisser entendre, à demi-mot, que quiconque en franchirait le seuil aurait des raisons de le regretter.

Il n'était pas venu pendant treize mois, mais il revenait toujours ; trois ou quatre fois dans la même année parfois, parfois à plusieurs années d'intervalle. Il devint un mystère réputé, et il n'est sans doute pas faux d'affirmer que les criminels et les fugitifs qui se rendirent à Puerto Bueno par la suite avaient choisi cet endroit car ils avaient entendu parler de lui. Dans ce cas, me demanderez-vous, pourquoi la légende de ce voyageur, un homme dont les veines étaient parcourues de sang divin, n'attira-t-elle pas également quelques esprits plus raffinés ? C'est une question légitime. Pourquoi aucun saint ne se rendit-il à Puerto Bueno, et pourquoi la présence de Galilée ne fit-elle pas de cette ville un lieu où claudiquaient les estropiés et où les muets débitaient leurs boniments ?

Je n'ai qu'une seule réponse à vous offrir : Galilée était un invalide. Comment sa légende pouvait-elle inspirer des saints guérisseurs, alors qu'il était incapable de se guérir lui-même ?

Voilà, vous savez quelle était la situation, une semaine environ avant que Rachel ne s'envole pour Hawaï.

Il se trouvait que Galilée n'était pas en mer à ce moment-là ; il habitait dans sa maison sur la colline. Il avait conduit le *Samarkand* à Puerto Bueno pour effectuer des réparations, et, depuis plusieurs semaines maintenant, il faisait l'aller et retour entre le port et la maison, quotidiennement ; il réparait son bateau de l'aube au crépuscule, puis il passait les nuits assis devant sa fenêtre à contempler le Pacifique. Il ne laissait personne mettre le pied sur le *Samarkand* pour l'aider. C'était un perfectionniste ; seules ses mains pouvaient clouer, raboter et vernir. De temps à autre, quelque curieux s'avançait nonchalamment sur le quai pour le regarder travailler, mais le regard noir de Galilée suffisait à le faire déguerpir très vite. Une fois seulement, il fit preuve de sociabilité, par un soir de grand vent, quelques jours seulement avant son départ, lorsqu'il entra dans le petit bar situé à flanc de colline, où la moitié de la population de Puerto Bueno semblait se réunir chaque soir, en toute occasion, et là, il engloutit une quantité de brandy qui aurait terrassé n'importe quel homme présent dans le bar. Galilée, lui, était juste un peu gai, au point d'en devenir loquace... toute proportion gardée. Ceux qui discutèrent avec lui en retirèrent l'impression flatteuse qu'il s'était confié à eux et leur avait fait partager quelques détails intimes de son existence. Mais le lendemain matin, quand ils voulurent répéter ce qu'il leur avait dit, ils s'aperçurent que très peu d'éléments concernaient Galilée lui-même. Sa conversation n'était qu'une façon d'écouter, semblait-il, et quand il intervenait pour dire quelque chose, c'était inévitablement le fragment de la vie de quelqu'un d'autre qu'il racontait.

Deux jours plus tard, il sembla tout à coup redoubler d'ardeur à bord du *Samarkand* ; il travaillait soixante-douze heures d'affilée sans faire une pause ; des lampes tempête disposées sur le bateau éclairaient son labeur nocturne. C'était comme s'il avait reçu soudain un ordre de route qui l'obligeait à lever l'ancre plus tôt que prévu.

De fait, le troisième jour dans l'après-midi, il se rendit à l'épicerie-bazar pour commander des vivres. Son attitude était brusque, son expression orageuse : nul n'osa lui demander où il partait cette fois. Les provisions furent livrées sur le bateau par Hernandez, le fils du propriétaire de l'épicerie. Galilée le récompensa par une somme d'argent exorbitante et chargea le jeune homme de l'excuser auprès de son père ; conscient d'avoir manqué de courtoisie lors de sa visite, il craignait de l'avoir offensé.

Ce fut la dernière conversation d'un habitant de

Puerto Bueno avec ce concitoyen au cours de son séjour. Galilée leva l'ancre au crépuscule et le *Samarkand* quitta en douceur le petit port avec la marée du soir, vers des destinations qui étaient l'objet de toutes les spéculations et demeuraient inconnues.

Chapitre neuf

1

Comme je l'ai déjà indiqué, Nicodemus était un homme habité par une énergie sexuelle prodigieuse. Il aimait toutes les choses érotiques (sauf les livres, évidemment). Je doute qu'il se soit écoulé plus de deux minutes dans sa vie sans qu'il nourrisse des pensées de nature sexuelle. En outre, son intérêt ne se limitait pas aux pratiques humaines, ou surhumaines. Il goûtait le spectacle d'une libido débridée, sous quelque forme qu'elle se présente. Surtout quand il s'agissait de ses chevaux, bien entendu. Il adorait regarder ses chevaux baiser. Très souvent, il était présent dans ces moments-là, avec eux, couvert de sueur lui aussi, murmurant à l'oreille de l'étalon, puis à l'oreille de la jument, pour les encourager. Et si les choses se passaient mal, il plongeait les mains au cœur de l'action pour aider l'accomplissement de l'acte. Il masturbait l'étalon en cas de besoin, il le guidait vers l'objectif si l'animal était maladroit ; il caressait la jument avec une douceur qui la calmait et la rendait docile.

Je me souviens particulièrement bien d'une de ces scènes ; elle se déroula deux ans environ avant sa mort. Nicodemus possédait un cheval nommé Dumuzzi, dont il était extrêmement fier. Non sans raison. Cet étalon avait en lui des gènes dans lesquels la main de mon père était intervenue, j'en étais convaincu, car jamais je n'ai vu un cheval aussi remarquable, et je n'espère pas en revoir un jour. Oubliez tout ce que vous avez entendu dire sur les pur-sang arabes ou les destriers guerriers du Kazakhstan. Dumuzzi appartenait à un autre ordre animal : d'une intelligence surnaturelle, aux proportions exquises et aux formes magnifiques. Sa lignée, si elle avait survécu, aurait redéfini notre conception du mot « cheval ». Parfois, je me demandais si mon père n'avait pas sculpté cette merveille pour qu'elle serve d'inspiration au monde humain ; une race d'une telle perfection que tous ceux qui découvraient sa force et sa beauté étaient conduits à méditer sur la sublimité de la création. (Mais une fois encore, peut-être s'agissait-il simplement d'un plaisir égoïste de sa part, puisqu'il avait l'intention de conserver le fils et les filles de Dumuzzi à *L'Enfant*. Je ne le saurai jamais.)

Bref. Le soir en question, un orage qui menaçait depuis la fin de l'après-midi éclata avec une violence majestueuse. La nuit était tombée prématurément ; d'énormes nuages violacés et gris masquaient les derniers rayons du soleil. Bien qu'éloigné de plusieurs kilomètres, le tonnerre faisait trembler le sol.

Les chevaux étaient paniqués, bien évidemment ; ils n'étaient pas du tout d'humeur à forniquer. Surtout Dumuzzi, dont la seule véritable fragilité se situait au niveau du caractère : on aurait dit qu'il avait conscience d'être une créature hors du commun et il avait tendance à se conduire de manière capricieuse. Ce soir-là, il était particulièrement retors. Quand mon père entra dans les écuries pour le préparer, Dumuzzi se mit à frapper le sol avec ses sabots et à décocher des ruades, refusant d'écouter les paroles d'apaisement. Je me souviens d'avoir suggéré à Nicodemus d'attendre le lendemain, quand l'orage serait passé, mais un combat de volonté s'était engagé entre l'homme et l'animal et aucune de mes suggestions n'aurait pu pacifier les esprits. Nicodemus parla à Dumuzzi comme s'il se fut adressé à un ami soûl et versatile. Il lui dit qu'il n'était pas d'humeur à supporter ses caprices ; Dumuzzi ferait mieux de se calmer rapidement et de se conduire raisonnablement, dans l'intérêt de tous. Dumuzzi ignora cette mise en garde ; bien au contraire, la comédie reprit de plus belle. Il pulvérisa son auge à coups de sabot, avant d'ouvrir une brèche dans le mur de l'écurie, d'une seule ruade ; il fit voler en éclats une dizaine de briques comme du vulgaire papier mâché. Je n'avais pas peur pour mon père – à cette époque, je le croyais immunisé contre tous les dangers –, mais je craignais pour ma propre sécurité, assurément. Au cours de mes nombreux voyages pour le compte de Nicodemus, en quête des plus beaux chevaux, j'avais vu les dégâts qu'ils pouvaient causer. Je me suis rendu sur la tombe d'un éleveur de Limoges qui avait eu le crâne réduit en bouillie deux jours avant mon arrivée (par ce même cheval que j'étais venu voir). J'avais vu un autre type, dans les montagnes Tian Shan, qui avait perdu ses deux mains, arrachées d'un coup de dents par une jument furieuse : un ! deux ! Et j'avais vu des chevaux se battre entre eux, jusqu'à ce qu'il y ait plus de sang sur leurs flancs et sur le sol, sous leurs sabots, que dans leurs veines. Voilà pourquoi je tremblais pour mes membres et pour ma vie, tout en étant incapable de détacher les yeux du spectacle qui se déroulait devant moi. L'orage était presque au-dessus de nous maintenant et Dumuzzi avait les yeux exorbités par la folie. Des étincelles d'électricité statique parcouraient sa crinière et bondissaient entre ses sabots ; ses hennissements sauvages couvraient les coups de tonnerre.

Nicodemus, lui, n'était nullement découragé. Il avait affronté d'innombrables animaux rebelles dans sa vie ; en dépit de sa force et de sa taille prodigieuses, Dumuzzi n'était qu'un adversaire de plus. Après une lutte farouche, mon père parvint à brider la bête et à la faire sortir des écuries pour la conduire dans le pré où il avait attaché la jument. Alors que je décris cette scène, les battements de mon cœur se sont accélérés ; elle est encore si présente dans ma mémoire : la lumière qui jaillit entre les nuages épais, les chevaux qui poussent des hennissements hystériques, leurs bouches écumantes retroussées sur leurs dents mortelles ; Nicodemus qui s'adresse à ses deux beautés en hurlant pour couvrir le vacarme du tonnerre, et la bosse sur le devant de son pantalon indiquant combien cette scène l'excitait.

Je jure que lui-même avait un aspect presque bestial dans la lumière des éclairs : ses cheveux, qui lui balayaient les reins quand il était debout, voltigeaient autour de lui, son visage était fendu par un sourire de dément, sa peau était iridescente. S'il avait perdu toute apparence humaine tout à coup – s'il avait été pris de convulsions, si son corps s'était étiré et s'il avait brisé sa colonne vertébrale pour devenir autre chose (un cheval, un orage, un peu des deux) –, je n'aurais pas été surpris. J'étais plus étonné de le voir conserver un comportement humain au milieu de tout cela, sans se débrider. Peut-être trouvait-il plus excitant d'être confiné à l'intérieur de son anatomie en de telles circonstances, d'être obligé de transpirer et de se battre.

Je regardais cette divinité faite chair – une chair sur le point de devenir animale – traîner l'étalon récalcitrant vers la jument. Dumuzzi n'avait absolument aucune envie de baiser, pensais-je, mais je me trompais. Nicodemus se glissa entre les deux bêtes et entreprit de les exciter : il leur massa les flancs, le ventre, la tête, tout cela en leur parlant. Malgré son agitation extrême, Dumuzzi eut envie de posséder la jument. Son phallus massif se déploya et, très vite, il grimpa sur elle. Sans cesser de parler et de distribuer les caresses, mon père s'empara du pieu de l'étalon pour l'approcher de l'ouverture de la jument. Dumuzzi n'eut pas besoin d'aide pour la suite. Il couvrit la jument avec le savoir-faire d'une créature née pour cette tâche.

Mon père recula pour les laisser copuler. Tout son corps semblait hérissé ; le toucher à cet instant aurait été fatal à mon cœur de mortel, je le jure. Il ne riait plus. Sa tête reposait sur son torse, il avait le dos voûté ; il ressemblait à un prédateur à l'affût, prêt à lacérer les gorges de ces bêtes si jamais elles le trahissaient.

Elles ne faillirent pas. Malgré l'orage qui continuait à se déchaîner, malgré les éclairs si rapprochés qu'ils transformaient la nuit en jour blafard et malgré les coups de tonnerre si violents que les vibrations déracinèrent plusieurs arbres et brisèrent des dizaines de fenêtres dans la maison, malgré tout cela, les animaux continuèrent à baiser, à baiser et à baiser ; leur panique était submergée par la frénésie de leur accouplement.

Le poulain qui naquit de cette union fut un mâle. Nicodemus le baptisa Temüdjin, nom de naissance de Gengis Khan. Quant à Dumuzzi, il semblait s'être pris d'affection pour mon père après cet épisode, comme s'ils étaient devenus frères cette nuit-là. Je dis « semblait », car je suspecte que cette dévotion était en réalité une supercherie. Pourquoi donc ? Parce que le soir où mon père mourut, la horde d'animaux paniqués qui le piétina à mort était conduite par Dumuzzi, et dans les yeux du cheval, je le jure, brillait une lueur de vengeance.

Je vous ai raconté tout cela pour vous donner une image plus précise de mon père, dont la présence dans ce livre ne peut être qu'anecdotique, mais aussi parce que cette histoire me permet de me rappeler les qualités qui sommeillent dans ma nature.

Comme je l'ai dit en ouverture de ce chapitre, ma libido n'est qu'un pâle reflet des appétits sexuels de Nicodemus. Ma vie érotique n'a jamais été particulièrement complexe ni intéressante, excepté durant une courte période au Japon, à l'époque où je courtisais de la manière la plus solennelle Chiyojo, la femme qui deviendrait plus tard mon épouse, tandis que le soir je partageais le lit de son frère Takeda, un acteur de kabuki d'un certain renom (un *onagatta* pour être précis, c'est-à-dire qu'il interprétait uniquement des rôles de femme). Autrement, les scandales de ma vie sexuelle ne rempliraient même pas quelques pages.

Et pourtant, alors que je m'apprête à entamer la partie de ce récit consacré à l'acte d'amour, je ne peux m'empêcher de me demander où est allé le feu de mon père quand il l'a déversé en moi. Y a-t-il en moi un amant enfoui quelque part, et qui attend son heure pour montrer ses talents ? Ou bien cette énergie s'est-elle transformée en un but moins frénétique ? Est-ce elle qui alimente le flot de ces mots sur la page ? La semence du désir de Nicodemus est-elle devenue l'encre de mon stylo ?

J'ai poussé l'analogie trop loin. Tant pis. C'est écrit, et je ne veux pas avorter mon projet maintenant, après tant d'efforts.

Je dois continuer. Laisser derrière moi les souvenirs de mon père, de l'orage et des chevaux. J'espère seulement que la passion qui me pousse vers mon bureau (de manière obsessionnelle désormais ; à chaque instant je pense à ce que j'ai écrit, ou à ce que je vais écrire) n'est pas aussi aveugle et embrouillée que peut l'être l'amour. J'ai besoin de clarté. Ô Seigneur, j'ai tant besoin de clarté !

Il y a des moments, de plus en plus fréquents, où je me dis : je me suis égaré. J'ai étalé devant moi toutes ces pièces alléchantes, mais je ne sais pas comment les assembler. Elles semblent tellement disparates : les pêcheurs d'Atva, les moines pendus, Zelim à Samarkand, la lettre d'un homme qui attend la mort sur un champ de bataille de la guerre de Sécession, une vedette du cinéma muet suivie jusqu'en Allemagne, aimée par un homme trop riche pour connaître sa véritable valeur ; George Geary retrouvé mort dans sa voiture sur une côte de Long Island, et l'astrologue de Loretta qui prédit une catastrophe ; Rachel Pallenberg qui n'aime plus l'amour, Galilée Barbarossa qui n'aime plus la vie. Comment diable faire entrer toutes ces pièces dans un tableau cohérent ?

Peut-être (cette pensée me donne la nausée, mais je suis obligé de l'envisager) qu'elles ne vont *pas* ensemble. Peut-être me suis-je égaré depuis un petit moment et ai-je rassemblé des pièces qui, malgré leur beauté individuelle, ne pourront jamais former un tout ?

De toute façon, il est trop tard pour faire quoi que ce soit maintenant. Je ne peux pas cesser d'écrire ; je suis emporté par mon élan. Je dois aller de l'avant, en utilisant le peu de génie que j'ai hérité de mon père pour transcrire les scènes du désir humain qui sont sur le point d'apparaître devant moi, et espérer qu'ainsi, je découvrirai un moyen de donner un sens à tout ce que j'ai raconté jusqu'à présent.

2

Une dernière chose. Je ne peux pas achever un chapitre de plus sans évoquer ma conversation avec Luman. Je ne veux pas que vous pensiez que je suis un lâche, car c'est faux. Je sais parfaitement qu'à un moment ou un autre je devrai faire face aux accusations que mon demi-frère m'a jetées au visage, face à face avec lui, et face à face avec moi-même (c'est-à-dire ici, dans les pages de ce livre). Il a dit que ma dévotion à Nicodemus était, dans une certaine mesure, à l'origine de la mort de mon épouse ; et que si j'avais été le mari amoureux que je prétendais être, je n'aurais pas fermé les yeux devant les tentatives de séduction visant Chiyojo. J'aurais dit à Nicodemus qu'elle m'appartenait, je lui aurais dit de ne pas poser les mains sur elle. Je ne l'ai pas fait. Je l'ai laissé employer ses ruses pour la séduire, et elle en a payé le prix.

Je plaide coupable.

Voilà, je l'ai reconnu. Et maintenant ? Il est trop tard pour demander des excuses à Chiyojo. Ici, du moins. Si, comme je le suppose, son fantôme continue à arpenter le royaume terrestre, elle est chez elle, là-bas, dans les collines qui surplombent Ichinoseki, à attendre que les cerisiers fleurissent.

La seule paix que je puisse conclure, ici à *L'Enfant,*

c'est avec Luman qui a provoqué ce conflit entre nous, en toute innocence j'en suis sûr. C'est un être qui ne sait pas cacher ses pensées. Il avait une opinion, il l'a exprimée brutalement. De plus, ce qu'il a dit était exact, même si ça me fait mal de le reconnaître. Je devrais me rendre au Fumoir (avec une offrande de cigares en signe de réconciliation) et lui dire que je regrette de m'être emporté, que je veux qu'on recommence à parler tous les deux.

Mais je crains que l'idée de m'aventurer sur ce chemin envahi par la végétation pour atteindre le Fumoir ne me donne mal à la tête. Je ne peux pas y aller. Pas maintenant, du moins. Le moment viendra, j'en suis sûr, où je n'aurai plus d'excuse – où je n'aurai pas un personnage en suspens – et ce jour-là, j'irai présenter mes excuses.

Demain peut-être, ou après-demain. Une fois que j'aurai parlé de l'île, j'irai à ce moment-là. Oui, c'est ça. Quand j'aurai vidé ma tête de tout ce que je dois raconter sur cette île et ce qui est arrivé à Rachel là-bas. Je serai dans de meilleures dispositions d'esprit pour bavarder avec Luman. Il mérite toute mon attention, après tout, et je ne peux la lui donner quand j'ai la tête ailleurs.

Je me sens un peu mieux. J'ai avoué ma culpabilité, et c'est étrangement réconfortant. Je refuse de ternir cette confession en essayant de me justifier. J'étais faible, trop désireux de plaire. Toutefois, je ne peux pas abandonner ce passage sans revenir à l'image de Nicodemus, le soir de l'orage. C'était une créature hors du commun, cela ne fait aucun doute. Je pense que face à un tel père, de nombreux fils auraient fait passer leur devoir filial avant leur devoir d'époux. Mais la situation est ironique : si j'espérais lui ressembler, et si en lui abandonnant Chiyojo j'espérais gagner son approbation, et me rapprocher de lui, j'ai œuvré contre mes intérêts avec une application héroïque. En l'espace d'une seule nuit, j'ai perdu mon idole, j'ai perdu mon épouse et... disons-le une bonne fois pour toutes, je me suis perdu moi-même. Le peu qu'il restait encore de moi – un être indépendant de mon désir de plaire à mon père – fut piétiné à mort par ces mêmes sabots qui lui ôtèrent la vie. C'est seulement au cours de ces dernières semaines, alors que j'écrivais cette histoire, que l'existence d'un être baptisé Maddox, vivant dans ma chair et digne d'être préservé, m'est apparue. Je suppose que j'ai ressuscité au moment où je suis sorti de la salle du dôme sur mes deux jambes, abandonnant derrière moi mon fauteuil roulant.

Autre ironie du sort, évidemment : la force d'accomplir cette action m'a été insufflée par ma belle-mère ; c'est elle l'architecte de ma résurrection. Et même si elle ne réclame aucun paiement en échange de ce service – à part les mots que je suis en train décrire –, je sais que j'ai une dette à rembourser, et à chaque phrase, à chaque paragraphe, le Maddox qui paiera cette dette se dessine un peu plus clairement.

Voici ce que je vois : un homme qui vient d'avouer sa culpabilité, et qui s'amendera, le moment venu. Un homme qui aime raconter des histoires et qui trouvera un moyen de comprendre ce qu'il raconte, le moment venu. Un homme capable d'aimer et qui trouvera de nouveau quelqu'un à aimer... faites que oui, mon Dieu, le moment venu, le moment venu.

Chapitre dix

La première vision que Rachel eut de Kaua'i fut cruellement brève : elle eut juste le temps d'entr'apercevoir une succession de plages de sable blanc festonnées et des collines vallonnées luxuriantes. Déjà l'avion entamait une descente brutale vers l'aéroport de Lihu'e, pour effectuer quelques secondes plus tard un atterrissage cahoteux. C'était un minuscule aéroport, paisible. Elle traversa le tarmac d'un pas tranquille pour aller récupérer ses bagages, guettant l'homme chargé d'entretenir la maison qui devait l'accueillir. Il était là, comme prévu, près du petit tapis à bagages, avec un chariot. Ils se reconnurent au même moment.

— Madame Geary... dit-il, abandonnant son chariot pour venir à sa rencontre et se présenter. Je suis Jimmy Hornbeck.

— Je me doutais que c'était vous. Margie m'a dit de chercher l'homme qui portait les vêtements les mieux repassés de tout Kaua'i.

Jimmy éclata de rire.

— J'ai cette réputation, en effet. Bah, ça pourrait être pire, je suppose.

Ils échangèrent quelques banalités au sujet du vol en attendant l'arrivée des bagages, après quoi, Hornbeck l'entraîna vers la sortie et le soleil éclatant.

— Vous pouvez m'attendre ici, proposa-t-il. Je vais aller chercher la voiture. Ça vous évitera de marcher jusqu'au parking.

Rachel ne protesta pas, trop heureuse de rester là sur le trottoir, à jouir de la caresse du vent du large sur son visage. Elle avait l'impression de sentir toute la crasse et le stress de New York suinter par les pores de sa peau. Bientôt, elle serait totalement propre et régénérée.

Hornbeck revint au bout de deux ou trois minutes, au volant d'un véhicule qui paraissait suffisamment robuste pour une expédition dans la jungle. Encore une minute pour charger les affaires de Rachel et ils traversèrent le dédale de ruelles qui entouraient l'aéroport pour emprunter l'unique route de l'île, qui ressemblait plus ou moins à une autoroute.

— Désolé pour le moyen de transport, dit Hornbeck. Je voulais venir vous chercher avec quelque chose d'un peu plus civilisé, mais le chemin qui conduit à la maison s'est tellement détérioré ces derniers mois...

— Ah bon ?

— Il a énormément plu dernièrement, voilà pourquoi l'île a cet aspect si luxuriant.

Le terme « luxuriant » constituait un euphémisme. Sur la gauche de la route, vers l'intérieur de l'île, s'étendaient des champs de terre rouge fertile et de canne à sucre verte. Au-delà, les collines veloutées devenaient plus imposantes à mesure qu'elles s'éloignaient, jusqu'à devenir des sommets escarpés dont les cimes étaient drapées de nuages somptueux.

— Le problème, c'est que toutes ces petites routes ne sont pas entretenues comme il le faudrait, disait Hornbeck. Il y a une bagarre actuellement pour savoir qui est responsable de celle qui mène à la maison. Le conseil municipal affirme qu'elle fait partie de la propriété, et je devrais donc vous réclamer de l'argent pour la remettre en état. C'est ridicule. Cette route appartient à tout le monde. C'est la municipalité qui devrait reboucher les trous, pas un entrepreneur privé.

Rachel n'écoutait que d'une oreille ces récriminations. La beauté des champs et des montagnes, et, de l'autre côté de la route, l'immensité bleue et ondulante de l'océan, accaparaient toute son attention.

Pendant ce temps, Hornbeck poursuivait :

— Cette discussion dure depuis deux ans. Deux ans ! Et évidemment, pendant ce temps, personne n'entretient la route. Ça veut dire qu'elle continue de se détériorer chaque fois qu'il pleut. C'est vraiment rageant et je m'excuse...

— Il n'y a pas de raison, dit Rachel, rêveuse.

— ... pour la voiture.

— C'est très bien, je vous assure.

— Du moment que vous comprenez le problème. Je ne veux surtout pas que vous pensiez que je néglige mon devoir.

— Pardon ?

— Quand vous verrez le chemin.

Rachel jeta un regard à Hornbeck et comprit, en voyant sa nervosité et la blancheur de ses doigts crispés sur le volant, qu'il était sincèrement inquiet pour son poste. Pour lui, Rachel était un potentat en visite et il craignait de commettre une erreur fatale.

— Ne vous en faites pas, James. Au fait, on vous appelle James ou Jim ?

— Jimmy, généralement.

— Vous êtes anglais, hein ?

— Je suis né et j'ai grandi à Londres. Mais ensuite, je suis venu ici. Ça fera trente ans en novembre. Je me suis dit : c'est l'endroit idéal. Et je ne suis plus jamais reparti.

— Vous pensez toujours que c'est l'endroit idéal ?

— Parfois, l'isolement me tape un peu sur le système, reconnut Jimmy. Mais quand vous voyez une journée comme celle-ci, vous vous dites : peut-on avoir envie d'être ailleurs ? Enfin quoi, regardez ça !

Rachel reporta son attention sur les montagnes. Les nuages qui enveloppaient les sommets s'étaient écartés pour laisser filtrer les rayons du soleil.

— Vous voyez les chutes ? lui demanda Jimmy.

Elle les voyait. Des filets d'eau argentés qui cascadaient entre les fissures de la roche.

— Là-haut, c'est l'endroit le plus humide du globe, déclara Jimmy. Le mont Waialeale. Il tombe plus d'un mètre de pluie par an. D'ailleurs, il pleut en ce moment même.

— Vous y êtes déjà allé ?

— J'ai fait un tour en hélicoptère une ou deux fois. C'est spectaculaire. Si ça vous tente, je vous organiserai un survol. Un de mes meilleurs amis dirige une petite société à Po'ipu. Son beau-frère et lui pilotent des petits hélicos.

— Je n'ai pas tellement confiance dans ces appareils.

— C'est la meilleure façon de découvrir l'île. Et si vous demandez à Tom, il vous conduira au point d'observation des baleines.

— Oh, j'adorerais voir ça.

— Vous aimez les baleines ?

— Je n'en ai jamais vu de près.

— Je peux vous arranger ça, également, dit Jimmy. Je peux vous réserver un bateau, du jour au lendemain.

— C'est gentil, Jimmy. Merci.

— De rien. Je suis là pour ça. Si vous avez besoin de quoi que ce soit, n'hésitez pas à demander.

Ils venaient de pénétrer dans une petite ville – Kapa'a, précisa Jimmy – où apparaissaient quelques signes regrettables de l'influence du continent. À côté des boutiques faites de planches patinées se dressait l'inévitable fast-food franchisé, dont l'aspect criard était quelque peu atténué par un arrêté municipal ou par la honte de ses propriétaires, mais qui demeurait repoussant malgré tout.

— Il y a un restaurant merveilleux à Kapa'a. C'est toujours plein, mais...

— Attendez, laissez-moi deviner. Vous avez un ami...

Jimmy rit de bon cœur.

— Exactement. Ils gardent toujours une table libre tous les soirs, pour les clients privilégiés. D'ailleurs, je crois bien que la belle-mère de votre mari a investi un peu d'argent dans ce restaurant.

— Loretta ?

— Oui, c'est ça.

— Quand est-elle venue ici pour la dernière fois ?

— Oh... ça fait au moins dix ans, sans doute plus.

— Elle est venue avec Cadmus ?

— Non, non. Seule. C'est un sacré personnage.

— Comme vous dites.

Jimmy se tourna vers Rachel. Visiblement, il voulait ajouter quelque chose sur le sujet, mais craignait de faire une remarque déplacée.

— Allez-y, dit Rachel.

— Je me disais que... vous étiez différente des autres femmes qui sont venues ici. Je parle des autres dames de la famille.

— Comment cela ?

— Eh bien, vous êtes moins... comment dirais-je ?

— Impérieuse ?

Il pouffa.

— Oui. C'est ça. Impérieuse. C'est le mot qui convient.

Ils étaient ressortis de Kapa'a et la route qui continuait à longer la côte devint plus étroite, plus sinueuse. Il y avait peu de circulation. Ils croisaient de temps à autre quelques indigènes dans des véhicules rouillés, ils dépassèrent un groupe de cyclistes qui peinaient dans une montée, et parfois, ils étaient doublés par un véhicule plus luxueux. Des touristes, commenta Jimmy d'un ton légèrement méprisant. Mais la plupart du temps, ils étaient seuls sur la route.

De même, une fois qu'ils eurent quitté l'« autoroute », les signes d'une présence humaine devinrent plus rares. Parfois, une maison apparaissait au milieu des arbres, ou bien une église (si petites pour la plupart qu'elles ne pouvaient accueillir qu'une minuscule assemblée de fidèles), et sur les plages, une poignée de pêcheurs.

— Est-ce toujours aussi calme ? s'enquit Rachel.

— Non, nous sommes hors saison. Et on commence

seulement à se remettre du dernier ouragan. Beaucoup d'hôtels ont été obligés de fermer et ils n'ont pas encore rouvert.

— Ils vont rouvrir un jour ?

— Forcément. On ne peut pas lutter éternellement contre le pouvoir de Mammon.

— Le pouvoir de qui ?

— Mammon. Le démon de l'argent. Du commerce. Les gens qui exploitent l'île pour le profit.

Rachel se tourna de nouveau vers les montagnes, qui en l'espace de dix minutes avaient encore changé de physionomie.

— Quel dommage, dit-elle en imaginant les touristes en chemises hawaïennes qu'elle avait croisés à Honolulu envahissant cet Éden et laissant derrière eux des boîtes de Coca et des restes de hamburgers.

— Mammon n'a pas toujours été un démon, précisa Jimmy. Je pense d'ailleurs qu'à l'origine, c'était une femme : Mammetun, la mère des désirs. Une Sumérienne. Avec un nom pareil, elle avait sans doute des tas de seins. C'est la même racine que « mammaire ». Et « maman », évidemment.

Il disait tout cela d'une voix monocorde, comme s'il se parlait à lui-même.

— Ne faites pas attention à moi, dit-il.

— Non, non, c'est intéressant, dit Rachel.

— J'ai suivi des études de religions comparées quand j'étais jeune.

— Qu'est-ce qui vous avait poussé vers ce domaine ?

— Oh... je ne sais pas. Les mystères, je suppose. Des choses que je ne pouvais pas expliquer. Il y en a beaucoup ici.

Rachel regarda encore une fois les montagnes entourées de nuages.

— C'est peut-être ce qui fait la beauté de cet endroit, dit-elle.

— Oh, j'aime cette idée, murmura Jimmy. Pas de beauté sans mystère. Je n'avais jamais vu les choses sous cet angle, mais c'est excellent. C'est élégant.

— Pardon ?

— Cette idée, je la trouve très élégante.

Ils continuèrent à rouler, en silence, pendant que Rachel réfléchissait à cette notion de pensée « élégante ». C'était tout nouveau pour elle. Les gens pouvaient être élégants parfois, des vêtements étaient élégants, bien évidemment ; un âge aussi pouvait être élégant. Mais une pensée ? Ses réflexions furent interrompues par Jimmy.

— Vous voyez cette falaise droit devant ? La maison est à moins d'un kilomètre de là.

— Margie m'a dit que c'était juste au bord de la plage.

— À cinquante mètres de l'océan, en effet. Vous pouvez quasiment pêcher de votre fenêtre.

Malgré cette promesse, la route les éloigna de la mer pour descendre en serpentant vers un pont. Ils roulaient à présent dans l'ombre de la montagne escarpée que Jimmy lui avait montrée. La source de la rivière qu'enjambait le pont était un torrent qui dévalait la paroi rocheuse, de tout en haut.

— Accrochez-vous maintenant, dit Jimmy dès qu'ils eurent franchi le pont. On va arriver sur le chemin pourri dont je vous parlais.

Quelques secondes plus tard, ils tournèrent brutalement sur la droite, et, comme l'avait annoncé Jimmy, la route se détériora rapidement : le goudron laissa place à un chemin creusé d'ornières remplies d'eau et serpentant entre les arbres qui n'avaient visiblement pas été taillés depuis des années. Les branches basses, alourdies par les fleurs et le feuillage, raclaient le toit de la voiture.

— Attention au chien, s'écria Rachel par-dessus le vacarme du moteur tournant à plein régime.

— Je l'ai vu, dit Jimmy.

Il se pencha par la vitre pour hurler quelques mots au corniaud à poil jaune qui demeura assis au milieu du chemin jusqu'au dernier moment, pour finalement relever paresseusement son postérieur plein de puces et aller se mettre à l'abri d'un pas nonchalant.

Il y avait d'autres obstacles animaliers sur le chemin : un jeune et beau coq se pavanait pendant que ses épouses picoraient dans les ornières de la route. Cette fois, Jimmy n'eut pas besoin de hurler. Les volatiles s'enfuirent dans une frénésie de petits battements d'ailes avortés pour se réfugier dans le feuillage épais de ce qui étaient peut-être des haies autrefois. Ici et là, à travers des trouées dans la végétation, Rachel apercevait des signes d'habitation. Une petite maison, à un stade avancé de délabrement, un morceau de machine agricole rouillé au-delà de tout espoir de récupération, au milieu d'un champ qui s'était mutiné bien des saisons auparavant.

— Il y a des gens qui vivent par ici ?

— Très peu. On a eu de grosses inondations il y a trois ou quatre ans. Des pluies torrentielles, un désastre. En l'espace de deux ou trois heures, la rivière a englouti le pont qu'on vient de traverser et emporté un tas de maisons. Quelques personnes sont revenues pour reconstruire. Mais beaucoup ont décidé de s'installer dans un endroit moins dangereux.

— Il y a eu des victimes ?

— Trois personnes sont mortes noyées, dont un enfant. Mais rassurez-vous, l'eau ne monte jamais jusqu'à la maison des Geary. Vous n'avez rien à craindre.

Pendant qu'ils discutaient, le chemin s'était détérioré davantage, si cela était possible. De chaque côté, les fourrés étaient si denses qu'ils menaçaient de recouvrir totalement la piste. Les oiseaux qui s'envolaient devant leurs roues n'étaient plus des poulets sauvages, mais des espèces que Rachel n'avait jamais vues, des éclairs ailés, des taches de violet et de bleu chatoyant.

— On est presque arrivés, promit Jimmy, tandis que le véhicule ballottait de droite à gauche. J'espère que vous n'avez pas apporté de la porcelaine.

Il y avait un dernier nid-de-poule au milieu du chemin, sur lequel Jimmy roula un peu trop vite. Le véhicule pencha sur le côté, et, pendant quelques secondes, il sembla sur le point de chavirer. Rachel ne put retenir un cri d'effroi.

— Désolé.

La voiture retomba lourdement sur ses quatre roues, dans un gémissement de tôle. Jimmy freina brutalement et ils s'arrêtèrent à une dizaine de mètres du portail en bois.

— Nous y sommes, déclara-t-il.

Il coupa le moteur et, soudain, ils furent submergés par le torrent de musique des oiseaux cachés dans les arbres et les fourrés ; accompagné par le grondement sourd de l'océan, invisible.

— Voulez-vous entrer seule ou dois-je vous faire visiter ?

— J'aimerais bien rester seule quelques minutes.

— Je comprends. Prenez votre temps. Je vais décharger vos bagages et fumer une cigarette.

Rachel descendit de voiture.

— J'en veux bien une, dit-elle en voyant Jimmy allumer sa cigarette.

Il lui tendit le paquet.

— Pardon, j'aurais dû vous le proposer. Mais il n'y a plus beaucoup de gens qui fument de nos jours.

— Je ne fume pas habituellement. Mais c'est une occasion particulière.

Elle prit une cigarette. Il la lui alluma. Elle inspira une longue bouffée. C'était la première cigarette qu'elle fumait depuis bien longtemps et la fumée lui procura une délicieuse sensation de vertige ; c'était l'état idéal pour pénétrer dans la maison.

Elle s'approcha du portail en marchant timidement au milieu des grenouilles tapies dans les hautes herbes humides et elle souleva le loquet. Le portail à double battant s'ouvrit sans qu'il soit besoin de le pousser. Rachel se retourna vers Hornbeck. Il s'était assis par terre et lui tournait le dos, les yeux levés vers le ciel. Rassurée de voir qu'il tenait parole et qu'il ne la dérangerait pas, elle franchit le portail et découvrit la maison.

Chapitre onze

1

Ce n'était pas une maison magnifique, malgré tous les efforts d'imagination. Il s'agissait d'une construction aux dimensions modestes, dans le style colonial, avec une véranda qui faisait tout le tour, des fenêtres protégées par des volets et des murs rose pâle. Sur les deux tiers de la longueur, c'était une maison de plain-pied, mais à une des extrémités on avait ajouté un étage qui donnait à l'ensemble un aspect bancal. Les tuiles de cette partie du toit étaient ocre, et non de couleur brique comme partout ailleurs, et les fenêtres étaient dépareillées, mais cela n'ôtait rien au charme de cette maison. Bien au contraire. Rachel était tellement habituée aux environnements conçus par des profascistes, impeccables et grandioses, que c'était une sorte de soulagement de découvrir cette construction excentrique.

Se fût-elle dressée en plein désert, cette maison aurait suffi à elle seule à captiver le regard, mais elle était entièrement entourée de végétation et de fleurs. Des palmiers ivres ondulaient paresseusement au-dessus du toit, du lierre grimpait sur la véranda et sous les gouttières.

Rachel s'attarda devant la maison une minute environ, le temps de s'imprégner de ce spectacle. Puis elle tira une dernière bouffée de sa cigarette, l'écrasa sous son talon et remonta le petit chemin conduisant à la porte. Des geckos d'un vert vif détalèrent devant elle, formant un comité d'accueil nerveux qui l'escortait jusqu'au seuil.

Elle poussa la porte. Un spectacle extraordinaire s'offrit alors à son regard. Toutes les portes intérieures étaient ouvertes, et, grâce à un caprice de l'architecte qui avait tenu à les aligner, l'œil du visiteur qui se tenait sur le seuil pouvait traverser toute la maison, jusqu'à l'océan qui scintillait de l'autre côté. Les pièces étaient obscures – surtout en comparaison de ce chemin baigné de lumière – et, pendant quelques secondes magiques, Rachel eut l'impression de contempler un labyrinthe sombre dans lequel était emprisonné un morceau de ciel et de mer.

Elle demeura un instant sur le seuil pour admirer cette illusion, avant de pénétrer dans la maison. L'impression qu'elle avait eue de l'extérieur – à savoir que cet endroit était loin de posséder l'aspect luxueux des autres propriétés appartenant aux Geary – se trouva rapidement confirmée. Il flottait là une agréable odeur de renfermé ; non pas l'odeur de moisi due à l'abandon, mais plutôt celle des murs imprégnés d'air marin, ou de l'humidité de l'île. Rachel passa lentement d'une pièce à l'autre pour se familiariser avec l'agencement des lieux. La maison était meublée de manière pour le moins éclectique, un peu comme si, à une certaine époque, elle avait servi de dépôt pour tous les objets dotés d'une valeur sentimentale. Aucun n'était assorti. Autour de la table de la salle à manger – éraflée, couverte d'entailles et de taches – étaient disposées cinq chaises en bois dépareillées et une paire assortie. Dans la cuisine relativement grande, les casseroles et les poêles accrochées aux murs étaient rescapées d'une dizaine de batteries différentes. Les coussins empilés avec une profusion hédoniste sur le sofa étaient tout aussi disparates. Seuls les tableaux sur les murs offraient quelque homogénéité. Par contraste avec les œuvres modernes et austères que Mitchell avait choisies pour l'appartement de Rachel, ou avec les peintures monumentales de l'Ouest américain que collectionnait Cadmus (il possédait un tableau de Bierstadt qui occupait tout un mur), il s'agissait là de modestes aquarelles et dessins au crayon qui représentaient divers aspects de l'île : des bateaux ancrés dans des baies, des études de fleurs ou de papillons. Dans l'escalier était exposée une série de dessins de la maison, ne portant ni date ni signature, mais visiblement réalisés il y a fort longtemps : le papier avait jauni, les traits de crayon commençaient à s'effacer.

À l'étage, la décoration était tout aussi hétéroclite qu'au rez-de-chaussée. Un des lits paraissait assez spartiate pour provenir d'une caserne, mais il partageait l'espace de la chambre avec une chaise longue qui n'aurait pas été déplacée dans un boudoir, tandis que la chambre principale contenait des meubles sculptés et peints : au milieu de fleurs étranges, des hommes et des femmes nus se prélassaient avec délice. Avec les ans, il ne restait plus de la peinture que des taches de couleur et le bois était sculpté de manière assez grossière, mais la présence de ces meubles conférait à la chambre un curieux aspect magique.

Rachel repensa à ce que lui avait dit Margie au sujet de cette maison. Tout se révélait exact. Elle était sur cette île depuis deux heures à peine, et déjà elle sentait le charme opérer.

Elle s'approcha de la fenêtre. Celle-ci s'ouvrait sur le petit jardin mal entretenu et un bosquet de buissons bas, derrière lequel s'étendaient la plage dont le sable blanc brillait au soleil et, un peu plus loin, le scintillement de l'eau couleur turquoise.

Elle savait déjà quelle chambre elle choisirait, se dit-elle en se laissant tomber à la renverse sur le lit comme une enfant.

— Oh, Seigneur, dit-elle en levant les yeux au plafond, merci pour tout ça. Merci infiniment.

2

Quand elle redescendit, Jimmy avait déposé ses bagages sur le seuil et il attendait consciencieusement au milieu des valises et des sacs, en allumant une autre cigarette.

— Apportez-les, dit-elle.

Jimmy s'apprêtait à jeter sa cigarette.

— Non, vous pouvez fumer dans la maison, Jimmy.

— Vous êtes sûre ?

— J'en ferai autant, dit-elle. Je fumerai, je boirai et...

Elle s'arrêta, que ferait-elle d'autre ?

— ... Et je mangerai tout ce qui est interdit.

— En parlant de ça, dit Jimmy, la cuisinière s'appelle Heidi ; elle vit à quelques kilomètres d'ici. Sa sœur vient faire le ménage quatre fois par semaine, mais elle peut venir tous les jours si vous préférez, pour changer les draps...

— Non, c'est très bien comme ça.

— J'ai pris la liberté de remplir le frigo et le congélateur. Il y a quelques bouteilles de vin et autres alcools dans un des placards de la cuisine. Si vous avez besoin de quelque chose, vous pouvez envoyer Heidi à Kapa'a. Je suppose que vous prenez la grande chambre ?

— Oui, s'il vous plaît.

— Je monte vos bagages.

Jimmy s'exécuta aussitôt, laissant Rachel finir son exploration de la maison. Elle se dirigea vers la porte-fenêtre à travers laquelle elle avait entr'aperçu la plage pour la première fois ; elle l'ouvrit et sortit sur la véranda. Il y avait là quelques chaises usées par les intempéries et une petite table en fer forgé, et toujours le lierre, toujours les fleurs, toujours les geckos et les papillons. Le vent avait déposé une gigantesque feuille de palmier séchée sur les marches. Rachel l'enjamba pour descendre dans le jardin, les yeux fixés sur la plage.

L'eau paraissait délicieusement accueillante ; les vagues se brisaient sur le rivage dans un doux fracas crémeux.

— Madame Geary ?

Jimmy l'appelait, mais ce n'est qu'au bout de la troisième fois que Rachel s'arracha à son état quasi hypnotique pour se souvenir que c'était *elle* la Mme Geary en question. Elle se retourna vers la maison. Celle-ci était encore plus belle vue de derrière. Le vent et la pluie venus de la mer l'avaient attaquée plus sauvagement de ce côté, et la végétation, comme pour panser ses blessures, l'enveloppait douillettement. « Je pourrais passer ma vie ici », se dit Rachel.

— Pardon de vous déranger, madame Geary...

— Je vous en prie, appelez-moi Rachel.

— Merci. Ce sera donc Rachel. J'ai déposé vos bagages dans la chambre, et je vous ai laissé mon numéro de téléphone et celui de Heidi sur le comptoir de la cuisine. Oh, au fait, j'allais oublier, il y a une Jeep dans le garage. Mais si vous voulez quelque chose de plus chic, je vous louerai une voiture. Désolé de partir si vite, mais j'ai une réunion paroissiale...

— Ce n'est pas grave. Vous avez déjà fait beaucoup.

— Dans ce cas, je vous laisse, dit Jimmy en retournant dans la maison. Si vous avez besoin de quelque chose... n'importe quoi.

— Merci. Je suis sûre de ne manquer de rien.

— À plus tard, alors ! lança-t-il, avec un petit signe de la main, en s'éloignant.

Rachel entendit la porte claquer, puis le vrombissement du véhicule qui s'éloignait. Finalement, le bruit du moteur disparut et elle se retrouva seule avec le chant des oiseaux et la mer.

— Parfait, se dit-elle à voix basse en imitant la prononciation anglaise légèrement heurtée de Jimmy.

Ce n'était pas un mot qu'elle aurait pensé à utiliser avant de l'entendre dans la bouche de Jimmy, mais y avait-il un endroit sur terre, ou un moment dans sa vie, qui méritait davantage ce qualificatif ? Non. C'était parfait, parfait.

Chapitre douze

Maintenant que Jimmy était reparti et qu'elle avait la maison pour elle toute seule, Rachel décida de remettre à plus tard son expédition sur la plage, préférant prendre une douche et se servir un verre à la place. Jimmy avait rempli les placards de la cuisine avec une merveilleuse efficacité. Après s'être douchée et avoir quitté sa tenue de voyage pour enfiler une robe d'été plus légère, Rachel partit en quête des ingrédients nécessaires à la confection d'un bloody mary et fut enchantée de découvrir qu'il y avait tout : une bouteille de vodka, du jus de tomate, du tabasco, un peu de raifort, et même du céleri. Son verre à la main, elle appela Margie pour lui annoncer qu'elle était arrivée saine et sauve. Mais Margie était absente ; Rachel lui laissa un message et se dirigea vers la plage.

La douceur parfumée de l'après-midi avait laissé place à une délicieuse soirée ; les derniers rayons du soleil soulignaient les cimes des palmiers et doraient les nuages qui voguaient vers le sud. À deux cents mètres de là environ, trois jeunes garçons du coin faisaient du surf ; ils s'interpellaient bruyamment en chevauchant les vagues. Le trio était l'unique présence sur la plage. Rachel posa son verre dans le sable et descendit vers la mer. Elle s'aventura dans les vagues jusqu'à mi-mollet ;

l'eau qui s'étalait sur le sable chauffé par le soleil de la journée était tiède. En éclatant contre ses jambes, les vagues éclaboussaient son torse, son cou, son visage.

Les trois surfeurs avaient rangé leurs planches et allumé au bout de la plage un petit feu qu'ils alimentaient avec des débris de bois. Commençant à frissonner, Rachel décida de remonter chercher son verre. Moins de vingt minutes s'étaient écoulées depuis qu'elle était sortie de la maison, mais le bref crépuscule tropical était déjà finissant. Les nuages et les palmiers avaient perdu leur parure d'or et des étoiles impatientes pointaient leur nez dans le ciel.

Elle but les dernières gouttes épicées de son bloody mary et regagna la maison. Dans sa hâte de descendre sur la plage, elle avait omis d'allumer les lumières, et, quand elle s'engagea dans le petit chemin qui serpentait au milieu des buissons, elle se retrouva dans une quasi-obscurité. Mais la maison ne perdait rien de sa beauté dans cette opacité ; les murs pâles et les peintures blanches prenaient une teinte bleutée dans la nuit naissante. Rachel avait oublié cette sensation de se retrouver dans un endroit où il n'y avait ni lampadaires, ni lumières de voitures, ni même les lueurs lointaines d'une ville pour teinter le ciel. Elle voyait le monde sous un jour nouveau, ou plutôt, sous un jour très ancien qu'elle redécouvrait tout à coup. Elle entendait dans l'air environnant des nuances qui, en temps normal, lui auraient échappé, dans les cris des grenouilles et des oiseaux de nuit, dans le bruissement discret des palmiers et des buissons ; elle percevait des dizaines d'odeurs différentes, qui montaient de la terre humide sous ses pieds et s'échappaient des fleurs dissimulées par l'obscurité.

Finalement, elle parvint à regagner la maison, et, après avoir cherché à tâtons, elle alluma quelques lumières. Elle monta directement dans la chambre pour ôter ses vêtements mouillés. C'est ainsi qu'elle croisa son reflet dans le grand miroir de la coiffeuse. Ce qu'elle découvrit la fit éclater de rire. En l'espace de quelques minutes, les effets combinés du vent et des embruns l'avaient transformée en femme sauvage aux cheveux ébouriffés et aux joues rougies ; ils avaient fait voler en éclat toute velléité d'élégance. Mais peu importe, Rachel aimait ce qu'elle voyait. Peut-être n'avait-elle pas été entièrement domptée par le chagrin et les Geary, finalement. Peut-être que la Rachel qu'elle avait été durant ces années d'insouciance, avant la mort de papa, avant la déception de Cincinnati et tout ce qui avait suivi, était toujours vivante en elle. Oui, là ! Là ! Elle lui souriait dans ce miroir ; le petit animal sauvage de son enfance, le fléau des maîtresses d'école et des policiers, la fille qui aimait par-dessus tout faire des bêtises ; elle était là.

— Où étais-tu passée, nom de Dieu ? se demanda-t-elle.

J'ai toujours été là, semblait dire ce sourire. *J'attendais simplement le bon moment pour réapparaître.*

2

Elle se prépara un repas léger, une assiette anglaise et du fromage, et déboucha une bouteille de vin : du rouge, pas du blanc, pour une fois ; elle voulait quelque chose qui ait du corps. Elle alla s'installer sur le canapé pour manger, les pieds sous les fesses. Il y avait une petite télévision dans le salon, mais elle n'avait pas envie de la regarder. Qu'importe si la Bourse s'était effondrée ou si la Maison-Blanche était partie en fumée. Le monde extérieur et ses problèmes pouvaient aller au diable, pour l'instant du moins.

Au milieu de son repas tranquille, le téléphone sonna. Rachel était fortement tentée de ne pas décrocher, mais, pensant qu'il s'agissait sans doute de Jimmy qui voulait s'assurer que tout allait bien, elle répondit. Ce n'était pas Hornbeck, c'était Margie. Elle paraissait lasse.

— Quelle heure est-il à New York ?

— Je ne sais pas... deux heures et demie, dit Margie. Alors, tu es bien installée ?

— Tout est parfait. C'est encore mieux que tu le disais.

— Ce n'est qu'un début, ma chérie. Tu seras stupéfaite de voir ce qui arrive quand on commence à adopter le rythme de cet endroit. Tu as choisi la grande chambre ?

— Avec les meubles sculptés...

— Cette pièce est incroyable, hein ?

— Toute la maison est incroyable. Je me suis sentie chez moi dès que j'y suis entrée.

— Tu ne devineras jamais avec qui j'ai dîné ce soir, dit Margie.

— Avec qui ?

— Cadmus.

— Loretta a organisé une soirée ?

— Non, juste lui et moi.

— En quel honneur ?

— C'était étrange. Il m'a fait jurer de garder le secret, mais je te raconterai tout quand tu rentreras. (Elle laissa échapper un petit rire.) Franchement, cette famille...

— Eh bien, quoi ?

— Tous les hommes sont fous, dit Margie. Et je crois que nous sommes encore plus folles, car on tombe amoureuses de ces salopards. (Sa voix devint un murmure.) Il faut que je te laisse, ma chérie. J'entends Garrison. Je t'aime.

Sans attendre de réponse, elle raccrocha.

Cet appel troubla légèrement Rachel, il ravivait une pensée qu'elle voulait laisser à la porte de cette maison : tant qu'elle n'avait pas divorcé de Mitchell, elle faisait partie de l'histoire des Geary.

Malgré tout, elle était trop fatiguée pour que ces préoccupations l'empêchent de dormir. Elle se coucha dans le lit avec bonheur ; les oreillers étaient moelleux, les draps sentaient bon. À peine avait-elle remonté la couverture qu'elle plongea dans un endroit où les Geary – leurs hommes fous et leurs femmes tristes, leurs secrets et tout le reste – ne pouvaient pas l'atteindre.

Chapitre treize

1

Elle se réveilla dès l'aube, se lava, marcha jusqu'à la fenêtre de la chambre et admira le monde tel qu'il s'offrait à elle, avant de retourner se coucher pour s'offrir trois heures supplémentaires de délice. Finalement, elle parvint à quitter son lit, avec peine, pour descendre se préparer un café. La sensation de renouveau qu'elle avait éprouvée la veille – ses sens éteints qui ressuscitent, l'image de la Rachel indomptée dans le miroir – ne l'avait pas abandonnée ; et la lumière franche du matin ne diminuait en rien les charmes de cette maison. Rachel était aussi heureuse de s'y promener que lors de son arrivée ; chaque étagère, chaque recoin recelait quelque objet nouveau et intéressant. Deux pièces avaient même échappé à son attention lors de ses explorations antérieures. La première était un petit bureau donnant sur un jardin situé sur le côté de la maison, avec une table, de vieux fauteuils confortables et plusieurs étagères supportant des ouvrages souvent lus et cornés ; la seconde pièce était beaucoup plus petite et semblait servir de débarras pour toutes les choses ramassées sur la plage : des bouts de bois patinés par la mer, des coquillages ; des morceaux de corail, des bouts de corde usée, il y avait même un carton rempli de pierres qui avaient attiré le regard d'un promeneur sur la plage.

Mais la découverte la plus prometteuse se trouvait dans le placard du salon : une collection de vieux disques 78 tours, dans leurs pochettes d'origine, et, sur l'étagère du dessus, le phonographe. La dernière fois où Rachel avait vu un appareil semblable, c'était dans la maison de Caleb's Creek, mais ces disques semblaient bien plus anciens que tous ceux qui constituaient la collection chérie de George. Elle se promit de choisir quelques disques, plus tard, et de voir si elle pouvait faire fonctionner le phonographe. Ce serait son seul et unique projet de la journée.

Vers midi, après s'être préparé un brunch (et l'avoir dévoré ; elle était surprise d'avoir un tel appétit, compte tenu du peu d'efforts qu'elle avait accompli), elle redescendit sur la plage avec l'intention, cette fois, de la parcourir d'un bout à l'autre. Sur le chemin, une poule jaillit tout à coup devant elle, affolée et pressée de rejoindre ses trois poussins qui l'attendaient de l'autre côté. À grand renfort de cot ! cot ! cot !, elle les entraîna au milieu des feuilles de palmier mortes et des enveloppes de noix de coco pourrissantes.

La plage était totalement déserte ce matin. Les vagues étaient bien plus petites que la veille, trop petites pour tenter le plus prudent des surfeurs. Rachel marcha sur la plage – regrettant vite de ne pas avoir eu la présence d'esprit de chercher un chapeau dans la maison, car le soleil était brutal – jusqu'à ce qu'elle atteigne l'endroit où la chute d'eau qui cascadait de la falaise escarpée se déversait dans la mer. Teintée d'ocre par le limon ramassé en chemin, elle formait une sorte de cuvette en atteignant la plage, et, bien qu'il n'ait pas l'air dangereux, Rachel ne voulut pas courir le risque de traverser ce bassin d'une cinquantaine de mètres pour passer de l'autre côté, alors elle fit demi-tour. En revenant, elle garda les yeux fixés sur l'horizon. Jimmy lui avait dit que c'était la saison où l'on pouvait observer les baleines ; avec un peu de chance, peut-être verrait-elle une baleine à bosse crever la surface de l'océan. Hélas, la chance n'était pas de son côté : aucune baleine à l'horizon. Uniquement deux petits bateaux de pêche qui ballottaient sur les flots à proximité du rivage, et plus loin, beaucoup plus loin, une voile blanche. Rachel s'arrêta une ou deux minutes pour la regarder scintiller à l'extrême limite de son champ de vision, tour à tour éclatante dans le soleil, puis invisible. Finalement, lassée de ce spectacle, elle regagna la maison, déshydratée et avec quelques coups de soleil.

Un visiteur l'attendait à la porte. Un homme d'environ trente-cinq ans à la peau sombre et aux épaules larges qui dit s'appeler Niolopua.

— Je viens pour m'occuper de la maison, expliqua-t-il.

— C'est-à-dire ? demanda Rachel.

Dans son souvenir, Jimmy ne lui avait pas parlé de cet homme, et, même s'il paraissait tout à fait honnête et dénué d'agressivité, Rachel avait apporté dans ses bagages la méfiance instinctive des New-Yorkais vis-à-vis des étrangers.

— Tondre l'herbe, dit-il en désignant d'un mouvement de tête l'arrière de la maison. Arroser et tailler les plantes...

— Oh... L'extérieur de la maison, vous voulez dire ?

— Oui.

— Pas de problème, dit-elle en s'écartant pour le laisser entrer.

— Je vais faire le tour, dit-il en la dévisageant de manière plus insistante. Je voulais juste me présenter.

— Eh bien, merci.

Rachel se demanda si le regard de cet homme ne cachait pas quelque message sous-jacent, mais son langage corporel contredisait ces soupçons. Il se tenait à distance respectueuse, les mains dans le dos. Elle soutint son regard, s'attendant à le voir tourner la tête, mais il ne le fit pas. Il continua à la regarder fixement, avec une sorte de candeur enfantine, jusqu'à ce qu'elle demande :

— Autre chose ?

— Non. C'est bon. Tout va bien.

On aurait dit qu'il cherchait à la rassurer.

— Tant mieux, dit-elle. Je vous laisse travailler.

Sur ce, elle lui tourna le dos et ferma la porte.

Un peu plus tard, en entendant le ronronnement de la tondeuse à gazon, elle s'approcha de la fenêtre du salon pour observer le dénommé Niolopua. Il avait ôté sa chemise ; son dos avait la couleur du torrent chargé de limon. Dans un de ces romans idiots qu'affectionnait Margie, se dit Rachel, elle n'aurait qu'à l'inviter à boire un verre d'eau fraîche ; une minute plus tard, elle se retrouverait plaquée contre la porte, avec la langue de cet homme au fond de la gorge. Elle sourit intérieurement, elle se sentait l'âme perverse. Peut-être qu'elle tenterait le coup, se dit-elle, dans quelques jours, pour voir si la réalité était à la hauteur du fantasme.

Quelques instants plus tard, tandis qu'elle essayait de faire fonctionner le phonographe, elle s'aperçut que le bruit de la tondeuse à gazon s'était arrêté. Levant la tête pour regarder par la fenêtre, elle constata que Niolopua avait interrompu son travail pour descendre vers l'extrémité du jardin. Il contemplait la mer, une main en visière pour se protéger de la lumière aveuglante du ciel.

L'objet de son attention ne faisait aucun doute. Le bateau à la voile blanche s'était approché du rivage, suffisamment pour que Rachel découvre qu'il ne possédait pas une seule voile, mais au moins deux. Elle aussi observa pendant un petit moment les mouvements du bateau sur l'eau bleu marine. Il y avait quelque chose d'hypnotique dans ce spectacle ; c'était comme regarder les aiguilles d'une pendule : le mouvement était si infime qu'on ne pouvait pas le percevoir. Pourtant, cela ne faisait aucun doute, alors même qu'elle observait ce bateau, il s'était encore rapproché du rivage, imperceptiblement.

Une soudaine éruption de cris aigus dans les palmiers sur la droite de la maison attira son regard. Plusieurs chardonnerets se querellaient violemment au milieu des longues feuilles ; quelques plumes s'envolèrent et tombèrent sur le sol en tourbillonnant. Le temps que la dispute cesse et que Rachel reporte son attention sur le jardin, Niolopua avait abandonné son poste de vigie pour se remettre au travail. Le bateau, quant à lui, avait disparu, entraîné le long de la côte par le vent ou le courant, ou les deux, et Rachel éprouva un pincement de frustration. Elle se réjouissait par avance à l'idée de suivre la progression de ce voilier en sirotant un cocktail. Tant pis, se dit-elle. Elle aurait certainement l'occasion de voir passer un tas d'autres bateaux au cours des prochains jours.

2

À mesure que la journée s'écoulait, le vent forcit ; de violentes bourrasques agitaient les palmiers autour de la maison, fouettant l'océan qui paraissait si inoffensif ce matin et ressemblait maintenant à un démon à crinière blanche. Rachel sentait croître un sentiment de malaise, comme toujours. Enfant, elle devenait nerveuse quand le vent soufflait ; il lui semblait entendre des voix dans ce mugissement, parfois même des pleurs ou des sanglots. « Ce sont les âmes en peine », lui expliquait sa grand-mère, ce qui ne faisait rien pour apaiser ses angoisses, on s'en doute.

Rachel décida finalement de ne pas rester dans la maison et de prendre la Jeep pour rouler le long de la côte. L'idée se révéla excellente. Après avoir roulé un certain temps, elle se retrouva sur une étroite langue de terre au bout de laquelle se dressait une minuscule église blanche, entourée d'une trentaine de tombes. L'édifice était partiellement délabré, victime sans doute de l'ouragan dont lui avait parlé Jimmy Hornbeck. Toutes les tuiles du toit avaient été arrachées, ainsi que de nombreuses poutres. Seuls trois des quatre murs tenaient encore debout ; celui qui faisait face à la mer avait disparu. Tout comme l'autel. Il ne restait plus à l'intérieur que quelques chaises en bois que, pour une raison quelconque, personne ne s'était approprié.

Rachel se promena parmi les tombes, vieilles de trente ou quarante ans pour la plupart, et d'autres beaucoup plus anciennes à en juger par leur état de délabrement et l'érosion de la pierre. Certaines des personnes enterrées ici avaient des noms qu'elle pouvait prononcer – Robertson, Montgomery, il y avait même un Schmutz –, mais d'autres patronymes la laissaient sceptiques. Comment prononçait-on Kaohelaulii ? ou bien Hokunohoaupuni ?

Après avoir passé une dizaine de minutes à examiner les noms sur les pierres tombales, Rachel commença à s'apercevoir qu'elle n'était pas habillée pour affronter les éléments. Même si le soleil pointait parfois son nez entre les nuages qui filaient dans le ciel, le vent froid la transperçait jusqu'aux os. N'ayant nulle envie de remonter dans la Jeep pour rentrer à la maison, elle choisit de trouver refuge dans les ruines de l'église. Les murs de bois grinçaient sous les assauts des bourrasques. Il suffirait d'une seule autre tempête, se disait-elle, et tout l'édifice s'écroulerait pour de bon. En attendant, il lui offrait exactement ce dont elle avait besoin : une protection contre les rafales et une vue dégagée sur le ciel et la mer.

Assise sur une des chaises branlantes, elle écoutait la mélodie changeante du vent qui sifflait entre les planches. Sa grand-mère avait peut-être raison, finalement. Dans un endroit tel que celui-ci, il n'était pas difficile d'imaginer que les défunts exprimaient leurs souffrances dans le vent. Peut-être que les âmes de ces hommes et de ces femmes enterrés sur cette langue de terre – les Montgomery ou les Kaohelaulii – venaient du large pour se recueillir sur leurs ossements. C'était une pensée mélancolique et morbide et pourtant, Rachel n'éprouvait aucun malaise. En la voyant assise dans cette église, tranquillement, sans être effrayée par leurs voix, ces âmes trouveraient peut-être du réconfort dans ce souvenir quand elles regagneraient leurs mondes désolés.

Soudain, quelques gouttes de pluie s'écrasèrent sur son visage. Se levant de sa chaise, Rachel retourna dehors et découvrit qu'une énorme masse de nuages noirs se dirigeait vers l'île ; sa sinistre progéniture la devançait, pour répandre quelques averses de mise en garde. Il était temps de rentrer. Elle releva le col de son chemisier et se faufila entre les tombes pour rejoindre la Jeep. La pluie arrivait à toute vitesse. Avant même que Rachel ait parcouru la moitié du chemin, elle s'était mise à tomber dru, de plus en plus dru. C'était une pluie glacée qui lui coupait la respiration.

Rachel s'engouffra dans la Jeep et mit le contact d'une main tremblante. Le vacarme de la pluie qui martelait la capote couvrait le mugissement du vent. En faisant marche arrière, elle jeta un coup d'œil en direction de l'océan, et, à travers le pare-brise dégoulinant, elle entrevit une tache blanche sur la mer noire. Elle actionna les essuie-glaces pour dégager la vue.

Tout là-bas, au milieu de la baie, c'était bien le bateau qu'elle avait aperçu un peu plus tôt dans la journée : le deux-mâts qui avait accaparé l'attention de Niolopua. C'était ridicule de descendre de voiture pour mieux voir, mais, pour une raison inexplicable, elle en éprouvait le besoin.

La pluie était si violente que Rachel se retrouva trempée jusqu'aux os en seulement cinq secondes. Mais elle s'en fichait. Ça valait le coup d'être trempée pour voir le bateau braver la houle, ses voiles gonflées de vent, la proue qui ouvrait une plaie blanche dans l'eau vert-de-gris. Soulagée de constater qu'il s'agissait sans aucun doute du voilier qu'elle avait déjà remarqué, et que son équipage ne courait apparemment aucun danger, elle remonta à bord de la Jeep et reprit le chemin de la maison.

Chapitre quatorze

Depuis quelque temps, lorsque j'écris, je me surprends à serrer si fort le stylo entre mes doigts que je sens mon sang battre dans mon pouce et mon index. Cet étau prend de plus en plus une forme obsessionnelle. Dussé-je mourir à cet instant, alors que j'écris ces mots, je jure qu'il faudrait plusieurs hommes forts pour m'arracher ce stylo.

Vous vous souvenez que je vous ai avoué, dans un précédent chapitre, que j'étais totalement perdu, que je ne savais plus comment assembler toutes les pièces de mon histoire. En l'espace de quelques nuits de travail, ce sentiment a commencé à se dissiper. Peut-être que je m'illusionne, mais il me semble que j'aperçois plus clairement les connexions : le tableau d'ensemble de mon récit m'apparaît peu à peu. Et à mesure qu'il devient plus net, je me sens entraîné de plus en plus profondément dans l'histoire que je raconte, comme un fidèle est attiré vers les marches de l'autel et – oserai-je le dire ? – pour la même raison : j'espère m'élever jusqu'au lieu de la révélation.

En attendant, je jouis de la compagnie de mes personnages comme s'il s'agissait d'amis très chers. Il me suffit de fermer les yeux, ils sont là.

Rachel, par exemple. Je l'imagine très bien à cet instant, sirotant son bloody mary du soir avant de se coucher, à mille lieues de se douter qu'elle va connaître bientôt la nuit la plus importante de son existence. Je me représente Cadmus tout aussi clairement. Il est assis dans son fauteuil roulant devant un téléviseur grand écran ; ses yeux vitreux contemplent une scène très éloignée de lui dans le temps, et pourtant plus récente que les taches de vieillesse sur le dessus de ses mains. Je peux faire surgir devant moi Garrison – ce pauvre Garrison, malade, atteint d'un tel mal dans son cœur et qui le sait –, ou bien Margie, dans les vignes du Seigneur ; Loretta en train de comploter des successions ; ou bien l'épouse de mon père, concentrée sur ses propres intrigues ; ou encore Luman, Marietta et Galilée.

Oh, mon Galilée, je le vois plus distinctement ce soir que toute ma vie durant, même quand il se tenait devant moi en chair et en os. Cela vous paraît absurde, qu'il m'apparaisse plus nettement dans mon imagination que devant mes yeux ? En tout cas, c'est la vérité. En rêvant de Galilée comme je le fais, en le faisant apparaître non pas comme un personnage de chair et d'esprit, mais comme une créature appartenant à moitié au mythe, je crois me trouver en présence d'un être plus authentique que ce fantôme que j'ai rencontré dernièrement.

Peut-être pensez-vous : quelle absurdité. Nous sommes faits de chair et de sang, direz-vous. Ce à quoi je répondrai : oui, mais nous mourons sous forme d'esprit. Même des divinités comme Galilée abandonnent finalement les limites de l'enveloppe charnelle pour plonger dans la légende sans entraves. Dès lors, en l'imaginant sous sa forme mythique – voyageur, amant et brute –, ne suis-je pas plus près du Galilée avec qui mon âme passera l'éternité ?

J'ai commis l'erreur de lire avec fierté les paragraphes précédents à Marietta. Elle a ricané, elle les a qualifiés d'« âneries prétentieuses » (c'était l'épithète la plus gentille) ; elle m'a conseillé de supprimer toutes ces cogitations et de me contenter de faire mon travail, à savoir – selon elle – rapporter simplement ce que je sais sur l'histoire des Barbarossa et des Geary, de manière aussi claire et concise que possible.

J'ai donc décidé de ne plus faire partager à Marietta ce que j'écris. Si elle veut lire un livre qui raconte l'ascension et la chute de la dynastie Geary, elle n'a qu'à l'écrire elle-même, nom de Dieu. Moi, j'ai entrepris quelque chose de totalement différent. Le résultat sera désordonné, assurément, fait d'éléments disparates rassemblés, mais je trouve cela aussi beau, à sa manière, qu'une jolie petite histoire bien construite. En tout cas, plus proche de la vie.

Marietta m'a dit ce jour-là deux autres choses qui méritent d'être rapportées ici, ne serait-ce que parce qu'elles renferment une certaine part de vérité. Tout d'abord, elle m'accusa d'aimer les mots pour leur musique. Je plaidai coupable, ce qui la fit rager. « Tu fais passer la musique avant le sens ! » s'écria-t-elle. (C'était une accusation malveillante, car c'est faux. Mais je pense que le sens vient toujours après. Nous sommes d'abord séduits par la beauté et la musique ; et puis, honteux de notre sensualité, nous mettons le sens en avant.)

Ce qui m'amène à sa seconde remarque, lorsqu'elle m'accusa de n'être en définitive qu'un vulgaire conteur de village. Mon visage se fendit d'un large sourire et je lui répondis que rien ne pourrait me faire plus plaisir que de connaître mon livre par cœur pour le réciter à voix haute. Elle verrait alors tout le plaisir qu'on pouvait puiser dans mon sac à histoires. Vous n'aimez pas ce que je vous raconte, monsieur ? Ne vous en faites pas. Ça va changer dans deux minutes. Vous n'aimez pas les scandales ? Je vais vous parler de Dieu, alors. Vous détestez Dieu ? Je vais vous raconter une scène d'amour. Vous êtes puritain ? Prenez patience, les amants vont bientôt souffrir. Les amants souffrent toujours.

Face à ces arguments, Marietta réagit avec aigreur, bien évidemment.

— Tu n'es donc qu'un démagogue ? répliqua-t-elle. Tu racontes aux gens ce qu'ils veulent entendre. Pourquoi, dans ce cas, tu ne noies pas toute ton histoire sous des flots de sexe pour être tranquille ?

— Tu as fini ?

— Non.

— J'aimerais que tu t'en ailles. Tu es venue ici dans l'unique but de me chercher querelle, et j'ai mieux à faire.

— Ah ah ! s'exclama-t-elle en s'emparant d'une des feuilles sur mon bureau.

— C'est ça que tu as à faire ? « Nous sommes faits de chair et de sang, direz-vous... »

Je lui arrachai la feuille des mains avant qu'elle n'aille plus loin.

— Fiche le camp, ordonnai-je. Tu joues les philistins.

— Oh, je suis trop bête pour apprécier tes ambitions artistiques, c'est ça ?

Je réfléchis à cette question.

— Présenté comme ça... Oui.

— Très bien, dit-elle. Nous savons donc à quoi nous en tenir tous les deux, n'est-ce pas ? Je pense que ton travail est une merde honteuse et toi, tu penses que je suis stupide.

— Ça me semble être un bon résumé.

— Non, non, dit-elle, comme si j'étais sur le point de changer d'avis (ce qui n'était pas le cas). Tu l'as dit. C'est trop tard. Il n'y a rien à ajouter.

— Je suis d'accord avec toi, Marietta.

— Je ne remettrai plus les pieds ici.

— Tant mieux.

— Ne compte plus sur mon aide.

— « Tant mieux », j'ai dit.

Elle était écarlate de rage.

— Je parle sérieusement, Maddox.

— Je le sais bien, Marietta, répondis-je calmement. Et ça me fend le cœur, crois-le bien. Ça ne se voit peut-être pas, mais cette perspective me cause une douleur intolérable. (Je désignai la porte.) La sortie est par là.

— Nom de Dieu, Maddox. Tu es vraiment un sale connard, parfois.

Voilà, autant que je m'en souvienne, ce que fut notre conversation ce jour-là. Depuis, je n'ai pas revu Marietta. Évidemment, elle va revenir tôt ou tard, la tête basse, en faisant comme si cet échange n'avait jamais eu lieu. En attendant, je ne suis pas dérangé dans mon travail, et je m'en réjouis. Je dois encore écrire les passages les plus importants de mon histoire. Moins je serai distrait, plus je pourrai me concentrer sur cette tâche.

Toutefois, je ne peux m'empêcher de revenir sur un point de cette conversation ; il s'agit de la comparaison avec un conteur de village. Je sais bien que dans la bouche de Marietta, ce rapprochement était une critique, mais en vérité, je ne vois rien de déshonorant dans cette fonction. De fait, je me suis très souvent imaginé assis sous un vieil arbre, sur quelque place poussiéreuse – à Samarkand, peut-être. Oui ! À Samarkand. Racontant mon épopée par épisodes, contre de quoi acheter du pain et de l'opium. J'aurais vécu heureux de cette façon : la panse pleine et la tête dans les nuages, vendant mon récit par fragments, jour après jour. J'aurais mené mon public par le bout du nez ; chaque après-midi, ils seraient revenus me trouver, dans la pénombre bleutée, pour me supplier de leur vendre une autre parcelle de cette saga familiale.

Mon père avait un don pour improviser les histoires. D'ailleurs, c'est un des rares très bons souvenirs que j'ai conservés de lui. Enfant, je m'asseyais à ses pieds et il tissait pour moi de merveilleuses fictions. C'étaient souvent des histoires cruelles, soit dit en passant : des histoires violentes, pleines de sang, qui parlaient du monde tel qu'il était à une époque non définie. Du temps où il était jeune peut-être, s'il le fut un jour.

Bien plus tard, alors que j'approchais de l'âge adulte et me préparais à partir en quête de compagnie féminine, il m'expliqua que je ne devais pas sous-estimer le pouvoir des histoires dans l'art de la séduction. Il n'avait pas séduit ma mère avec des baisers et des compliments, dit-il (et il ne l'avait certainement pas soûlée pour la violer, comme me l'avait raconté Cesaria) ; il l'avait attirée sur ses genoux, et ensuite dans son lit, en lui racontant une histoire.

Ce qui nous ramène (si vous ne voyez pas encore pourquoi, vous allez comprendre) à cette nuit sur l'île de Kaua'i, et à Rachel.

TABLE DES MATIÈRES

Achevé d'imprimer sur les presses de

BUSSIÈRE

GROUPE CPI

à Saint-Amand-Montrond (Cher)
en août 2002

POCKET - 12, avenue d'Italie - 75627 Paris Cedex 13
Tél. : 01-44-16-05-00

— N° d'imp. : 24284. —
Dépôt légal : septembre 2002.

Imprimé en France